KV-405-707

想象另一种可能

理想国
imaginist

SPECTACLE OF ILLUSION. THE
MAGIC, THE PARANORMAL &
THE COMPLICITY OF THE MIND.
NE LOQUARIS DE DEO ABSQ·LVMINE·
HOC HOC AGEN TIBUS NOBIS ADERIT IPSI DEUS.
DISCE BENE MORI

MAGIC, THE PARANORMAL & THE COMPLICITY OF THE MIND

MATTHEW L. TOMPKINS
experimental psychologist & magician

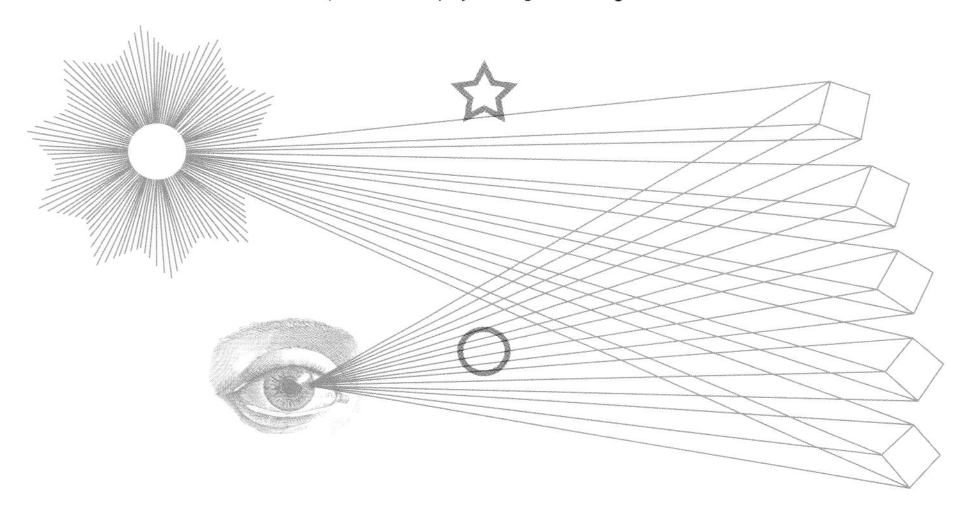

# THE SPECTACLE OF ILLUSION

## 魔术、幻术与骗术
# 以眼还眼

实验心理学家、魔术师［美］马修·L. 汤普金斯——著　栾志超——译

上海三联书店

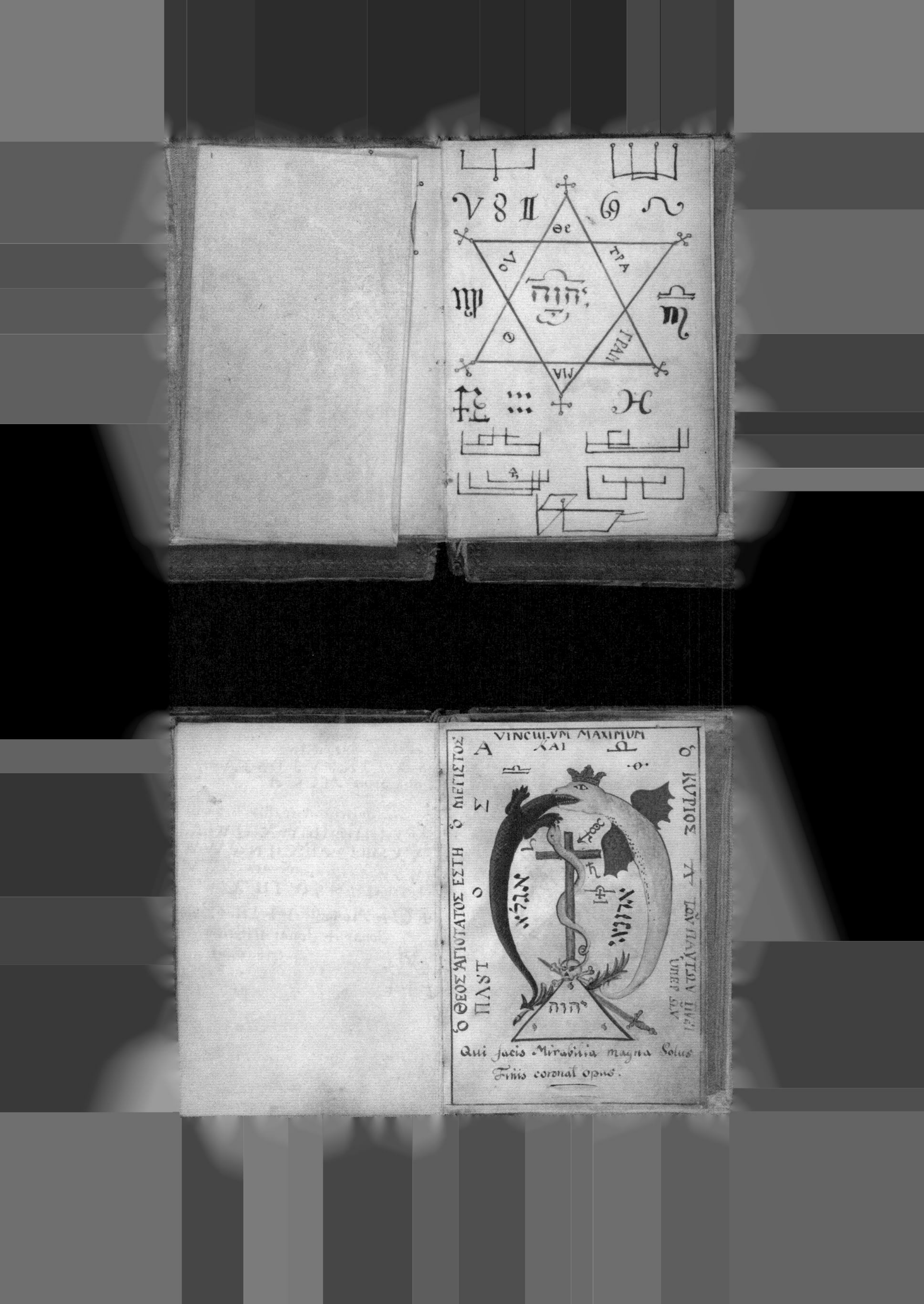
VINCULUM MAXIMUM
A
KAI
Ω
Qui facis Mirabilia magna Solus
Finis coronat opus.

# M: L: CYPRIANI

## CLAVIS

# INFERNI

*sive*

# MAGIA

*Alba & Nigra*

*approbata*

METRATONA.

SVNEP ΠEVTARYASM *appendas, ex filo noto componas*

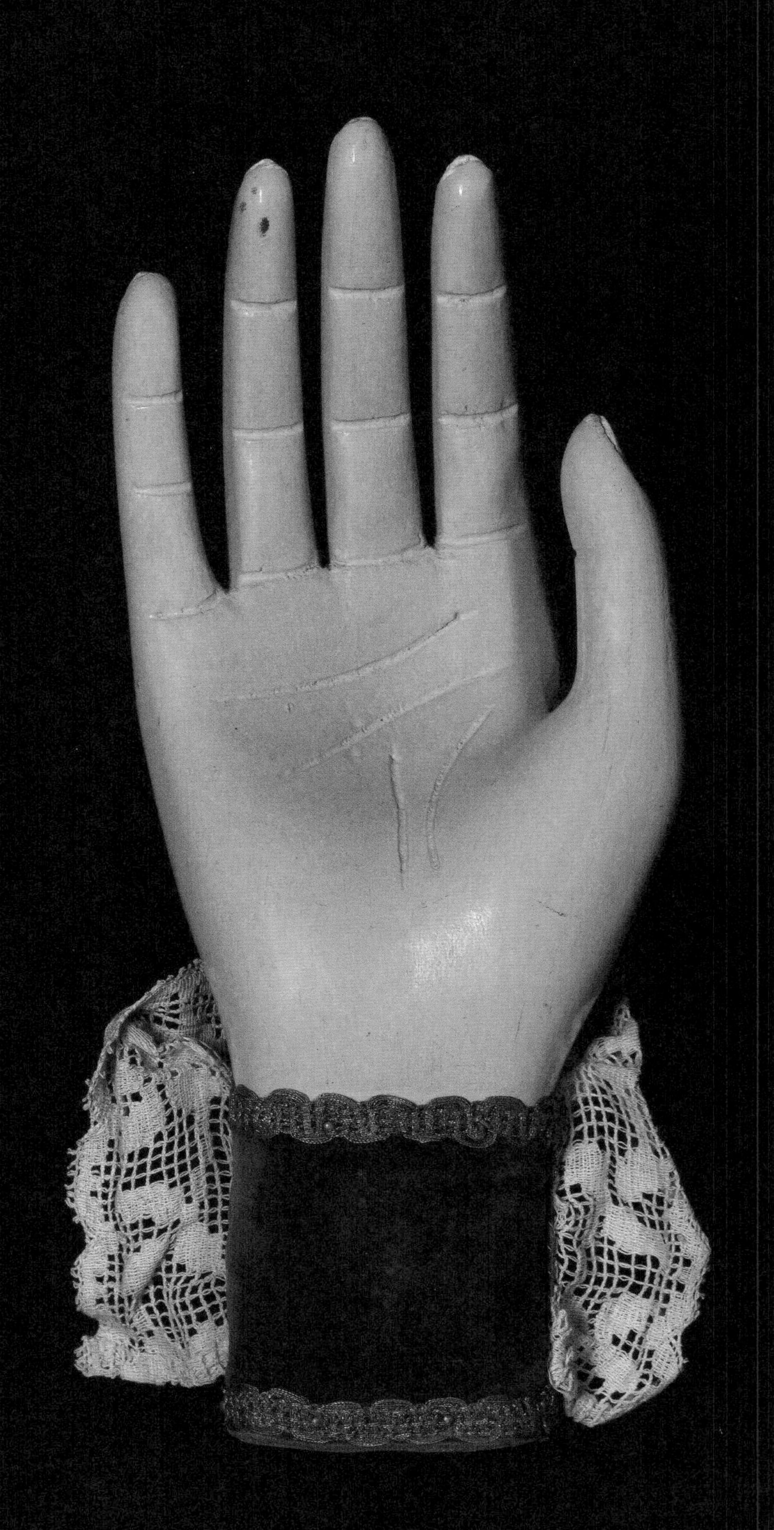

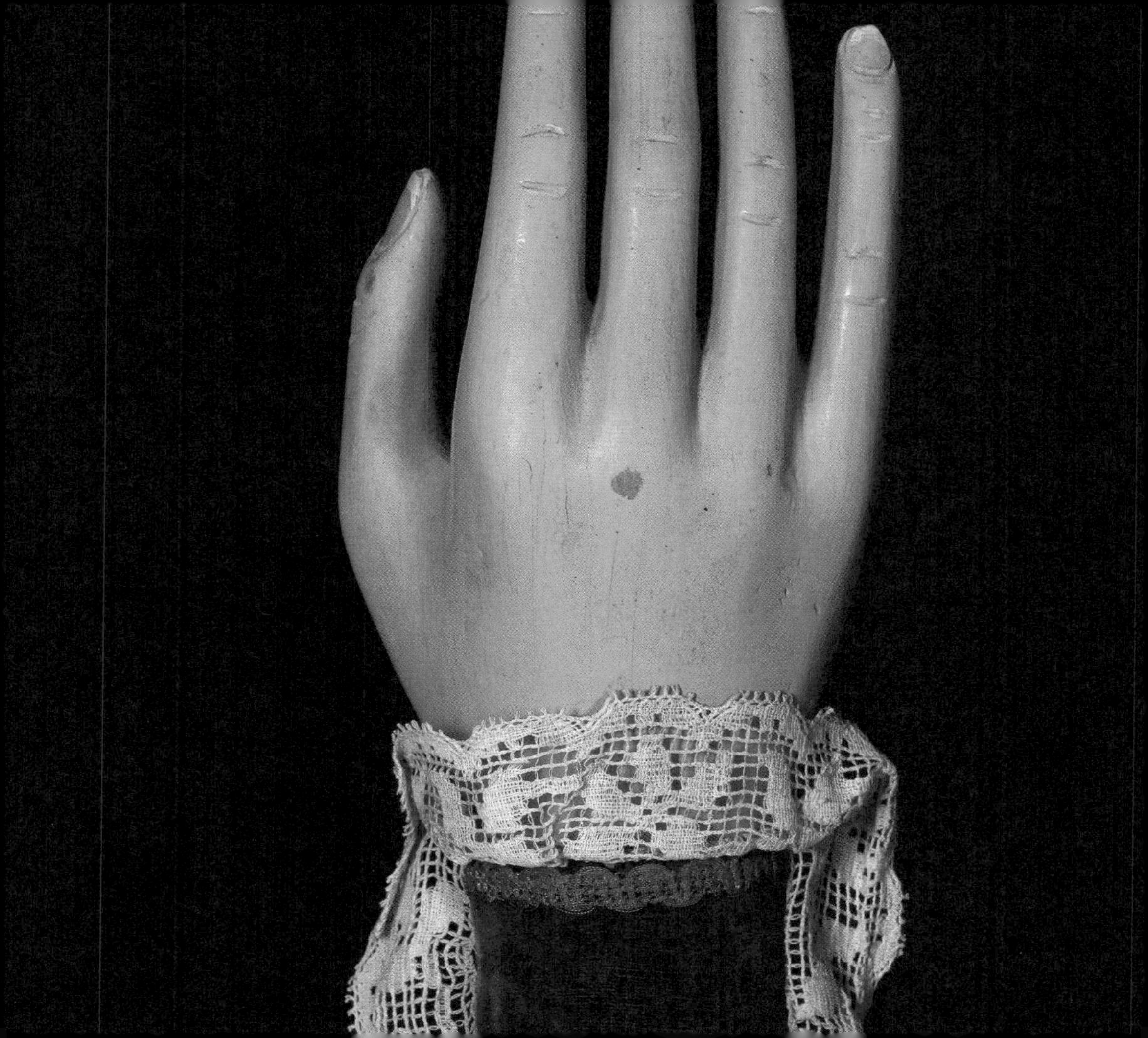

KELLAR

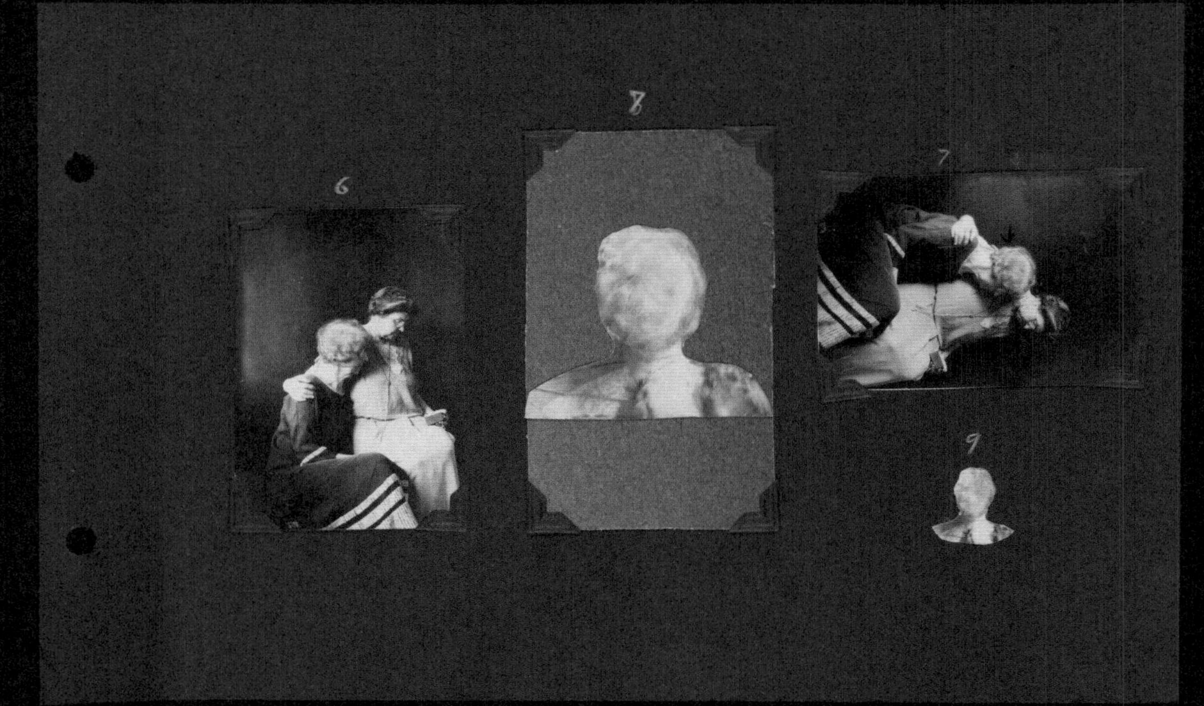
8
6
7
9

34
37½
36
35
37
38

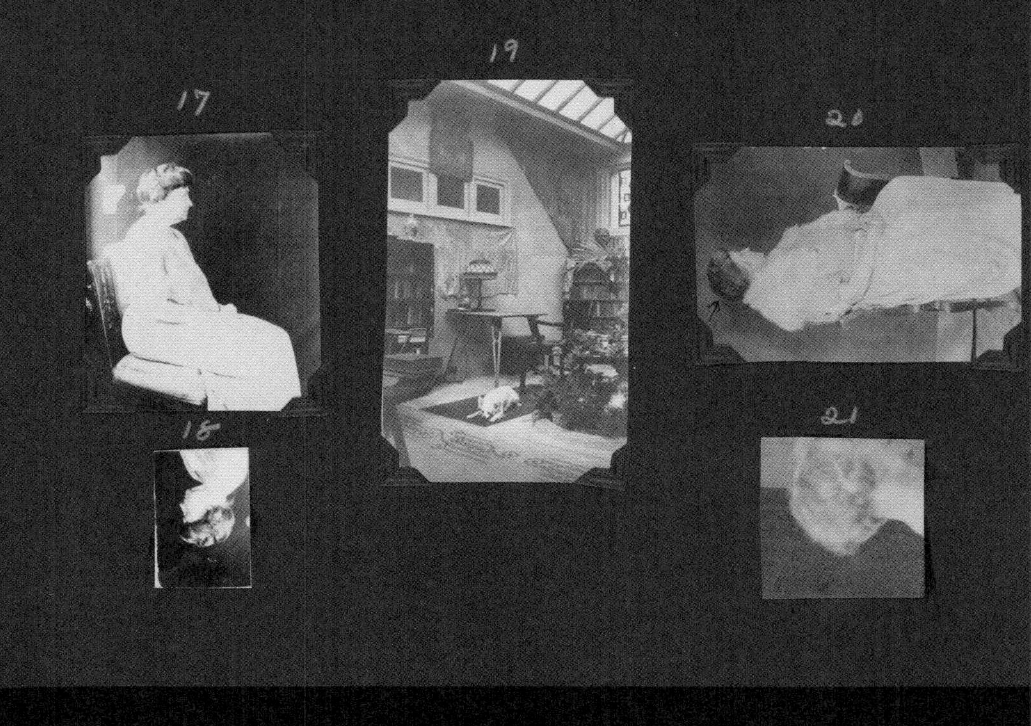
17
18
19
20
21

42
43
See No 46

**第 2 页:“自动书写”**丨英国魔术师威廉·S. 马里奥特(William S. Marriott)正在演示说明，所谓的灵魂现身传信可能是造假。

**第 4—5 页:魔术手册**丨节选自一本 18 世纪的书稿，名为《地狱之钥暨大天使梅塔特隆亲证的黑魔法与白魔法》(*Clavis Inferni: Sive Magia Alba et Nigra Approbata Metatrona*)。

**第 6—7 页：传信之手**丨在降灵会中，主持仪式的灵媒会提出问题，这些工具被用于“传述”回答。

**第 8—9 页：魔术海报**丨通过这张 1894 年的海报，美国舞台魔术师哈利·凯勒（Harry Kellar）意图说明，自己有很多受招魂师启发的魔术把戏，是借助魔鬼的力量才取得成功的。

**第 10—11 页：亡魂照**丨这些图片意在说明灵异现象的存在。来自灵异调查者哈利·普莱斯（Harry Price）的收藏。

**本页：捉魂工具包**丨这个皮箱中装有各种各样的工具，灵异调查者埃里克·丁沃尔（Eric Dingwall）用它们来调查看似灵异的现象。

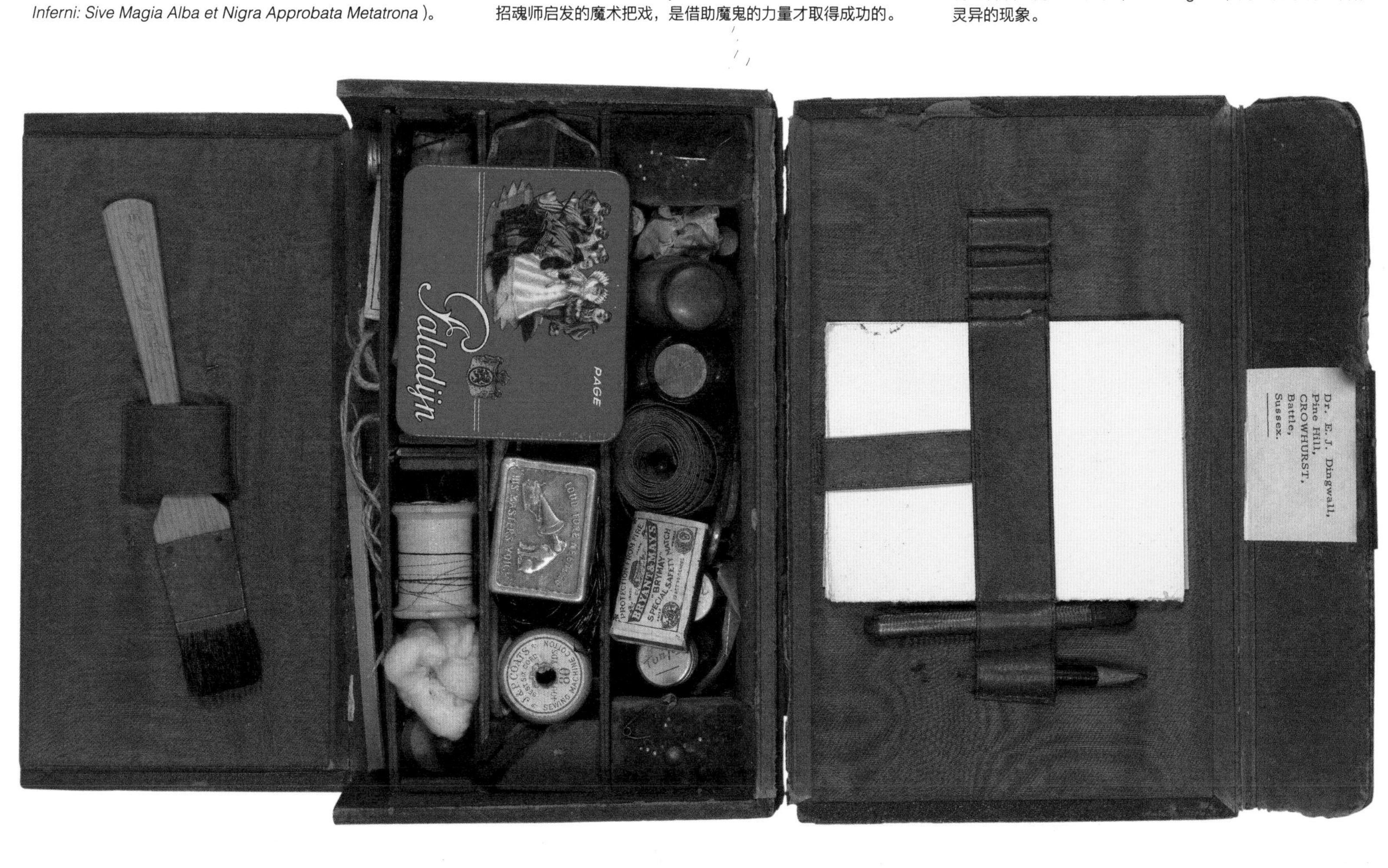

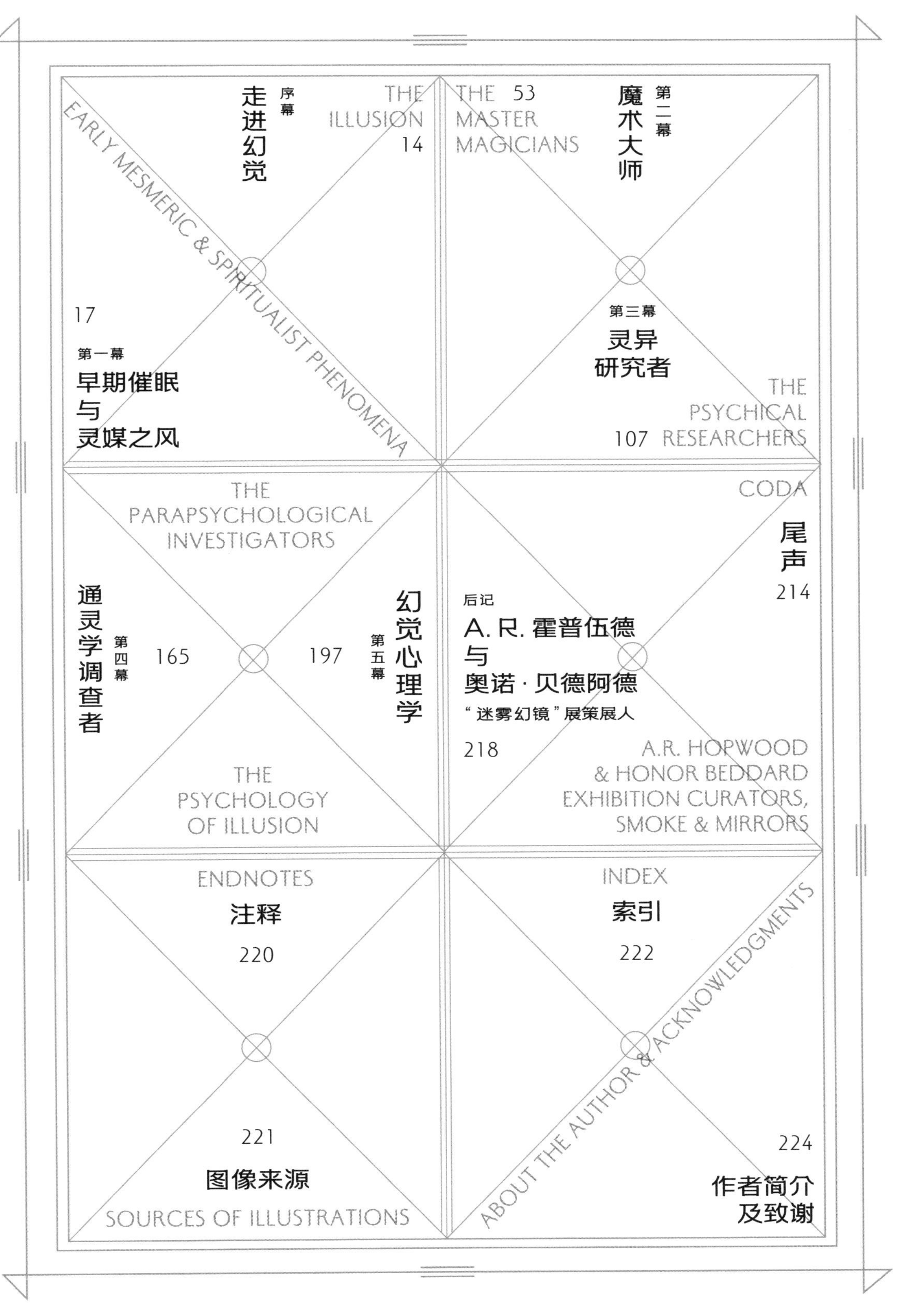

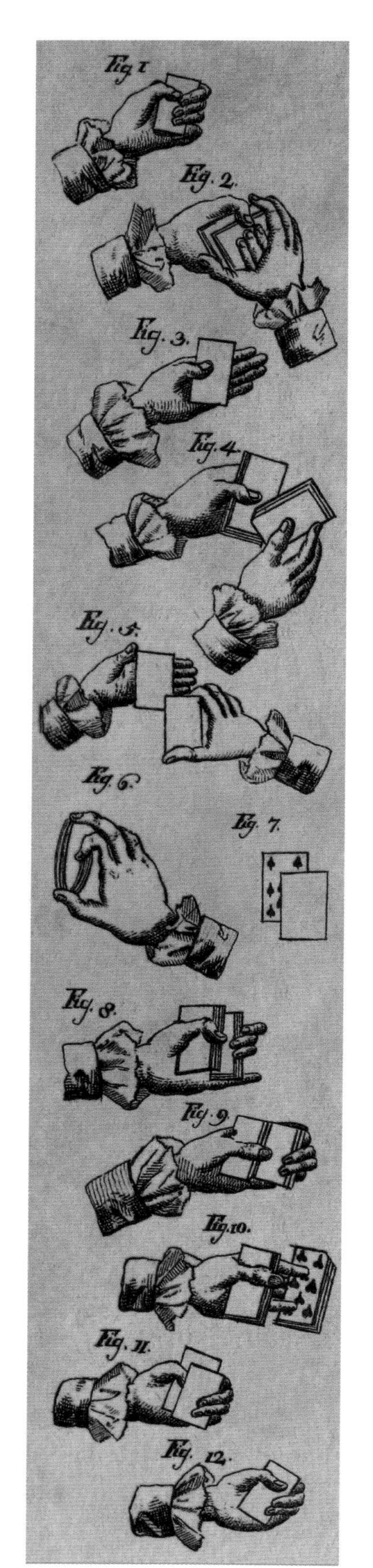

序幕

# 走进幻觉

## 你应该亲历过
## 你应该看到过

关于诡异或是看似超自然的经历，每个人都听说过，大部分人可能还向别人讲述过。这样的讲述存在于世界各个角落，至少可以追溯至人类开始有文字记载的时期：历史中充斥着有关神明恶魔、预言征兆的故事。人们听到死人开口说话，看到鬼神附体、东西凭空消失又忽而重现。在一些奇人术士那里，这些怪事似乎总能发生。

甚至，在“实验环境”中据传也发生过这样的现象，还有科学家们在场做证——这些人可是接受过专业训练，深谙经验观察之道。举例来说，德国天体物理学家约翰·佐尔纳（Johann Zöllner）就声称，他曾握住过一个游魂的手臂，一个存在于另一维度的魂灵。英国化学家、物理学家威廉·克鲁克斯（William Crookes）说，他不仅把一个鬼魂拍摄了下来，还摸到了它的脉搏，并割下了它的几根头发。美国哲学家、心理学家威廉·詹姆斯（William James）写道，在灵媒的帮助下，他同自己已故的父亲有过交谈。华盛顿大学的研究人员指出，他们发现了两个有特异功能的人，可以仅凭意念移动物体。受聘于美国政府的物理学家花了几十年时间，研究如何将意念弯勺的能力转化为武器。

尽管科学家们接受过训练，懂得如何基于经验观察来收集证据，但他们未必接受过骗术的训练。或许，在某些情况下，和普通的观察者比起来，立意甚好的研究者们实际上更容易被假象蒙蔽双眼。毕竟，实验室设备或许会发生故障，造成数据误差，但它们绝不会为了获取名声和财富而故意向你撒谎。

和巫师、灵媒一样，魔术师也能够让不可思议的事情发生。但是，和巫师不同的是，魔术师是艺术家，他们很明确地让我们看到，他们是通过把戏及幻觉让这些事情发生的。“误导”一词容易让人联想到障人眼

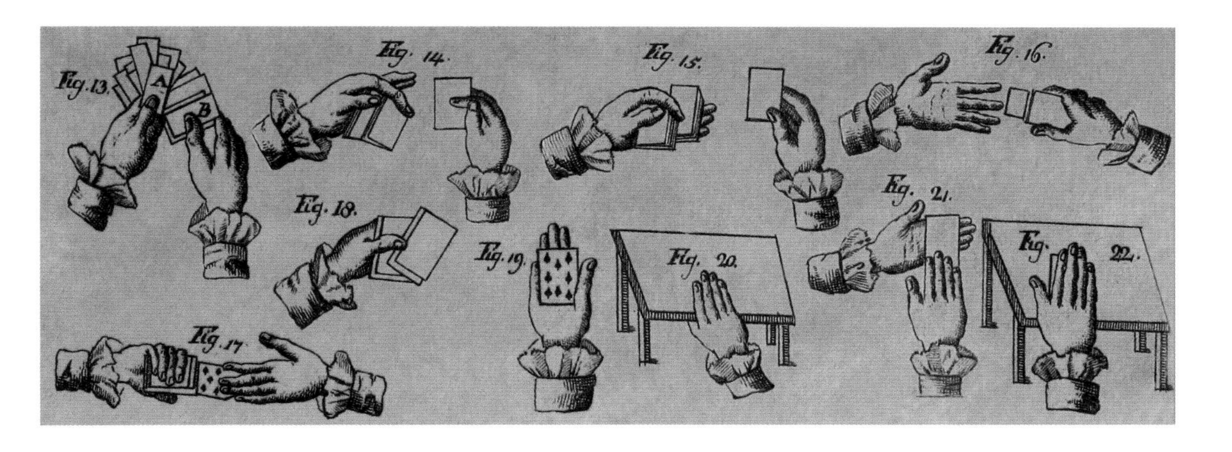


**自然魔力**｜《自然魔力：有趣实用的魔术大全》（*Die natürliche Magie: aus allerhand belustigenden und nützlichen Kunststücken bestehend*）是一部由约翰·克里斯蒂安·威克里布（Johann Christian Wiegleb）和戈特弗里德·埃里希·罗森塔尔（Gottfried Erich Rosenthal）创作的二十卷本的百科全书，出版于1789至1805年间，介绍了大量的魔术技巧和幻觉，还囊括了电力、光学及磁力的效应。

目的烟雾、镜子或是敏捷的手速。然而，误导能够影响的绝不仅仅限于观众目之所及——魔术师对此知之甚久，科学家们也越来越多地认识到了这一点。如果有效地加以运用，误导能够影响的就不仅仅是我们看到了什么，还包括我们如何思考和记忆。大多数人都意识到，我们并不能完全相信我们的眼睛；但是，一个更为深刻也更难以接受的事实是，我们也并不能完全相信我们的心智。

在历史上，有很多魔术师在职业上的满足感，是通过揭穿那些同样使用把戏和误导且自称是灵媒的人来获得的。这些江湖骗子并不承认自己的表演是在营造幻觉，相反，他们说自己的能力源于磁场、亡魂或是第六感。悖谬的是，要揭穿这种骗局，有时恰恰需要巧妙的布局和骗术。魔术师哈利·胡迪尼（Harry Houdini）就特意进行伪装，并雇用很多眼线，以潜入并破坏通灵者的组织。另一位魔术师詹姆斯·兰迪（James Randi）在好些年里精心策划了一场骗局，让冒牌灵媒加入了通灵实验室。实际上，这些策划都需要一个又一个谎言，以最终揭露事实。

我们对世界的科学认知似乎一直在线性向前推进。但是，如果细心观察就会发现，很多被推翻的观念总是稍加改头换面，一次又一次地重新出现，比如从招魂到心灵感应再到第六感。使用相同的魔术把戏，就可以成功复制所有这些“奇迹”。如今骗人耳目的炸弹探测器，极有可能只是维多利亚时代“桌灵转”及“占卜杖”的最新版本。这些诡异且无法解释的现象远非过时的迷信传说，而是讲述着永恒的故事，有关人类的好奇、盲从、聪慧及奸诈。这些现象以喜剧和悲剧的形式轮番登场，但始终迷人。它们让我们看到，幻觉如何与强烈的情感经验——如对死亡的恐惧，以及失去带来的痛苦——交织在一起，创造出看似非同寻常、用我们现有的自然科学知识无法解释的超自然现象。

尽管魔术师和科学家都无法真正“证明”，过去有关超自然现象的说辞都是骗人的或错误的，现在的研究者们仍然会示范说明，健康人类的感知、记忆及认知如何发生反常现象，引发明显且严重的幻觉。很多时候，关于我们的心智如何产生幻觉这一问题的科学解释，其奇幻程度丝毫不亚于既有的对超自然现象的解释。有些科学家越来越多地诉诸魔术，以此来探索正常、聪明的人类为何会产生诡异的幻觉体验。

除非有一种方法能够将意识拉回到过去，否则我们无法真正去重新体验历史记录中的这些奇异现象。你没经历过。你没看到过。但是，这本书能够带你身临其境。

# ACT 1
# EARLY MESMERIC & SPIRITUALIST PHENOMENA

第一幕

# 早期催眠与灵媒之风

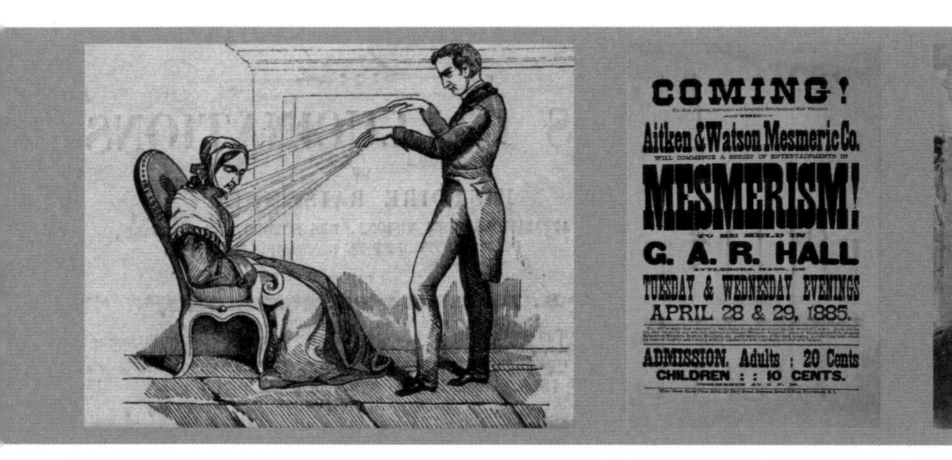

**催眠**丨催眠师声称在利用不可见的磁力催眠（约 1845 年）。

**广告**丨在宣传时催眠既被称作娱乐，也被称作科学演示（1885 年）。

**立体明信片**丨一位催眠师做出控制磁力的姿势（时间不详）。

在你阅读这些文字的时候，你正处于不可见力的影响之下。它们控制着你，一如控制着遥远的星群。尽管它们从不现身，但它们的力量却显然无处不在。不信你试试：捡起一样东西，再扔掉。尽管具体的情形会略有差异，但重力的存在无可争议。这似乎并没有什么神奇之处，但如果加以适当的演绎，就可以让此现象看起来堪称神秘。

正是基于此，弗朗茨·梅斯梅尔（Franz Mesmer）开始着手建立他那套颇具争议的“动物磁性说”。作为一名对天文学感兴趣的德国物理学家，梅斯梅尔认为，人体的生命力是某种带磁性的流，如果出现失衡，就会引发疾病。他认为人体的生命力受天体重力的控制，正如月亮能够引发潮汐的变化。此外，或许还有其他不可见的力量——如磁力——也会对人体的生命力产生影响。他开始使用磁铁控制病人的生命流，以使其恢复“平衡”健康。最终，他放弃使用实体的磁铁，因为他认为他能够通过自己体内的能量来召唤磁力。在实际操作中，他会在病人身体上方挥舞手臂（或是将手放在病人的身体上）——这些病人通常都是年轻女性。他设置了一套复杂的程序，让病人围坐成一圈，对他们进行治疗。在此过程中，他身着一件紫色长袍，挥舞着一根铁杖，声称这两者都是集聚他体内磁力的科学手段。尽管梅斯梅尔的确取得了一些引人注目的成就，但是他的方法和原理却遭到了怀疑。1784 年，法国国王路易十六成立了一个委员会，以评估梅斯梅尔理论的科学有效性。其中的调查员包括本杰明·富兰克林（Benjamin Franklin）和约瑟夫–伊尼亚斯·吉约坦（Joseph-Ignace Guillotin）——前者更多的是作为美国独立战争的领导者之一而为人所知，后者则因发明了革命性的断头台而闻名。委员会的最终结论是，并无证据证明梅斯梅尔所说的磁性生命流是存在的，梅斯梅尔的成功只是病人的“想象”。尽管梅斯梅尔机械论的解释值得怀疑，但他所取得的成就可以说为现代心理学在催眠术、心理暗示、安慰剂等方面的研究奠定了基础。至今，临床心理学家仍沿用“融洽”（rapport）一词来描述他们与病人之间的关系——梅斯梅尔最早使用此词来描述导磁者与导磁对象之间的关系。催眠状态如何改变病人的意识，进而带来身体的实际变化，现代的研究者与临床医生继续探索着这一科学难题。尽管梅斯梅尔机械论的解释缺乏依据，但动物磁性说，或者后来为人所知的“梅斯梅尔学说”，却传播到了世界各地。

梅斯梅尔坚称自己的理论基于科学，但他治疗过程中的神秘感却在民众中引起了强烈的反响——特别是关于他的事迹报道传到大西洋对岸时。其时，

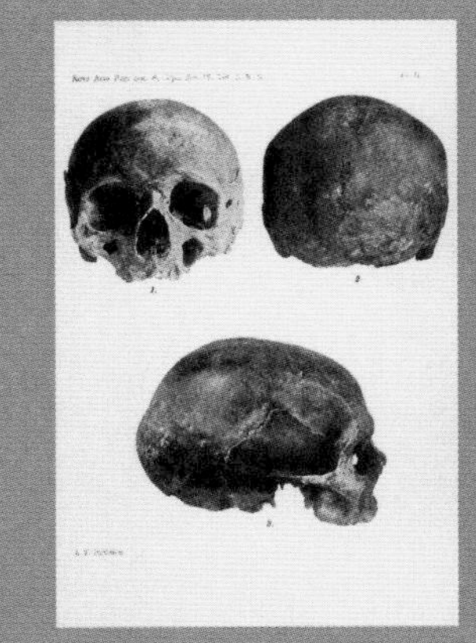

**头骨**｜据说是伊曼努尔·斯维登堡的头骨：他的神秘墓穴被颅相学家所盗（1910年）。

**安德鲁·杰克逊·戴维斯**｜波基普西的先知（大约摄于1870年）。

**进行中的降灵会**｜这张19世纪的插图描绘的是安德鲁·杰克逊·戴维斯正在主持一场围坐会（时间不详）。

梅斯梅尔学说甚嚣尘上，美国也发生着各种各样的宗教“觉醒”运动。传统的神秘主义和宗教习俗有时会和世界各地传来的伪科学实践奇怪地融合在一起，这其中就包括梅斯梅尔学说和颅相学。特别是在现在的纽约州所在的地区出现了各种风潮，包括末日狂热分子、先知、预言者和救世主。其中一些群体发展为今天相对主流的教派，如摩门教，也就是耶稣基督后期圣徒教会。

先知安德鲁·杰克逊·戴维斯（Andrew Jackson Davis），即“波基普西的先知”（The Poughkeepsie Seer），对梅斯梅尔的理论深为赞同。戴维斯是一位多产的作家。他声称自己通过进入梅斯梅尔的那种催眠状态，在精神层面上让自己的意识穿越时空。戴维斯将自己的“穿越旅程”著述，于1847年首次出版。他写道，他不仅受到瑞典神秘主义者伊曼努尔·斯维登堡（Emmanuel Swedenborg）理论的启发，还和他的亡魂有过直接接触。戴维斯的先知生涯最终看来成败参半。他的确做出了一些非常准确的预测，比如机械打字机的发明，以及以内燃机为动力的私家汽车的普及。但他另有一些预测就不似这般准确了，比如，他认为土星上存在大头娃娃一样的通灵者，还声称在密封瓶里加热粉笔末会直接出现活物。1847年，戴维斯就“灵魂交流”这一主题提出一个预言：“不久之后，真理将以一种活着的生命体现身说法。全世界会为这样一个时代的到来欢欣鼓舞。”没有人质疑他的说法，他便继而指出，我们居住在火星、木星和土星上的邻居们，对生者与死者之间的无障碍交流已经司空见惯了。戴维斯著作的广泛传播，以及他在那个时间点提出新时代灵魂的预言，导致人们将注意力投向了在次年崭露头角的福克斯姐妹（Fox sisters）。

人死后，精神或灵魂仍然存在——大多数有宗教信仰的人都持有这样的观念。但是，招魂说的倡导者们更进一步，提出更具争议性的观念，声称死者的灵魂能够与生者的世界发生交流，而且这些交流可以实实在在地呈现出来。现代招魂术的诞生可以追溯至一个特殊的夜晚，一座特殊的房子，这座房子位于纽约州北部的海德村（Hydesville），也就是福克斯家。房子里住着福克斯夫妇——约翰（John）和玛格丽特（Margaret）；他们的两个小女儿，其时14岁的玛格丽塔[Margaretta，也叫马吉（Maggie）]，和11岁的凯瑟琳[Catherine，也叫凯特（Kate）]；另外还有一个神秘的不可见的“存在”。

1848年春天，年少的福克斯姐妹一直在跟父母抱怨，说总能听见敲击声。一家人把家里翻了个遍，但毫无头绪。1848年3月31日晚上8点过一

26

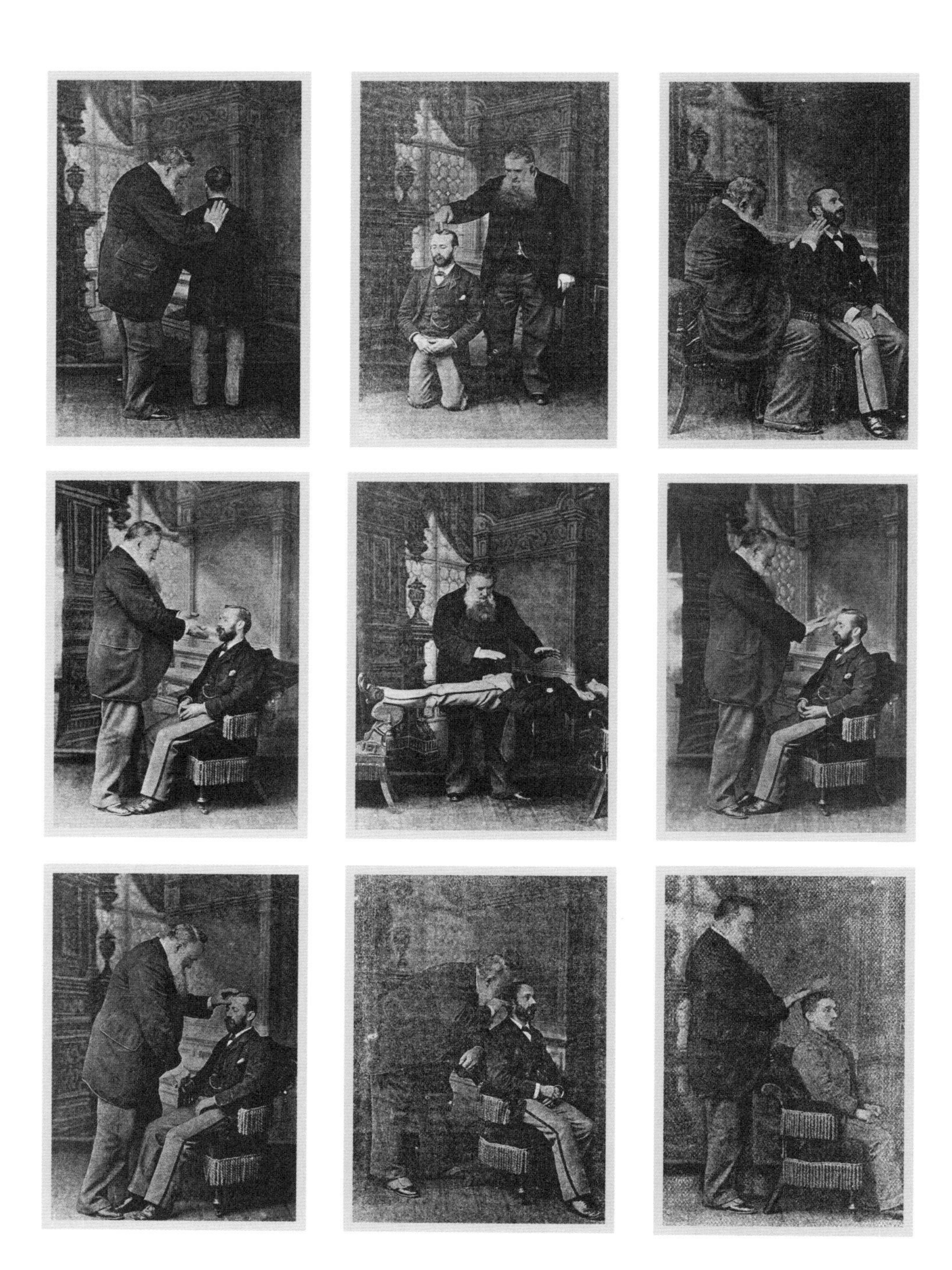

**本页：催眠疗法**｜这些照片节选自D. 扬格（D. Younger）的《磁力学与植物学家庭医生》（*The Magnetic and Botanic Family Physician*，1887年），呈现了催眠的不同阶段。

**对页：磁力致眠**｜这是两张19世纪40年代的达盖尔银版法照片，呈现了"磁力流"的概念，即磁力流可以通过触摸的方式，经由医生传递给患者。

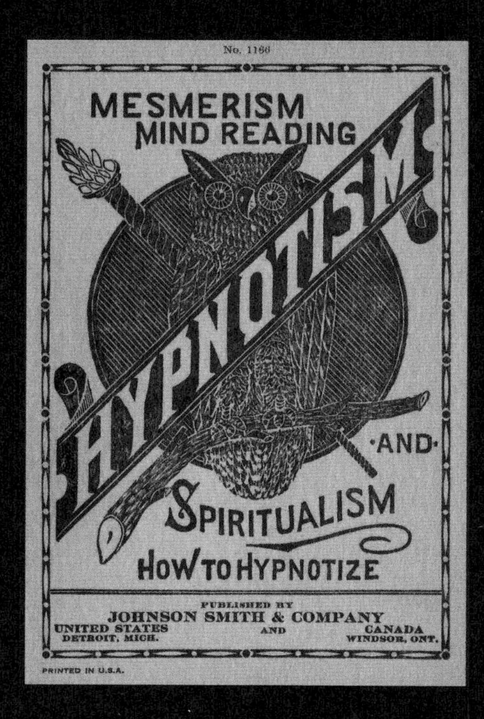


**催眠术自我教学**丨催眠术的风潮在 19 世纪如日中天。这些图片呈现了相关的书籍及手册，使得一个人在家学习催眠术成为可能。L. A. 哈拉登教授（L. A. Harraden）的邮寄课程全集（左上图）教授"自我治疗和自我疗愈：不吃药、不就医、不花钱、不出门就能治好轻症的绝妙催眠法"。

节选自W. 卫斯理・库克（W. Wesley Cook）《催眠术实用教程》（*Practical Lessons in Hypnotism*，1901年）一书的照片，拍摄的是正在催眠的催眠师，文字说明相当夸张：（左下图）“年轻的绅士觉得自己再次回到了襁褓中的婴儿状态，而年轻的女士则觉得自己是一间弃婴收留所的护士。”

THE ISLAND UNIVERSE.

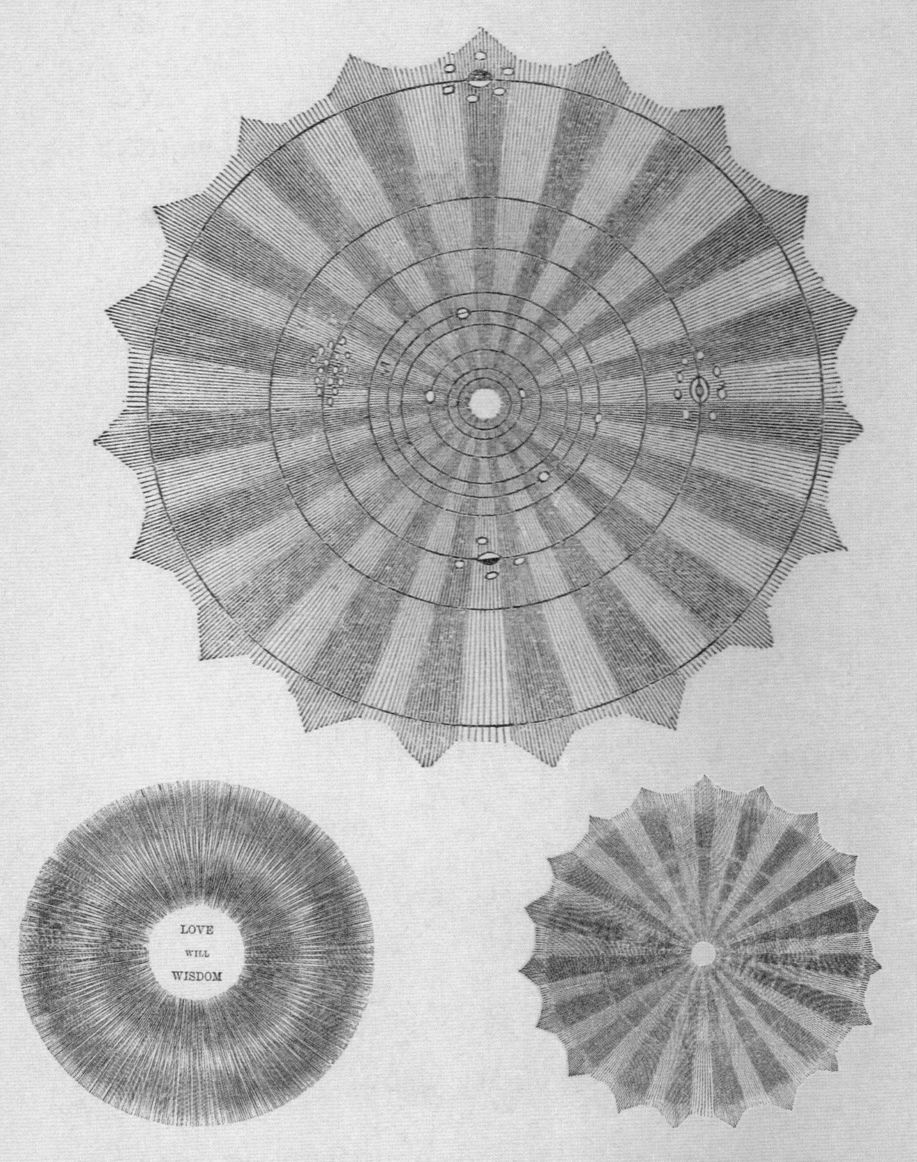


**本页：宇宙的后世**｜安德鲁·杰克逊·戴维斯的《通往夏日乐园的恒星之钥》（*A Stellar Key to The Summer Land*，1867 年）一书提供了一份有关死后世界的“科学与哲学证词”。

**对页：灵魂世界**｜选自《普雷沃斯特的女预言家：揭秘人的内心生活，以及我们所栖居的灵魂世界的彼此交融》（*The Seeress of Prevorst, Being Revelations Concerning the Inner-Life of Man, and the Inter-Diffusion of a World of Spirits in the One we Inhabit*，1845 年）。

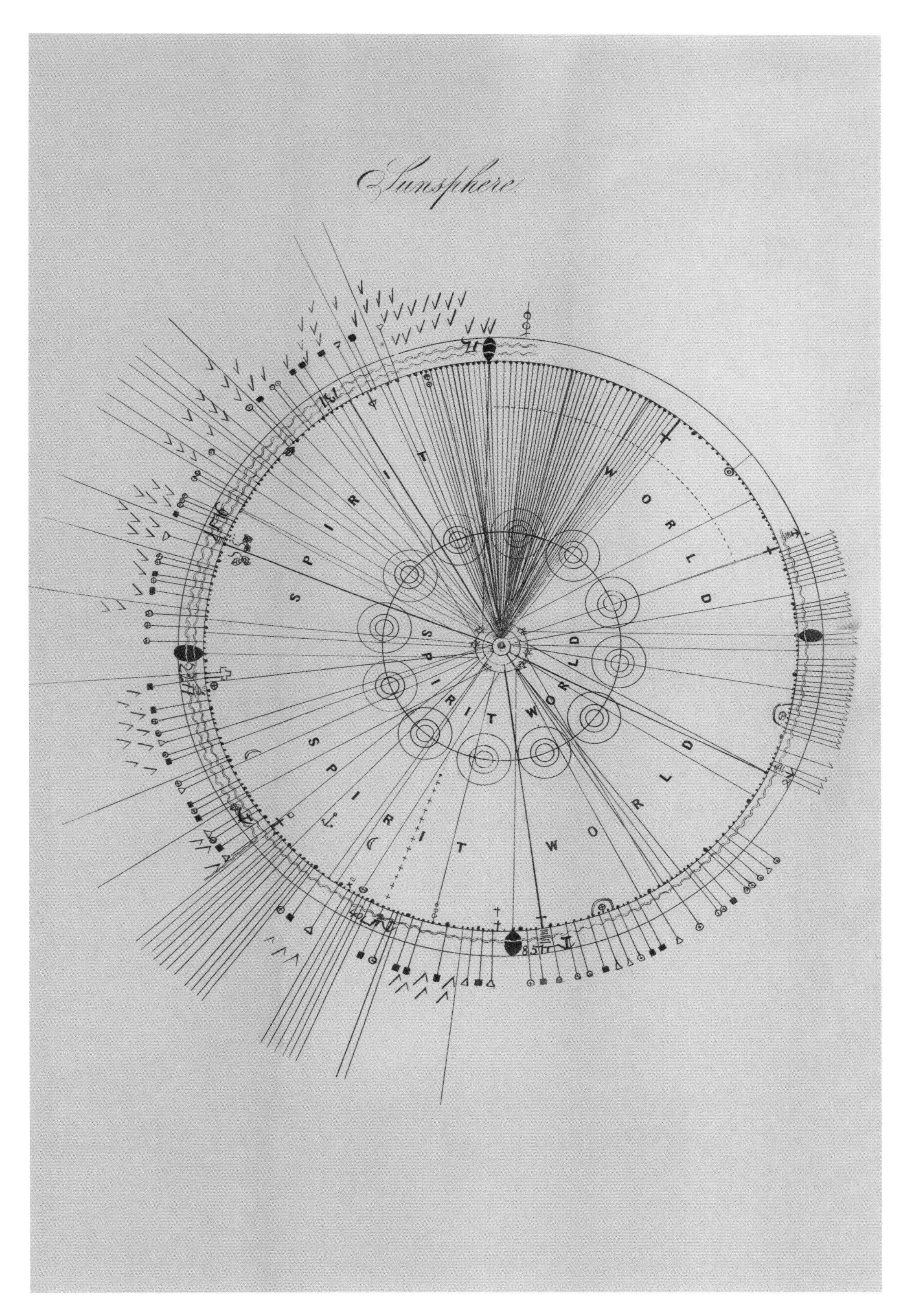
Sunsphere
SPIRIT
WORLD
SPIRIT
WORLD
SPIRIT
WORLD
SPIRIT
WORLD

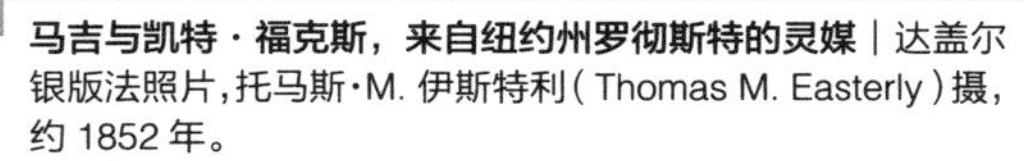

**马吉与凯特·福克斯，来自纽约州罗彻斯特的灵媒**｜达盖尔银版法照片，托马斯·M. 伊斯特利（Thomas M. Easterly）摄，约 1852 年。

**福克斯一家的房子**｜这座简陋的房子位于纽约州海德村，是 1848 年报道的“超自然”现象的发生地。1915 年，这座房子迁至纽约州利利代尔（Lily Dale），于 1955 年失火焚毁。

点，福克斯一家和这个不可见的存在相遇了。那天晚上，敲击声没完没了地响个不停。全家人挤在一起，凯特打破了当时的僵局。她说：“听着，叉趾鬼（Mr Split-foot，魔鬼的别称），跟着我做。”她打起了响指。她每打一下响指，就会传来一声敲击声。这个叉趾鬼能够按照要求敲出这对姐妹和 35 岁邻居的年龄，还知道福克斯家生过多少个孩子（7 个），活下来的有几个（6 个）。最后，玛格丽塔问道：“你是个敲东西的活人吗？”没有声响。接着，她又说，“如果你是个鬼魂，就请敲两下”。她听到了两下清晰的敲击声。在进一步的详细询问之后，福克斯一家得出的结论是，这个叉趾鬼肯定是一个叫作查尔斯·B. 罗斯纳（Charles B.Rosna）的人的灵魂。据报道，早些年前，这位小贩被杀，并被埋葬于他们的地下室中。

福克斯姐妹可以和死者灵魂交流的消息很快就传开了。先是当地的左邻右舍们都知道了，后来则远传千里。当地的律师 E. E. 刘易斯（E. E. Lewis）采访了福克斯一家和他们的邻居，并出版了一本小册子，这本书传播到了世界各地。于是，福克斯姐妹的故事演绎出了第二个重要版本：她们 35 岁的姐姐利亚（Leah）开始将这对姐妹引荐给很多对灵魂感兴趣的罗彻斯特市民。这些市民已经做好了准备，迎接戴维斯关于“灵魂交流”的新预言。利亚和她的支持者们安排了一场敲桌叫魂传信表演，于 1849 年 11 月 14 日在柯林斯宴会厅举行。宣传语听起来模棱两可，既呈现“惊人的新成就，也揭示历史最为悠久、最蛊惑人心的手法之一”。跟一场魔术表演一样，这场演出也须付费观看，但并没有人公开声明此次表演会使用戏法或欺人耳目。门票为每人 25 美分，或一男两女 50 美分。人们对这场表演褒贬不一。有的观众怀疑回应马吉的神秘敲击声，有的观众则信以为真。据说，现场座无虚席，足足有四百人。

尽管福克斯姐妹广受欢迎，但质疑她们超自然能力的人也不在少数。推翻她们所说的灵魂交流的最有力证据，实际上源于马吉·福克斯自身——尽管那已经是四十年之后的事情了。成年之后，马吉成了一名专职灵媒。在结束灵媒生涯之后，她开始曝光这个行业的一些惯用手法，并坚信她的职业是欺骗性的。1888 年 10 月 21 日，马吉踏上了纽约音乐学院的舞台，公开承认自己的欺骗行为，并讲述了她制造这些骗局的方法。同一天的《纽约世界报》（*New York World*）刊载了一篇文章，报道了她的讲演，还随文附上了一篇带签名的忏悔。

马吉解释说，她们童年时期居住的那个房子所发出的敲击声，是她和凯特弄出来的。这对姐妹把一个苹果拴在一根绳子上，挂在床下面，然后上下

**欧萨皮亚·帕拉迪诺（Eusapia Palladino）主持的一场降灵会**｜这张照片摄于 1898 年 11 月 25 日。照片中的桌子看似飘浮在空中。这场降灵会在天文学家尼古拉斯·弗拉马利翁（Nicolas Flammarion）位于巴黎的家中举办。

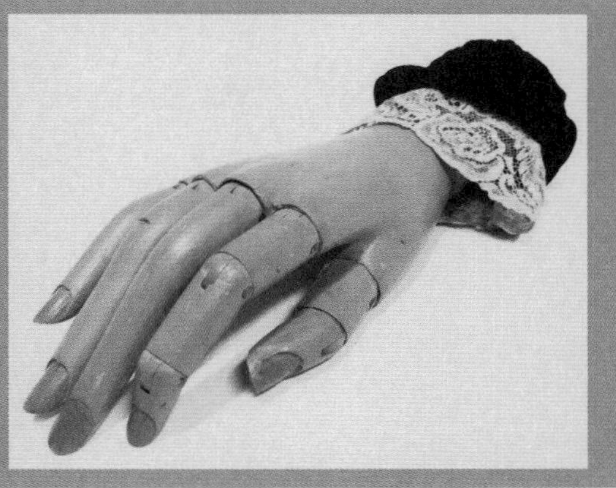

**传信之手**｜在降灵会上，这样的道具被用于"敲出"所谓的由已故之人传来的讯息，实际上却是由灵媒所控。

**我们就是这样开始的。起初，只是吓唬母亲的恶作剧；后来，当有那么多人来看我们两个小孩子，我们……就不得不继续下去。**

——马吉·福克斯，1888 年

AND THAT IS THE WAY WE BEGAN. FIRST, AS A MERE TRICK TO FRIGHTEN MOTHER, AND THEN, WHEN SO MANY PEOPLE CAME TO SEE US CHILDREN, WE WERE... FORCED TO KEEP IT UP.

MAGGIE FOX, 1888

拉动绳子，让苹果撞击地面和床板。马吉说，因为她和凯特当时还很小，所以没人觉得她们会设计骗人。后来，在她们的姐姐利亚的操控下，她们又发明了新的方法来制造这种"敲桌叫魂"现象，比如掰响她们的脚趾关节。尽管有媒体关注，但这些坦言似乎并未阻挡招魂术风潮的兴起。讽刺的是，马吉后来又声明，她对骗局的坦白本身就是一场骗局，试图重拾自己的灵媒专职工作——但并未成功。

再次发表时，马吉的披露被冠以一个听来有些乐观的题目——《给招魂术的致命一击》（*The Death Blow to Spiritualism*）。但南辕北辙的是，到了 1888 年，招魂术成为一场席卷全球的风潮。它深入人心，远非一个灵媒的自我披露所能阻止。尽管——也或许是因为——福克斯姐妹声称她们具有超能力的说法极具争议，但她们的大胆举动引发了一场运动，这场运动自 19 世纪 40 年代起到 20 世纪 20 年代及之后，席卷了全球。因此，在世界各地，人们"发掘"潜在的通灵能力，然后公开展示，进而以此赚钱。灵媒在美国各地涌现，紧接着又在欧洲各国兴起，包括英国、法国、德国和意大利。很多自称是磁性疗法治疗师和催眠师的人都很快效仿这一新范式，开始宣称自己是灵媒，能让付钱的客户与已故之人说上话。

36

**亡魂之号**｜这个工具用金属制成，长约36.5厘米。在降灵会上，灵媒会将它放在桌子上，然后调暗灯光。当房间处于黑暗之中，降灵会开始之后，小号就会神奇地飘浮在空中，发出“亡魂之声”，甚至可能有灵魂现身。

**亡魂之锁**｜上图的亡魂之锁于 20 世纪 40 年代由魔术师、机械师约翰·马丁（John Martin）制成。其设计最初受到了卡尔·杰曼（Karl Germain），即“男巫杰曼”（Germain the Wizard）的启发。下图的亡魂之铃与魔杖可追溯至 20 世纪 20 年代。铃铛悬浮在空中，上下左右毫无支撑，但可以神奇地以响铃回应观众提出的问题。

的照片显示，在看
师雅各比—哈姆斯

**后页：进行中的降灵会** | 魔术师威廉·S. 马里奥特站在后面，似乎正在见证一个幻影的出现：一个女鬼捧着“亡魂”之鸟与花。这是灵异调查员哈利·普莱斯诸多玻璃幻灯片中的一张，出现在他的多场讲座当中，用来演示当时欺诈性的灵媒通常使用的方法和器具。

**灵媒行业的工具**｜这是来自哈利·普莱斯文献资料的另一例证。这张照片呈现了声名狼藉的灵媒有时候会用到的道具，包括面具、人体模型、假发和薄纱棉布，它们可以用于制造“灵魂现身”。尽管在光线下看来很假，但当人们身处黑暗之中，被紧张的降灵会气氛所包围时，这些道具会营造出令人难以忘却的形象。

**马里奥特与三个现身的亡魂**｜三个神秘亡魂一样的东西在靠近威廉·S. 马里奥特，他好像陷入了沉思。这位魔术师竭尽全力揭露灵媒用以欺骗轻信者的把戏——这些轻信者可能想要和去世不久的所爱之人取得联系。这张照片拍摄于1910年。

**如果说艾格林顿先生是一位招魂师的话，那他毫无疑问是世上最聪明的招魂师之一，是马斯基林和库克之辈所望尘莫及的。**

——《西部新闻晨报》(*Western Morning News*)，1876 年

IF MR EGLINTON IS A CONJURER HE IS UNDOUBTEDLY ONE OF THE CLEVEREST WHO EVER LIVED. MASKELYNE AND COOK [SIC] ARE NOT A PATCH UPON MR EGLINTON.
WESTERN MORNING NEWS, 1876

简单的敲击式交流仅仅是个开始。很快就出现了越来越多周密且惊人的“证据”，来证明灵魂交流的存在。一些灵媒，如威廉·“威利”·艾格林顿(William ‘Willie’ Eglington)，开始练习“石板传信”(slate writing)或心理描述法(psychography)。通常，在一场典型的心理描述式降灵会上，艾格林顿会和另外三到四个参与者[即“围坐者”(sitters)]围坐在一张小桌前，并让其中一人向灵魂提出问题。然后，艾格林顿会拿出两块石板，并告诉大家可以用粉笔在上面随便写。接着，艾格林顿会拿出一小截粉笔，夹在两块石板中间，放在桌子上。他有时会将两块石板拿起来，好让围坐者能从各个角度看清楚。围坐者通常会说自己听到了奇怪的划刻声。最后，艾格林顿会把两块石板分开，让大家看石板上留下的讯息。通常，讯息要么是短而具体的，要么是长而模糊的。但是不管怎样，这种交流都是与灵魂的交流，与现实中的任何人都没有关系。

随着时代的变迁，在招魂术士圈中出现了一种招魂装备竞赛，灵媒们开始与亡魂的世界建立起越来越直接的交流。进入催眠状态的灵媒们断言，他们的身体能够被亡魂直接控制，死者可以通过灵媒的声音来讲话，用灵媒的双手来写字。据说，在降灵会上还上演了各种各样的物理现象。家具甚至是人在没有任何可见支撑的情况下，飘在空中。在一些情况下，灵魂可以弹奏乐器，敲响铃铛，甚至是拉手风琴。据传，丹尼尔·邓格拉斯·荷姆(Daniel Dunglas Home)能够飞起来，他也因此而闻名——多个目击证人声称自己看到荷姆在高高的窗户外飘浮着，悬在距离地面 85 英尺(25.9 米)多的高空中。通过“显灵术”(apports)——另外一种奇观异景，物体和人能够神奇地在瞬间出现或消失。作为这个时代的特征，某些看来不值一提的经历，如钥匙放错地方，都会被归咎于心怀恶意(或爱莫能助)的魂灵——是他们移动了钥匙的位置，或是将钥匙带去了另外一个平行世界。一些“显灵媒”，如黛斯佩兰斯夫人(Madam d’Esperance)，将“天降鲜花”作为降灵会的一大特色。

欧萨皮亚·帕拉迪诺是一位意大利灵媒，在降灵会上，她似乎只需要一个意念、一个手势，就能让房间里的物体绕着她旋转起来。有时候，围坐者是看不到这股力量的。另外一些时候，帕拉迪诺会让由白色物质构成的、若隐若现的肢体出其不意地出现。晚年的帕拉迪诺在人们口中是一位“矮小、年老的乡下妇女”，但据说她另外那条有超能力的胳膊所拥有的力量远超成年男子。尽管帕拉迪诺一开始主持的集会是私下的，但她后来所取得的声名引起了意大利科学家们的注意，其中就包括埃尔克莱·吉艾亚博士(Dr Ercole Chiaia)，他报道了帕拉迪诺所具备的反地心引力的能力，促使世界各地好奇的研究者们来探究一二。物理学家奥利弗·洛奇(Oliver Lodge)，诺贝尔奖获得者、生理学家夏尔·里歇(Charles Richet)，以及灵异研究者弗里德里克·迈尔斯(Frederic Myers)，都见证了帕拉迪诺最负盛名的降灵会之一。

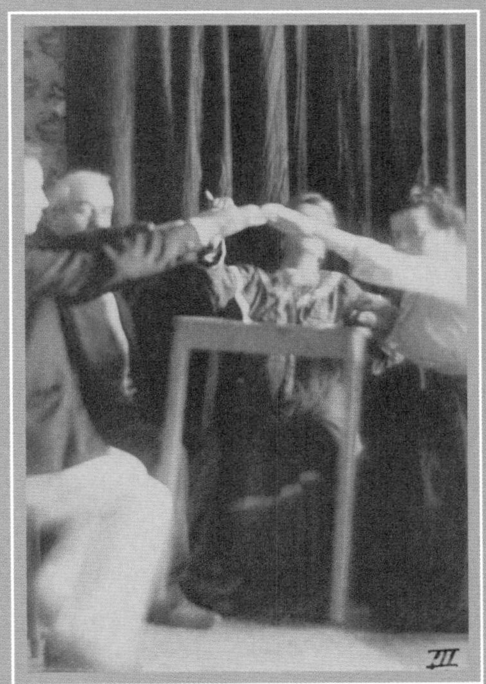

**欧萨皮亚·帕拉迪诺**｜这些照片是 1906 年 7 月 12 日在这位意大利灵媒的降灵会上拍摄的。桌子似乎飘浮了起来。尽管阿瑟·柯南·道尔爵士曾是帕拉迪诺坚定的支持者，但在 1926 年，他也不得不承认：“这样评价她或许是最中肯的：虽然不能说其他灵媒的通灵能力更强，但有些时候却不得不说她比别的灵媒更会骗人。”

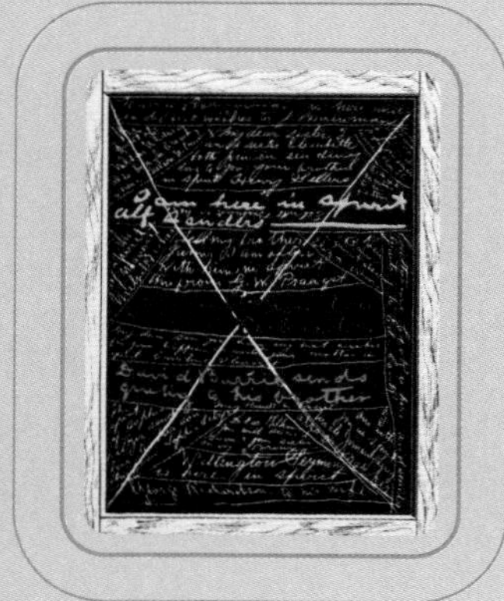

**来世的讯息？** | 上方所有的完整石板都来自由 J. J. 欧文（J. J. Owen）所著的《心理描述法：弗莱德·P. 埃文斯（人称“独立的石板传信者”）灵媒生涯中惊人的灵异力表现》（*Psychography: Marvelous Manifestations of Psychic Power Given through the Mediumship of Fred P. Evans, Known as the ‘Independent slate-writer’*，1893 年）一书。这本书在前言中大胆宣称：“坟墓不再一片死寂。无数张嘴正以各种各样的方法在向我们说话。”

**石板传信四种技法**丨（左上）把半截铅笔绑在一枚顶针上，然后偷偷在石板上写字；（右上）用屁股下的石板把桌上的石板“掉包”；（左下）用磁铁控制石板上的铅笔字迹，铁芯含铅粉；（右下）把绑在伞骨上的粉笔插在两块石板之间。

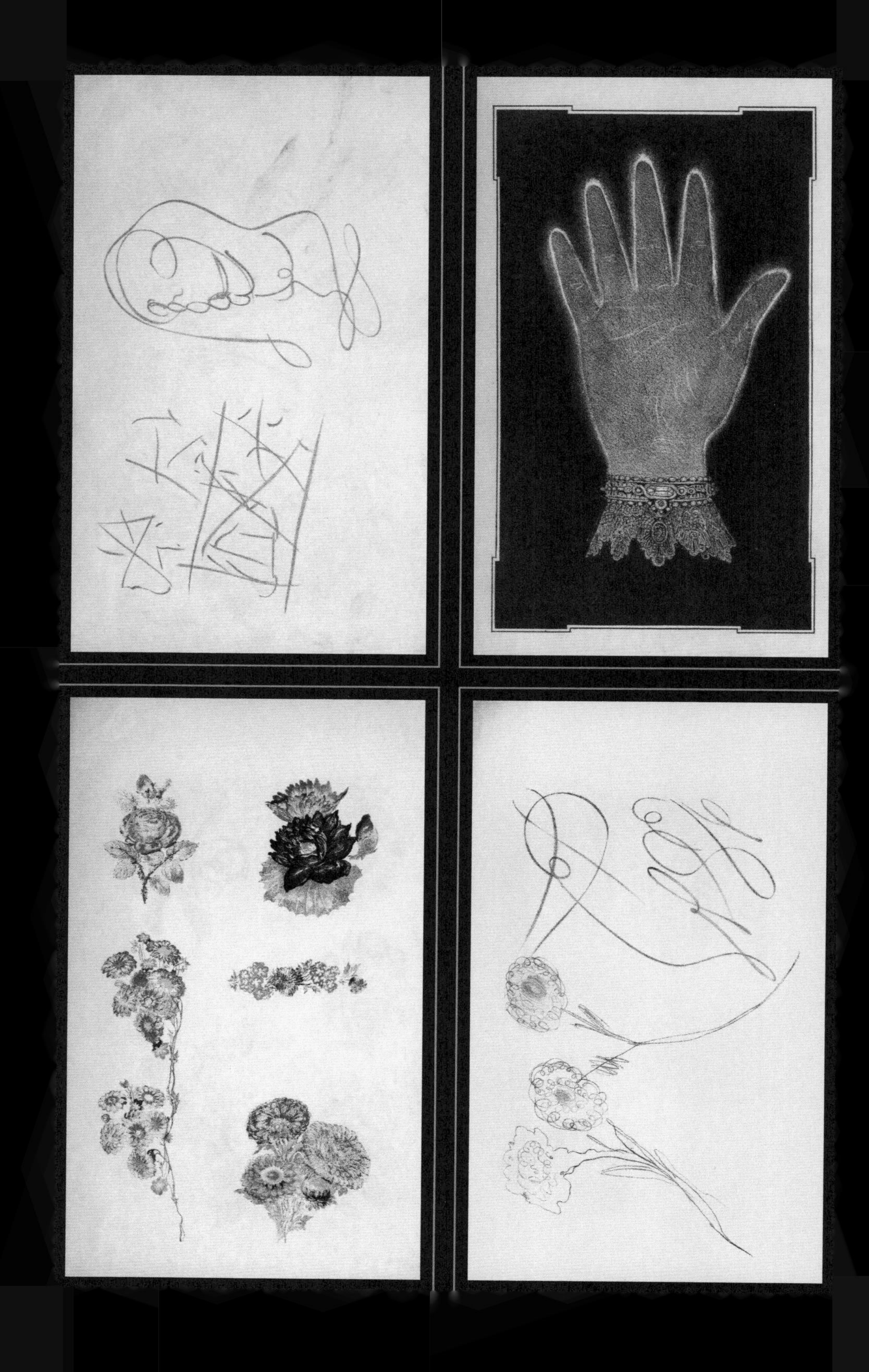

**对页：亡魂之艺**｜这些图片来自塞缪尔·格皮（Samuel Guppy）所著《玛丽·简：亡魂绘画，以化学的方式招魂》（*Mary Jane: Or, Spiritualism Chemically Explained, with Spirit Drawings*，1863 年）。"玛丽·简"是家里的一个亡魂。

**本页：催眠绘画**｜这些精细的几何图形艺术作品创作于 1924 至 1934 年间，都是艺术家处于半意识（Semi-conscious）状态或据称被亡魂附身时所作的。

**附身**｜上方的图片都来自一本由美国摄影师威廉·H. 穆勒制作的亡魂肖像摄影集，制作于 1862 至 1875 年间。随着美国内战的爆发，穆勒的很多客户都有亲人在战争中丧失了性命。但在打完官司之后，穆勒名誉全失，前程尽毁。

> **从她的身体中出现了物质形态的东西，看起来是有生命的，我会将其称作“灵质”。**
>
> **——夏尔·里歇，1923 年**
>
> THERE PROCEEDED FROM HER BODY MATERIAL FORMS HAVING THE APPEARANCE OF LIFE, WHICH I SHALL DESCRIBE... UNDER THE NAME OF ECTOPLASMS.
>
> CHARLES RICHET, 1923

这场集会于 1894 年在里歇位于地中海罗伯岛上的家中举办。在一间昏暗的房间里，他们坐在帕拉迪诺两边，紧握着她的手臂。根据他们后来的说法，帕拉迪诺的确能够通过神秘的力量移动家具：她的手腕轻轻一挑，就明确无误地让一张位于房间另一边的桌子晃动起来，并滑到地板的这一边来。他们觉得有一双看不见的手在抚摸和轻拍着自己，而且在某一时刻，帕拉迪诺甚至从身体中另外伸出一截幽灵般的肢体，浮现在众人眼前。

夏尔·里歇发明了“灵质”（ectoplasm）一词，来形容构成帕拉迪诺神秘超自然肢体的奇特物质。灵质将延续并成为灵媒演示的一大主题，灵媒让灵质的分泌物从可以想到的每个身体孔洞中流溢出来。而调查者每一次所获取的样本，都无法分辨是棉纱还是动物内脏之类的东西。洛奇和迈尔斯则继续公开支持经过科学验证的灵媒。据洛奇说，他们所看到的东西中包括“招魂师在自身能力范围内试图去模仿的事物”，但他坚持认为，有一些现象必定是真实的。

后来一些针对帕拉迪诺的调查者就不似这般支持了。她不断地被各种围坐者戳穿，包括魔术师约翰·内维尔·马斯基林（John Nevil Maskelyne）和哈利·胡迪尼，以及心理学家雨果·明斯特伯格（Hugo Münsterberg）。这三位都报告说他们看到帕拉迪诺通过各种方法，偷偷地逃脱了在人们看来严格的科学限制。

总之，在招魂术风潮兴起的早期，灵媒表演目击者的证词为招魂说奠定了基础。但在 1862 年，居住在波士顿的摄影师威廉·H. 穆勒（William H. Mumler）开始公开宣扬，说仅须支付他 5 美元，他就能给你拍出一张亡魂照片来。穆勒的亡魂照的确广受欢迎，他的客户得以一窥他们已故挚友及所爱之人的样子。在林肯总统遭到暗杀之后，他的遗孀玛丽·托德·林肯（Mary Todd Lincoln）就坐在穆勒的镜头前拍摄了肖像照。在最终的成片中，林肯夫人忧郁地望向镜头，在她的身边站着一个半透明的人形，看起来似乎是总统的身影。穆勒也得以将自己的要价提高到了 10 美元。他甚至还开设了邮购业务。在职业生涯的鼎盛时期，穆勒被捕，并被控诈骗罪。他的案件审理引起了轰动。为控方作证的 P. T. 巴纳姆（P. T. Barnum），呈上了他自己制作的（明显是假的但看起来相似的）林肯的亡魂照。穆勒的辩护者们则将这位亡魂摄影师直接比作伽利略，指出质疑招魂术就好像是过去的人们质疑“日心说”。最终，穆勒被判无罪。法官指出，尽管穆勒的照片几乎可以肯定地说是假的，但对他的指控无法证明这一点。穆勒始终都坚称自己是清白的。

有趣的是，哪怕坦承亡魂照片是骗人的，人们仍然坚信不疑。在另外一宗法国的审判中，巴黎的亡魂摄影师爱德华·布古（Edouard Buguet）就公开承认他的亡魂照都是通过欺诈手段制作出来的。在他被捕之后，警察从他的工作室中搜查出了各种物件，其中包括一个人体模型，该模型配有一组可拆卸置换的头颅。

49

**神秘灵魂现身**｜这部亡魂照片集是在伦敦活动的英国灵媒、摄影师理查德·波尔斯奈尔（Richard Boursnell）大约于1897年制作的。波尔斯奈尔有时会和J. 埃文斯·斯塔林（J. Evans Starling）合作。后来，人们发现波尔斯奈尔拍摄的亡魂照片中若隐若现的灵魂经常可以在书中的图片里找到原型，便因此不再相信他。

PSYCHIC PHOTOGRAPHY.
A Collection of psychic photographs of the nineteenth century.
1-16. Mr Rutland and a series of the Josty-Rutland circle. 1870-s.
17-21. W.H.Mumler
22 J.J.Hartman. 1876.
23-27. F.A.Hudson.

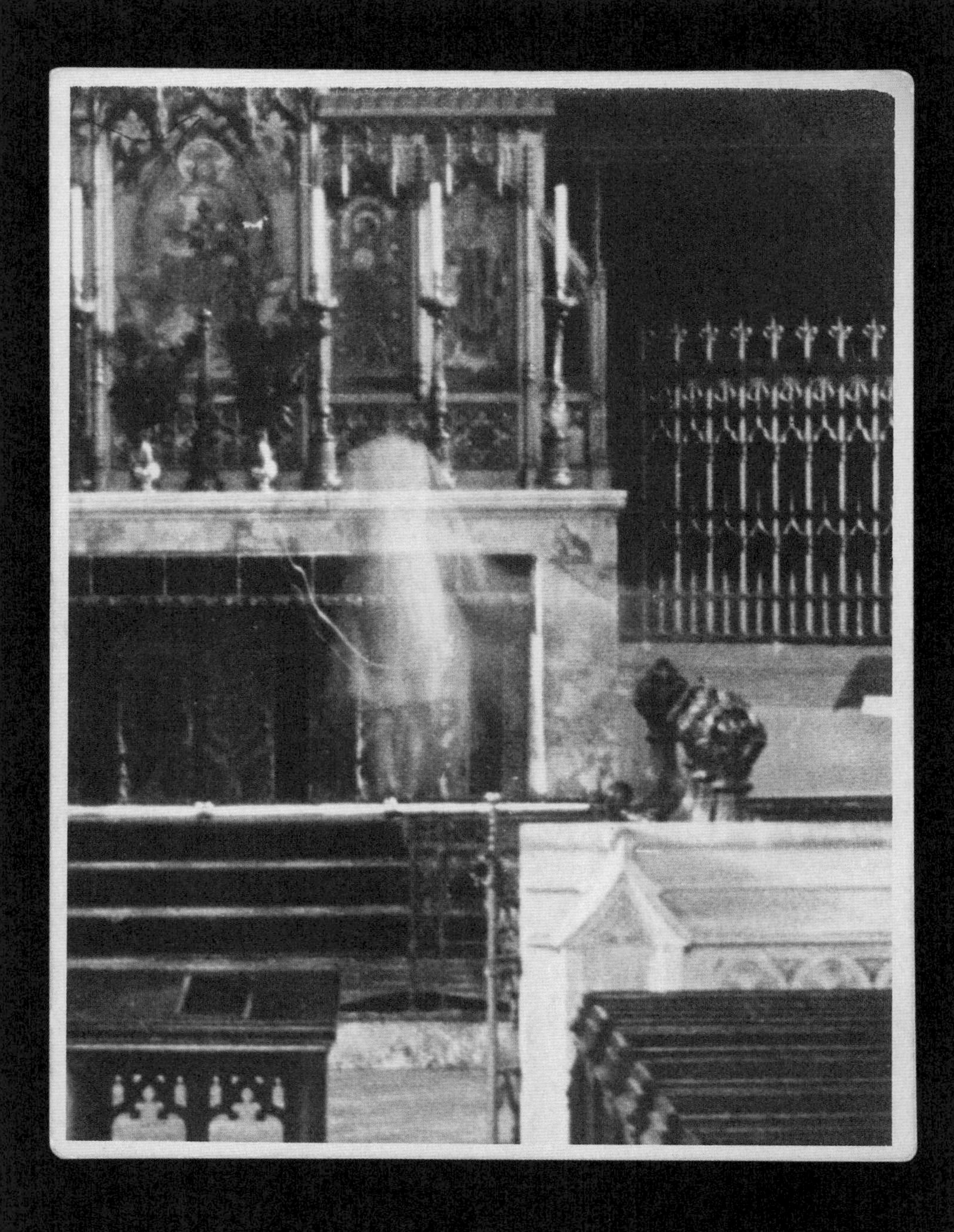

**下跪的亡魂** | 一个鬼影出现在西萨塞克斯郡阿伦德尔（Arundel）圣尼古拉圣公会教堂（St Nicholas Anglican church）的祭坛下面。这张照片是一位来访者大约在1940年间拍摄的。拍照的人自称在照片冲洗出来之后才发现这个幽灵般的存在。有人认为，照片上是一位穿着长袍祷告的牧师。

**雷纳姆宅邸（Raynham Hall）的棕裙女士** | 据说是多萝西·沃波尔[ Dorothy Walpole，罗伯特·沃波尔（Robert Walpole）的姐姐 ] 的亡魂。这张照片是《乡村生活》杂志（*Country Life*）的摄影师休伯特 · C. 普罗旺德上尉（Captain Hubert C. Provand）与其助手于 1936 年在诺福克（Norfolk）的一座乡间别墅里拍摄的。这张图片的名称源于图中女士所穿的织锦长裙，据说裙子是棕色的。

**艾达·爱玛·迪恩小姐（Ada Emma Deane）拍摄的亡魂照片**｜迪恩的照片通常都会呈现一个人和一个飘浮在空中的头战纪念日（Armistice Day）拍摄的照片。这些照片上既有阵亡士兵的面孔，也有伦敦白厅街（Whitehall）和平纪念碑旁

证人："我特别要求制作一张我妻子的肖像照。这张照片惟妙惟肖，当我把它拿给我的一个亲戚看时，他大喊了一句：'这不是我表妹吗？'"

法庭："布古，请问这是巧合吗？"

布古："是的，纯属巧合。我没有戴斯诺夫人的照片。"

——节选自爱德华·布古庭审笔录，1875 年

---

WITNESS: 'THE PORTRAIT OF MY WIFE, WHICH I HAD ESPECIALLY ASKED FOR, IS SO LIKE HER THAT WHEN I SHOWED IT TO ONE OF MY RELATIVES HE EXCLAIMED, "IT'S MY COUSIN!"'

COURT: 'WAS THAT CHANCE, BUGUET?'

BUGUET: 'YES, PURE CHANCE. I HAD NO PHOTOGRAPH OF MME DESSNON.'

FROM THE TRIAL OF EDOUARD ISIDORE BUGUET , 1875

布古解释说，他会根据客户对已故之人的描述，把人体模型或自己的助手装扮成亡魂的样子。在制作照片时，他会对感光板进行双重曝光，从而将虚假的幻影覆盖到真正的被拍摄者身上。布古甚至还解释了如何运用一个幻影来满足多个客户的需求。他拿出了一张照片，三个不同的客户在这张照片里看到的是三个完全不同的人：这张模糊的照片既是一位客户的侄女，又是另外一位客户的姐姐，还是一位客户的妻子。

尽管布古极为详尽地坦白了自己的手段，但他的很多客户仍然在审判中为他辩解，认为他的照片都是真的。辩方证人包括一位音乐家，一位历史学教授，一位配镜师，以及一位摄影专家。他们每个人都坚持认为，自己绝无可能将已故之人的样貌，同一个穿着衣服的人体模型相混淆。他们辩称，即使布古的其他一些肖像照是假的，也并不意味着他们自己得到的照片就不是真的。旁听席上坐着的人也提出了一些让案件变得极为棘手的观点：威廉·斯坦顿·摩西（William Stainton Moses）是布古的一位狂热拥趸，他声称布古的确拥有招魂的能力，一定是有人贿赂或者胁迫他，让他说出如此谬误的供词。最终，布古被定为诈骗罪，判拘禁一年，并处 500 法郎的罚金。讽刺的是，他仍然为满足公众需求而继续公然制作虚假照片，并自称是一位"招魂摄影师"。

福克斯姐妹在 1848 年的亮相是否标志着戴维斯所预言的"灵魂交流"的突破，这一点还有待商榷，但对骗子们来说的确是突破性的，因为这使得他们能够借势大捞一笔。还应该指出的是，实际现象的发生和演示仅仅是招魂术的一个面向而已。毫无疑问，"人可以亲眼见证神迹"这一理念本身，为欺骗、自我欺骗、诈骗以及恶作剧奠定了基础。这些要素构成了一场更为广泛和复杂的社会文化运动的一部分。招魂术还与进步的政治诉求——如废奴主义和争取女性选举权——有着紧密的联系。举例来说，维多利亚·伍德胡尔（Victoria Woodhull）是一位磁性治疗师、招魂灵媒，同时也是美国第一位女性总统候选人。她在 1872 年参加了总统竞选，主张选举同权和同工同酬，这在当时几乎与声称自己能同逝者交流一样激进。

招魂术在 19 世纪末如日中天，并在一战所引发的国际动荡中经历了一次重要的复兴——其时，战争导致无数家庭家破人亡，由此带来的创伤使得很多人在可见的亡魂世界寻求慰藉。尽管招魂术风潮在 20 世纪后半期衰落，但它仍以各种形态留存于世。

**亡魂照片集**｜这两页的图片来自一部照片集，其中共包含59张“灵异”照片。这些照片都是万斯·汤普森夫人（Mrs Vance Thompson）用一台小小的布朗尼柯达相机拍摄的。这些照片呈现了一系列典型的招魂现象，包括“不明物质”、看起来像是从围坐者的头发中飘出来的“幽灵”，以及实在可见的“灵质”。

3

4

Death-mask

Turn this way

Sideways

See the face at the point of the arrow on top of the head.

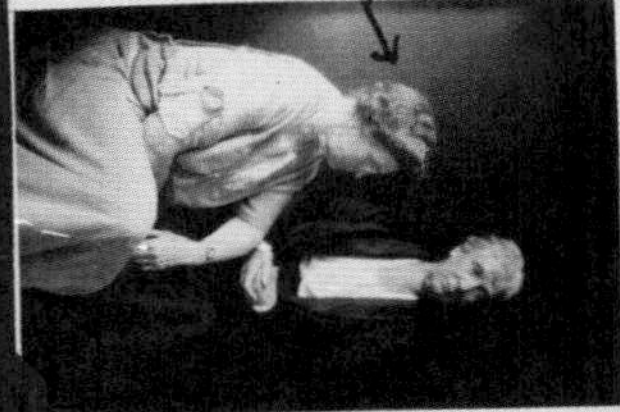

5

This death mask formed on the top of Mrs Thompson's head, as seen in the photograph viewed from the side, at the point of the arrow – Enlargement. ~~above~~ of the small head to the left

22

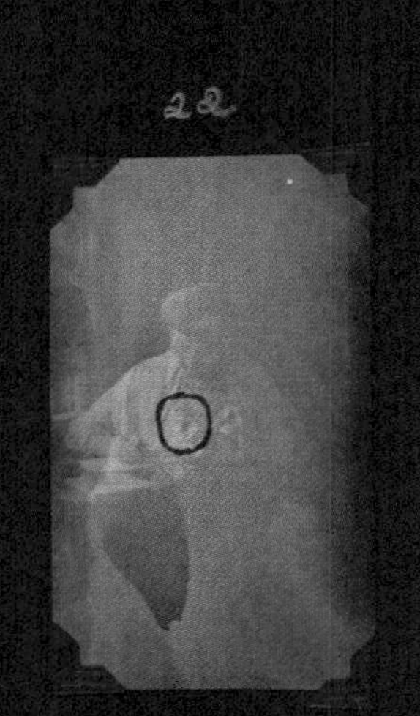

23

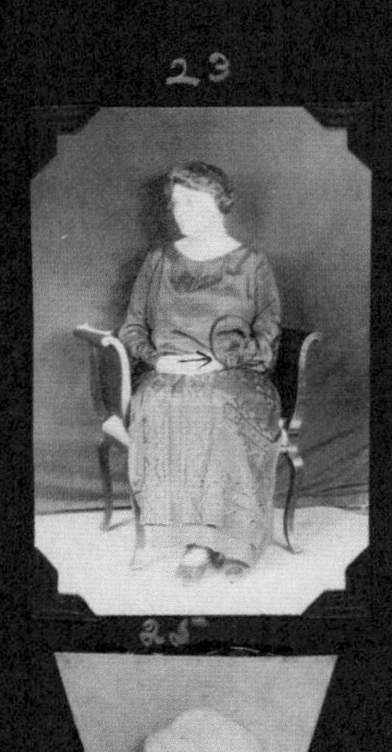

25

24

# ACT 2 THE MASTER MAGICIANS

第二幕

# 魔术大师

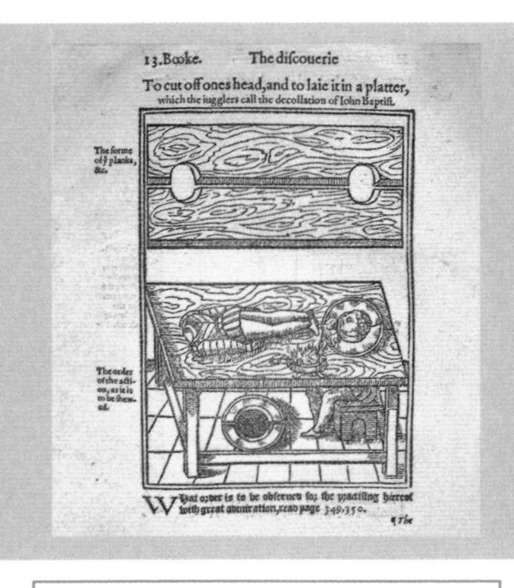

13.Booke. The discouerie

To cut off ones head, and to laie it in a platter, which the iugglers call the decollation of Iohn Baptist.

The forme of ÿ plankes, &c.

The order of the action, as it is to be shewed.

What order is to be obserued for the practising hereof with great admiration, read page 349, 350.

The

**《魔法揭秘》（1584 年）**｜雷金纳德·史考特揭示了一种现场割头并放在盘中展示的方法。

**路德维希·德布勒**｜这位魔术师的标志性表演是空手变出一束花，正如这张名为《花赠》（*Flora's Gifts*，约 1825—1850 年）的版画所呈现的。

**王者拉菲特**｜即西格蒙德·诺伊布格。拉菲特周游世界，在舞台表演中精心制造幻觉。表演的主角是他的爱犬“美人儿”（Beauty）。

与魔术表演的历史紧密交织在一起的是对魔术及超自然现象的置疑。英国最早有关魔术手法的论述出现在雷金纳德·史考特（Reginald Scot）的《魔法揭秘》（*Discoverie of Witchcraft*）一书中。这本书出版于 1584 年，对各种魔术把戏做了细致入微的解释。书中谈到了简单的魔术，比如如何“扔出去一个硬币，再让它回到原点”；也谈到了更加复杂的舞台风格的技巧，比如“割下人头，并装在盘子里”，让表演者的脑袋仍然能够和观众继续交流的方法。在书中，史考特为曝光了魔术背后的秘密而向魔术表演者们致歉，但他也认为这样的曝光是正当的，因为这表明我们可以就看似超自然的现象给出完全符合自然规律的解释。遗憾的是，《魔法揭秘》一书没能有效阻止接下来的猎巫运动。但直至 19 世纪，此书的确是有关魔术技巧最权威的著述之一。

招魂术在 19 世纪的风靡与魔术表演的黄金时代不谋而合。魔术表演存在于科学、灵异现象演示及戏剧这三者奇特的交界处，似乎与那些违背了物理定律的超自然现象有关。维也纳魔术师路德维希·德布勒（Ludwig Döbler）会从一顶空帽子中变出新剪下来的鲜花，打一下点火枪就可以神奇地点燃一百根蜡烛。托马斯·唐斯（Thomas Downs）被称作“硬币之王”，因为能够凭空变出无穷无尽的银币而闻名遐迩。魔术师霍华德·瑟斯顿（Howard Thurston）被冠以“纸牌之王”这样一个更为传统的名号，他不仅能让纸牌凭空消失又重现，更可以让观众选择一张纸牌，再让这张纸牌飘浮在舞台之上。查尔斯·约瑟夫·卡特（Charles Joseph Carter），即“卡特大帝”，表演的把戏名为“新娘魅影”。在表演中他能让自己的妻子科琳（Corinne）消失在一股烟雾中。起初，卡特想把这个魔术命名为“离婚魔法”，但被科琳否决了。西格蒙德·诺伊布格（Sigmund Neuburger），即“王者拉菲特”（The Great Lafayette），他闻名于世的魔术是将一头活狮子带上舞台，让女助手与其对峙。在狮子眼见就要攻击女助手的最后一刻，这头猛兽变成了“王者拉菲特”本人。

由于表演者们争先恐后地想要创造出更为戏剧化的紧张气氛，危险与死亡的阴影频繁地与魔术表演交织在一起。魔术师珀西·托马斯·蒂布尔斯（Percy Thomas Tibbles）就引起了一场轰动。他明白无误地将自己的一个助手锯成了两半，又让她复原，由此成为史上第一个表演该项目的人。很多魔术师都可以将射向自己的子弹徒手接住，藐视死亡。相较于很多魔术效果而言，徒手接子弹的风险绝非虚言。魔术师威廉·罗宾森（William Robinson），艺名“程连苏”（Chung Ling Soo），就因为他的一支魔术手

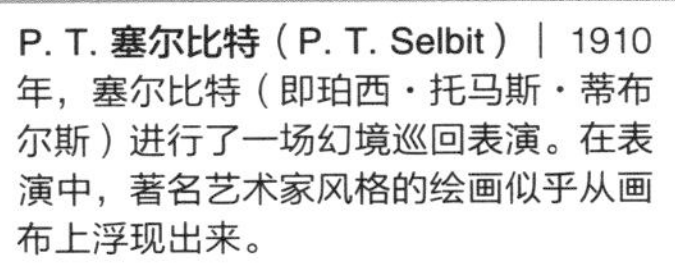
**P. T. 塞尔比特（P. T. Selbit）** | 1910年，塞尔比特（即珀西·托马斯·蒂布尔斯）进行了一场幻境巡回表演。在表演中，著名艺术家风格的绘画似乎从画布上浮现出来。

**暗黑赫尔曼** | 其时最顶尖的非裔美国魔术师，因表演让自己死而复生的魔术而闻名。

**程连苏** | 这张卡片大约制作于1910年，其中包括魔术师程连苏，以及“苏欣”（Suee Seen）和“竹花”（Bamboo Flower）。程连苏实际上是一位白人，却有一张“黄色的脸”。

枪出现了故障而命丧黄泉。本杰明·拉克（Benjamin Rucker），艺名“暗黑赫尔曼”（Black Herman），能在地下活埋好几天，再毫发无伤地从土里钻出来。他的表演太有名了，以至于在他真的去世之后，很多粉丝一开始都认为这只是另一种炒作噱头而已。

然而，最成功的魔术师绝不仅仅是表演骗人耳目的把戏。他们还是娱乐明星，而且很多时候，他们的名气部分源于他们把自己装扮成科学及文化进步的先行者。一想到魔术师，很多人脑海中或许会浮现这样的形象：一个穿着维多利亚时代晚礼服的人——他的行头包括深色的燕尾服和裤子、白衬衫、领结以及高顶礼帽。对我们来说，这副形象有些过时。但在招魂术的鼎盛时期，这种形象却代表着最前沿的“现代魔术”。

人们通常认为是法国魔术师让·欧仁·罗伯特–胡丁（Jean Eugène Robert-Houdin）让这种装扮流行了起来。罗伯特–胡丁原本是一位钟表匠，但在看过一些常规魔术表演——比如乔瓦尼·博斯科（Giovanni Bosco）的“杯球术”，以及法国魔术师菲利普［Phillippe，即雅克–诺埃·塔隆（Jacques-Noël Talon）］的“环环相扣”之后，他受到了启发，开始自己的表演。当时是19世纪40年代，不少魔术师在表演时穿的是飘逸的长袍，有时袍子上还装饰着星星。但是罗伯特–胡丁在舞台表演中穿的服装跟台下见多识广的巴黎观众一样，也是时尚晚装。他的演出座无虚席，事迹传遍世界各地，为魔术史所铭记。早期表演时他主要采用自动装置，即精密的机械设备，如会唱歌的发条小鸟，打造出将技术与骗术完美结合的风格。他制作了一个精密的写字机械人，从而在国际上一炮而红。在接下来的舞台表演中，他还端出了一株发条橙子树，可以开花并结出可食用的果实。

在另外一场魔术中，他会拿出一个公文包并打开，给观众看各种东西的图片，如鸽子和平底煎锅。然后，他会把这些东西从这个薄薄的公文包里变出来，最后从公文包里出来的是他的儿子埃米尔（Emile）。埃米尔出现在罗伯特–胡丁的各种常规表演中，包括“开天眼”这个魔术。在这个魔术中，埃米尔被蒙住了双眼，却可以描述出不同观众所给的东西，而罗伯特–胡丁似乎没有给出任何提示。

在“以太悬浮”的表演中，埃米尔不可思议地悬浮在舞台上空。对这一离奇的现象，他的父亲给观众做了一个听来科学的解释：“不久前，我发现以太具有一种新的、非常奇异的特质。当这种流体达到最高浓度时，如果一个人将其吸入胸腔，他的身体在一段时间里就会像气球一样变得轻飘飘的。”

60

# HOCVS POCVS IVNIOR.

## The Anatomie of LEGERDEMAIN.

OR,

The Art of Iugling set forth in his proper colours, fully, plainly, and exactly, so that an ignorant person may thereby learn the full perfection of the same, after a little practise.

Vnto each Tricke is added the figure, where it is needfull for instruction.

*The second Edition, with many additions.*

Prestat nihili quam nihil facere.

*LONDON,*
Printed by *T. H.* for *R. M.* 1635.



plate: These Cups must be all of one sise, and the bottome of each of them must bee set a little within the cup, marke the following figure, for thereby they are truely represented, both in forme and bignesse: it is noted with the letter B. Also he must have foure Bals, made of Corke about the bignesse of small Nutmegs. First, he must practise to hold these Cork balls, two or three of them at once in one hand: The best place, and the readiest to hold one ball is betweene the ball of the thumbe, and the palme of the hand; but if you hold more than one at one time, betweene your fingers towards the bottoms. The place to hold a great ball is betweene your two middle fingers Remember in your play alwaies to keepe the palme of your hand downeward: After you have once learned to hold these bals handsomely, you may worke divers strange, and delightfull feats.

But whether you seeme to cast your ball in the ayre, or into your mouth, or into your other hand, yet still retaine it in the same hand, still remembring to keepe the palme of your hand downeward, and out of sight. Now to begin:

He that is to play must sit on the farther side of a Table, which must be covered with a carpet: partly to keepe the balls from rolling away, and partly to keepe them from ratling: likewise hee must set his hat in his lap, or sit in such manner as that hee may receive any thing into his lap, and let him cause all his spectators to sit downe: Then let him draw his foure balls, and lay three of them upon the table, (and retain the fourth in his right hand) and say, Gentlemen, here are three bals you see, 1. *Meredin*, 2. *Benedic*, and 3. *Presto Iohn*, then let him draw his cups, and hold them all three in

Some I have seene sit with their Codpiece open, or here play standing with a budget hanging before them, for all comes to one end. Some feats may with more grace be performed sitting then standing. The manner of holding the cups will conceale the ball that you retain in your hand.





Thirdly, he must have strange termes, and emphaticall words, to grace and adorne his actions, and the more to astonish the beholders.

Fourthly, and lastly, such gesture of body as may leade away the spectators eyes from a strict and diligent beholding his manner of conveyance.

*Of the Play of the Balls.*

THE Operator thus qualified must have his Implements of purpose to play withall: and first he must have three Cups, made of brasse, or Crooked lane

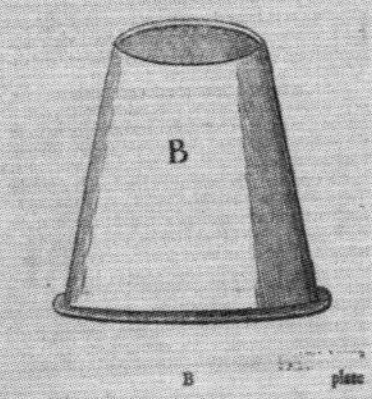






it on, convey the ball you retained in your right hand upon the top of the cup D.

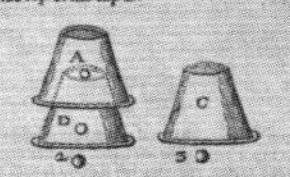


Then take up the second ball with your right hand, and seeme to put it into your left, shutting it in due time, and as you did before: now in like manner seeme to make the same to vanish with a word of command, then take up the cup C, and clap it upon the cup A, and in clapping it on, convey the ball you retained in your right hand, upon the top of the cup noted A,

So then you have conveyed under each cup a ball, then take up the third ball, seeming to vanish it as the two former, but retaine it, then shew them under each cup one, which will be very strange.





Then take one cup in your right hand, and clap it upon another, saying; see Gentlemen I will set you one cup upon another, and in clapping it on, convey the ball you retained in your right hand upon the top of the lowermost cup: marke the figure following.

Then take up one ball, and seeme to cast it in the ayre, and staring after it, say, *vade*, that's gone, then with your right hand take up the uppermost cup, say, see here he is crept betweene my cups, and in clapping it downe againe, convey the ball that you retained under it.

Then with your right hand take up the second ball, and seeme to put it into your left hand, shutting it in due time: then open your left hand, tossing it, say, *vade*, and that's gone, then with your right hand take up the





Then with your right hand take up the second ball, and seeme to put it into the left hand (but retaine it) shutting your left hand in due time: then clap your left hand unto your mouth, seeme to suppe the ball out of your hand, and make a face as if you swallowed it, then say, *Presto*, and that's gone you see, and with your right hand move the cup noted A, saying, And there is nothing, and in clapping it downe convey the ball you retained, under it, so have you conveyed into each cup a ball.

Then with your right hand take up the third Ball, and seeme to put it into your left hand, shutting it in due time, and then reach it out from you, saying, *vade, couragious*, and open your hand, and blow a blast, looking up as if you saw it flying away, and say *presto couragious*, and that's gone: then take up the cups one after another, and say, neverthelesse Gentlemen, there is one, there is two, and there is all three againe: Then cover them, and say, see you Gentlemen, I will cover them all againe. Then say now for the first, then with your right hand take up the first cup, & with your left hand take up the ball that is under it, saying, see, I take him out, and in setting downe the cup againe, convey the ball in your right hand under it, then with your right hand take the ball out of your left hand, seeme to put it into





your pocket (but retaine it) saying, *vade*, that's gone into my pocket you see, then take up with your right hand the second cup, and with your left hand take the ball from under it, and say, see, I take this out fairely also, and in setting downe the cup, convey the ball that you retained under it, and then with your right hand take the ball out of your left, and seeme to put it into your pocket, (but retaine it) saying, *tolet*, and that's gone into my pocket: then with your right hand take up the third and last cup, and with your left hand take the ball from under it, and say, here I take my last out, and in setting downe the cup, convey the ball that is in your right hand under it, and then with your right hand take the ball out of your left hand, and

seeme to put it into your pocket (but retaine it) and say *vade*, 'tis gone into my pocket; then take up your cups orderly, saying, Gentlemen, here is one you see, here is two, and here is all three again; and in setting downe the last cup noted *A* convey the ball that you retained in your hand under it.

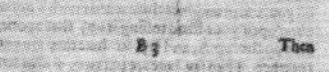





uppermost cup, and say, doe you see Gentlemen, they are snug'd like a yong man and a Maid in bed together, and in setting it down, convey the ball that you retain.

Then with your right hand take up the third ball, and seeme to put it in your left hand, but retain it, shutting your left hand in due time: then hold it from you, and then open your hand, tossing it up, and gaping after it, say, *Mounttiflede*, mount, thats gone, and then take up the cup and say, here are all three againe. Then cover them againe, and say single is nothing, then clap the third cup upon them, saying, but double is somewhat.

Then may you seeme to pull all the three corks out of the top of the upper cup, causing them to vanish one





after another, as I have sufficiently taught you before, which may be performed by that one ball that you reteine in your right hand.

And lastly, take the uppermost cup, and set it down first by it selfe, then with both hands nimbly hosting the two other cups, shuffle them one upon another, and the bals will not fall out, and so it will be thought that you have pulled the three bals out of the bottomes of the two uppermost cups. I could teach you to vary these feats a hundred wayes, but I leave that to those that intend to follow the trade.

*How to make a great Ball seeme to come through a Table into a Cup.*

SEt one of your cups upon a Table, and take a good big foole-ball out of your pocket, and say, clapping your hand with the ball in it under the Table, My masters would you not think it a pretty trick that I should

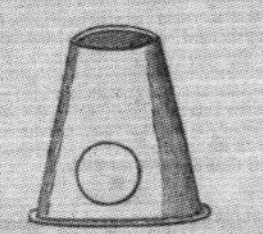

make this ball come thorow the table into the cup:

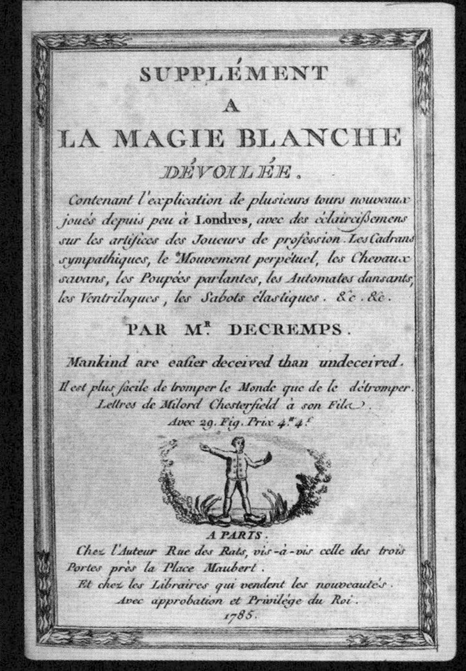

SUPPLÉMENT
A
LA MAGIE BLANCHE
DÉVOILÉE.

Contenant l'explication de plusieurs tours nouveaux joués depuis peu à Londres, avec des éclaircissemens sur les artifices des Joueurs de profession. Les Cadrans sympathiques, le Mouvement perpétuel, les Chevaux savans, les Poupées parlantes, les Automates dansants, les Ventriloques, les Sabots élastiques. &c. &c.

PAR Mr. DECREMPS.

Mankind are easier deceived than undeceived.
Il est plus facile de tromper le Monde que de le détromper.
Lettres de Milord Chesterfield à son Fils.
Avec 29. Fig. Prix 4.# 4.s

A PARIS.
Chez l'Auteur Rue des Rats, vis-à-vis celle des trois Portes près la Place Maubert.
Et chez les Libraires qui vendent les nouveautés.
Avec approbation et Privilége du Roi.
1785.

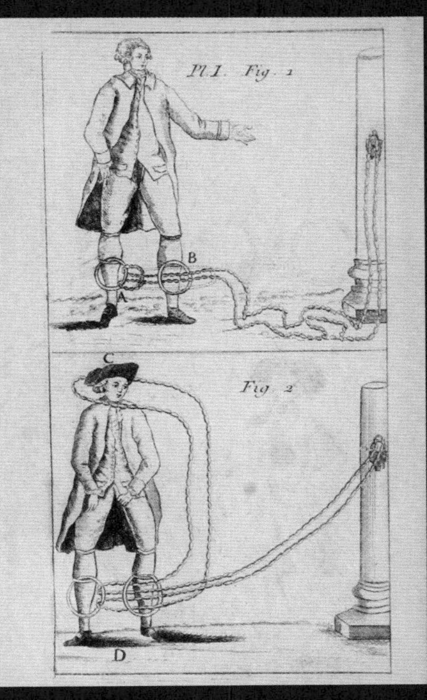


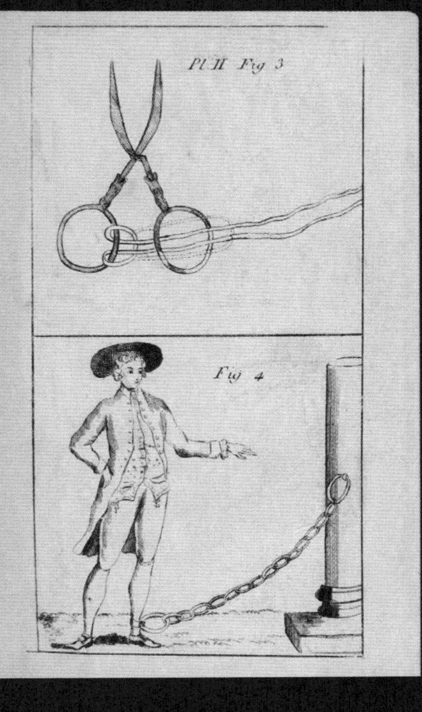


**对页：古老的魔术** | 《初阶魔术：解密魔术，或本意非恶的欺骗艺术》（*Hocus Pocus Junior: The Anatomie of Legerdemain, or, The Art of Jugling Set Forth in his Proper Colours*，1656年）一书的内页，来自哈利·胡迪尼的收藏。

**本页：白魔法** | 《白魔法揭秘补编》（*Supplément à La Magie Blanche Dévoilée*，1785年）一书的内页，揭秘了魔术师朱塞佩·皮内蒂（Giuseppe Pinetti）的技法，作者名为德克朗先生（Monsieur Decremps）。

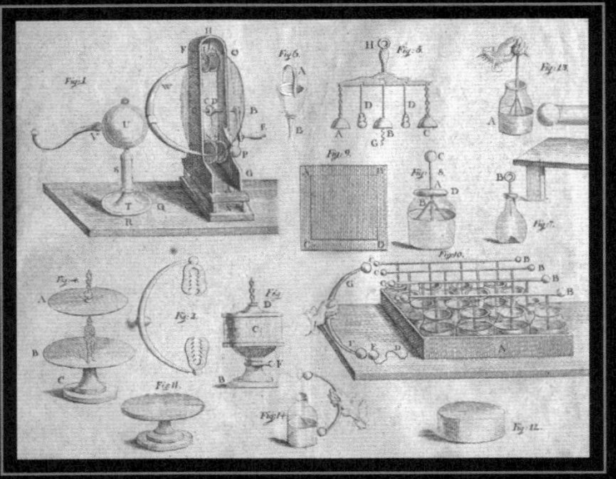

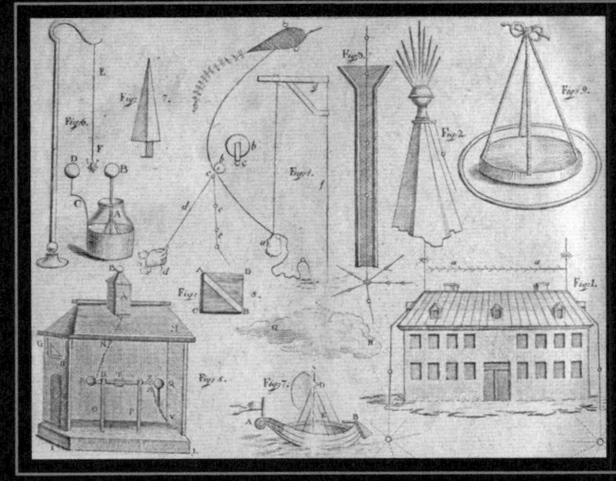

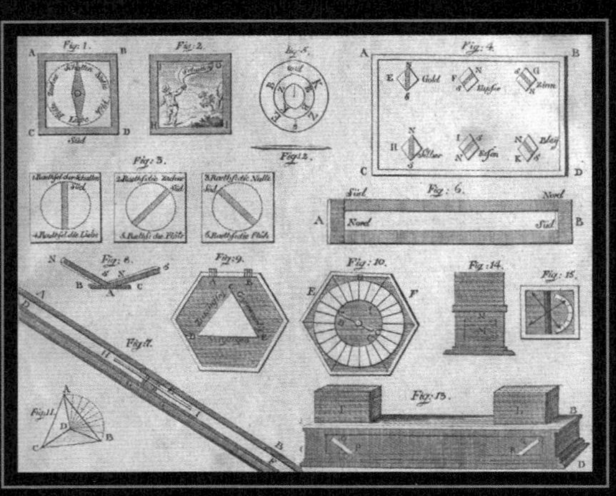

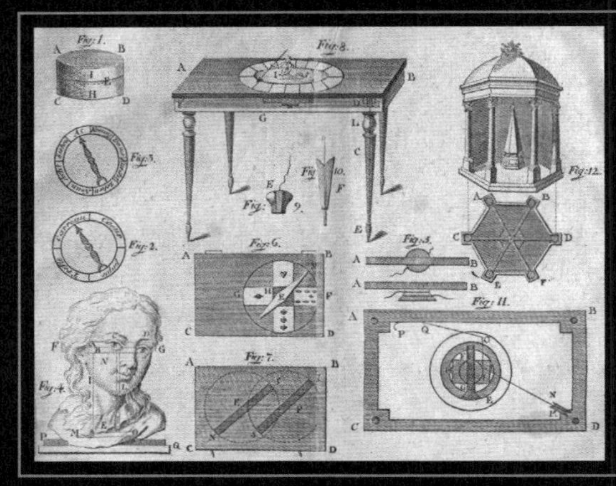

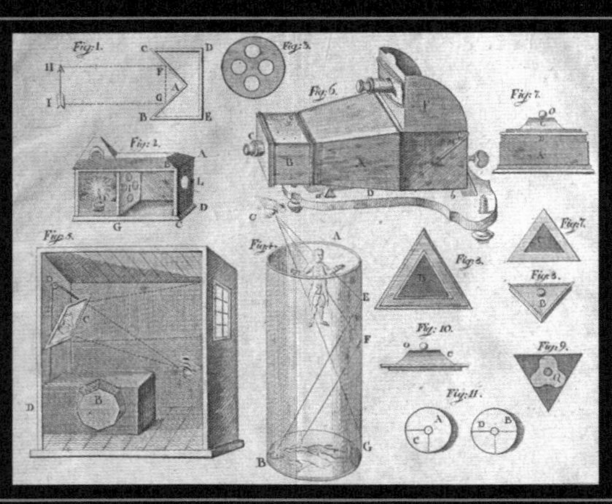

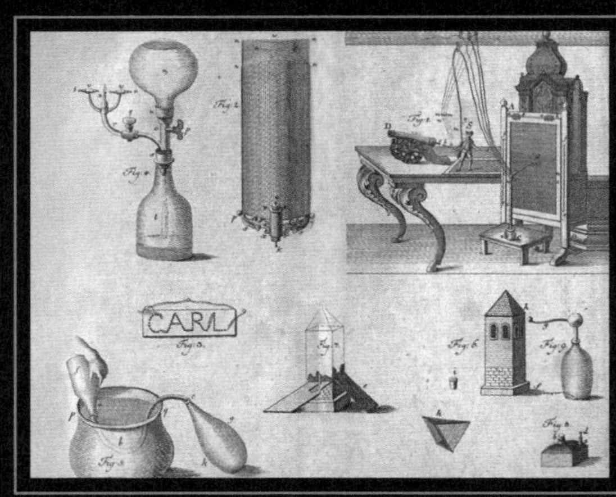


**自然魔力** | 《自然魔力》一书的样图，作者为威克里布与罗森塔尔。这本书是 18 世纪作家约翰·尼古拉斯·马蒂斯（Johann Nikolaus Martius）写的一本有关魔术的书的扩增修订版。以上书页来自胡迪尼的收藏，他关于招魂术的藏书颇丰。

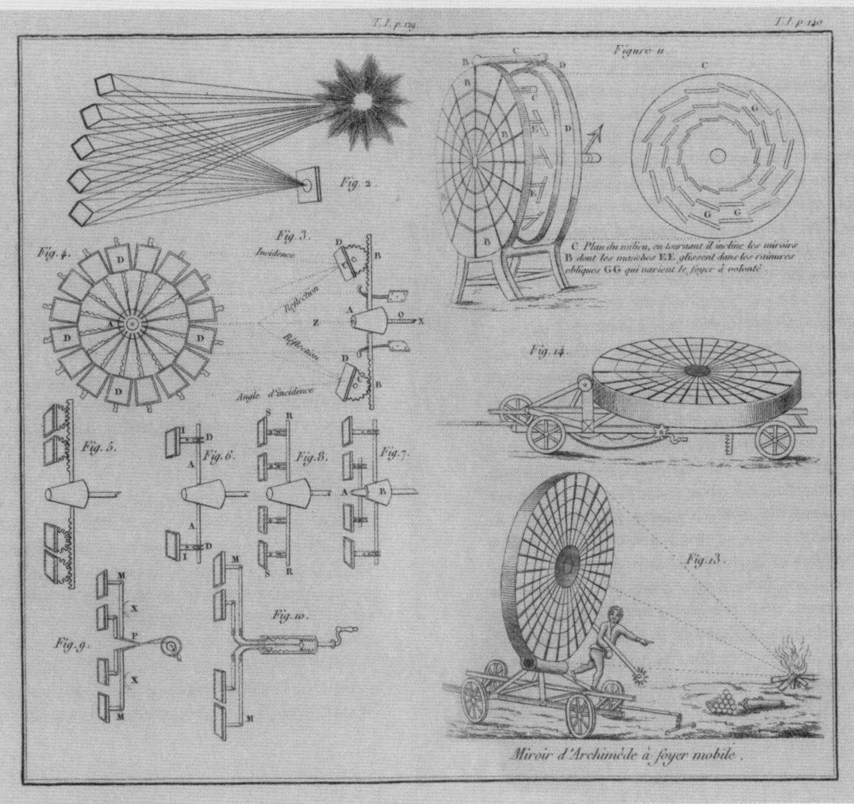


**一种古老的自动书写魔术** | 节选自比利时物理学家及魔术师艾蒂安–加斯帕尔·罗伯森（Etienne-Gaspard Robertson）的《回忆录：娱乐、科学与轶事》（*Mémoires: Récréatifs, Scientifiques et Anecdotiques*，1831 年）一书。上图呈现了他戏剧性的幻觉表演。凭空出现的幻象来自他的“幻镜”（Fantoscope）的投影，所谓“幻镜”是一种带轮子的魔术灯（见下图）。

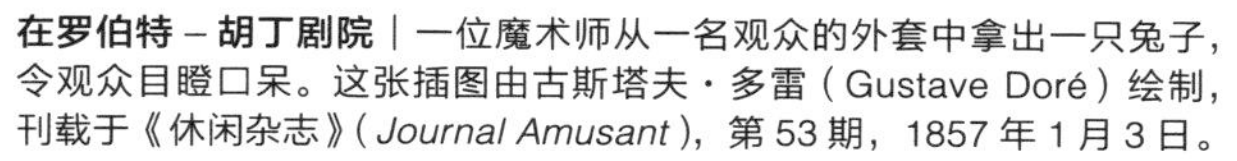

**在罗伯特－胡丁剧院**｜一位魔术师从一名观众的外套中拿出一只兔子，令观众目瞪口呆。这张插图由古斯塔夫·多雷（Gustave Doré）绘制，刊载于《休闲杂志》（*Journal Amusant*），第 53 期，1857 年 1 月 3 日。

**舞台上的罗伯特－胡丁**｜在这幅 1861 年的木版画中，这位时髦的魔术师正在表演他的魔术“命运”（Le Destin）。

如今我们经常把罗伯特–胡丁称作“现代魔术之父”。这不仅仅是由于他高质量的魔术表演和富于创新的幻境呈现，还在于他关于魔术的论著颇丰。他盛名远扬或许是因为曾经说过这样一句话：“变魔术只不过是演员扮演魔术师的其中一环。”换句话说，一个专业的魔术师最好让人们觉得他不是个玩杂耍把戏的人，而是一个演员，扮演着一个拥有超自然能力的角色。

毫无疑问，魔术表演是一场虚幻的经历，但相比其他类型的表演所具有的“放下怀疑”的预设，魔术显然会涉及一些更为怪异的东西。历史学家彼得·拉蒙特（Peter Lamont）通过比较两种经历——观赏《彼得·潘》的现场表演与观看大卫·科波菲尔这样的魔术师在舞台上空飘飞，强调了魔术表演的不同之处。在一间剧院里观赏《彼得·潘》时，观众通常能够清楚地看到将“飘飞的”演员悬吊在上空的金属丝。但是，身处演出的现场环境，观众被预设会忽略掉金属丝的存在，一如他们不会在意舞台布景中的很多房间其实根本没有第四堵墙。相反，在魔术表演中，观众理应主动去寻找（并且找不到）使得魔术师将自己悬于空中的金属丝。飘飞的魔术师应当看起来是真的在飞，某种程度上要打破观众对现实世界的理解。尽管如此，当观众在魔术表演中看到不可思议的事情发生时，他们又理应觉得自己所看到的现象都是可以解释的——不论其本身看起来是多么不合情理，从本质上来说，这只是幻觉，是迷惑大脑的把戏。魔术将不可能之事呈现为令人信以为真的幻象，公然蒙骗观众，这些特征使其与欺骗性的通灵表演相比，既非常相似，又有着本质的不同。二者的关系也导致魔术师与声称自己天生拥有超自然能力的人总是发生直接冲突。

一直以来，罗伯特–胡丁给人留下的印象都是一位前沿科学技术奇迹的创造者。在他的事业如日中天之时，法国政府甚至将他任命为驻阿尔及利亚的外交官。这位魔术师被派往北非，他所肩负的任务是打击当地神秘主义者的势力——据说这些神秘主义者通过描述各种神迹，来激起民众对法国殖民主义者的反抗。罗伯特–胡丁把自己为欧洲观众创作的常规节目进行改编，专门编排了一场特殊的演出。这场演出包括好几个魔术，如徒手接子弹，以及让观众消失再重现。最具代表性的一个魔术名为“轻重箱子”。罗伯特–胡丁会把一个小箱子呈给观众，再选择一个大块头的自告奋勇者，并让他到台上来举起这个箱子。一开始，这位观众可以很轻易地把箱子举起来。但是在指示观众把箱子放回到舞台上之后，罗伯特–胡丁宣称自己能够用魔法让此人体力尽失。果不其然，此人接下来就完全搬不动箱子了。事实上，幕后有一位协助者会启动一块电磁铁，将

**飘浮的罗伯特－胡丁**｜在这张刊载于《宇宙画报》（*L'Illustration: Journal Universel*，第 242 期，1857 年 10 月 16 日）的图片中，罗伯特—胡丁让自己的儿子像是悬浮在空中。

**倒不尽的瓶子**｜在另外一张刊载于《宇宙画报》（第 51 期，1852 年 10 月 2 日）的图片中，罗伯特—胡丁似乎拿着一个倒不尽的瓶子，不断地装满玻璃杯。

> **我沉迷于这些神秘的文字。而当我读得越多，这门艺术的秘密就越是一览无余。我注定是干这行的。**
>
> ——让·欧仁·罗伯特—胡丁
> 1859 年
>
> I DEVOURED THE MYSTERIOUS PAGES, AND THE FURTHER MY READING ADVANCED, THE MORE I SAW LAID BARE BEFORE ME THE SECRETS OF AN ART FOR WHICH I WAS... PREDESTINED.
> JEAN EUGENE ROBERT-HOUDIN, 1859

箱子固定在舞台上。

对阿尔及利亚观众而言，罗伯特—胡丁的魔术简直就是武器。在允许自告奋勇者努力尝试去搬动被磁铁吸住的箱子之后，罗伯特—胡丁又会给出第二个信号。此时，幕后的助手会拨动一个开关，通过把手释放一股电流，直击正在努力搬箱子的人的双手，让他抽搐倒地。据罗伯特—胡丁说，这时有些自告奋勇者会恐惧地逃离舞台。在表演结束之后，罗伯特—胡丁会致力于宣扬这样的观念——这场表演看似不可思议，但其实是幻觉和科学技术的产物。法国政府宣称罗伯特—胡丁对阿尔及利亚的造访是理性和文明对迷信的胜利。尽管我们难以考证罗伯特—胡丁是如何描述他在北非所取得的成就的，但他的故事仍然不失为一个完美的例证，让我们看到历史上的典范魔术师如何在骗术、科技及超自然的层面上考量自己所创造的幻觉。

很多魔术师都认为自己是真相揭露者，拆穿自称灵异之士的谎言。招魂术的诞生，以及随之而来的骗子的大量出现，都助推甚至是开启了历史上很多著名魔术师的魔术生涯。

灵媒艾拉·达文波特（Ira Davenport）和威廉·达文波特（William Davenport）在无意中催生了众多后来的表演者。在福克斯姐妹的罗彻斯特首演结束几个月之后，达文波特兄弟在纽约州北部开始了他

66

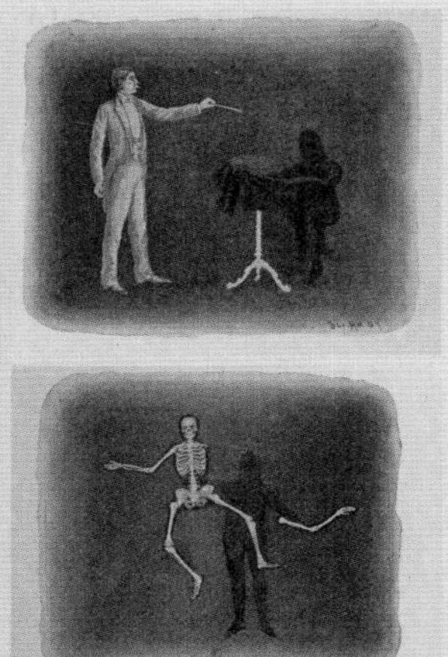
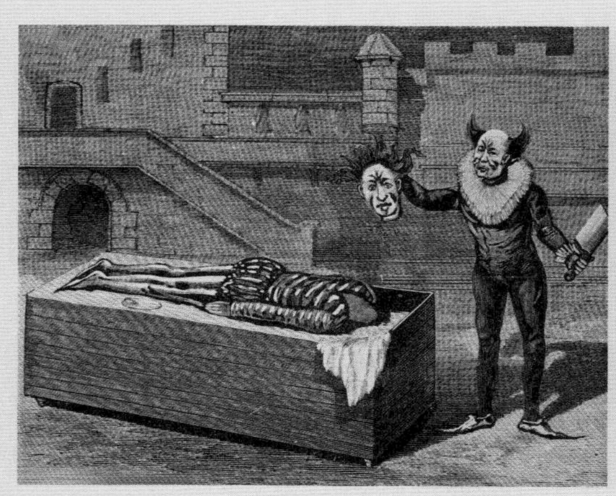

**在幕后**｜这两页的插图呈现了著名的魔术把戏背后精心策划的骗局，其中包括切割人头、消失的女人、让物体悬浮在空中。所有插图均来自由阿尔伯特·A. 霍普金斯（Albert A. Hopkins）编撰的《魔术：舞台幻景与科学的转向（内含魔术照片）》（*Magic: Stage Illusions and Scientific Diversions, Including Trick Photography*，1897 年）一书。

A
B
C

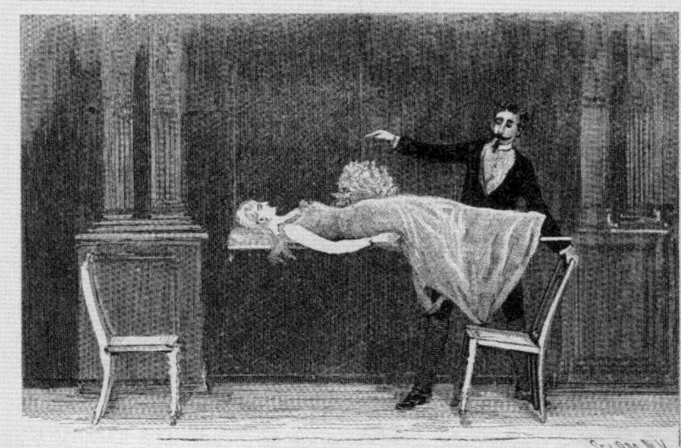

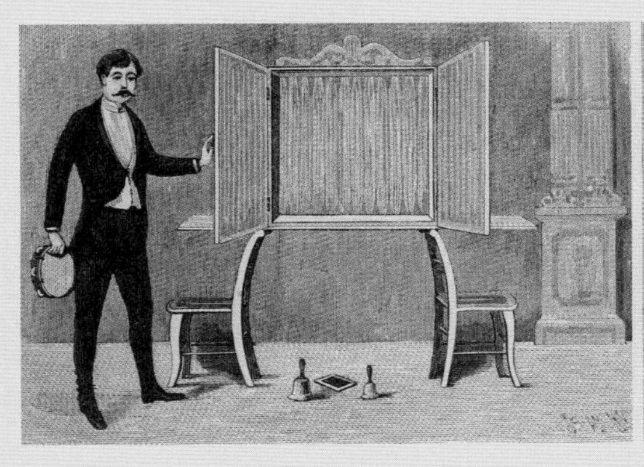

**瑟斯顿表演**｜惊人的大制作见证了瑟斯顿
瑟斯顿由此成为全世界最著名的魔术师

**对页：灵魂的诱惑**｜这张大约作于 1915 年
众对于神秘主义及超自然的趋之若鹜——

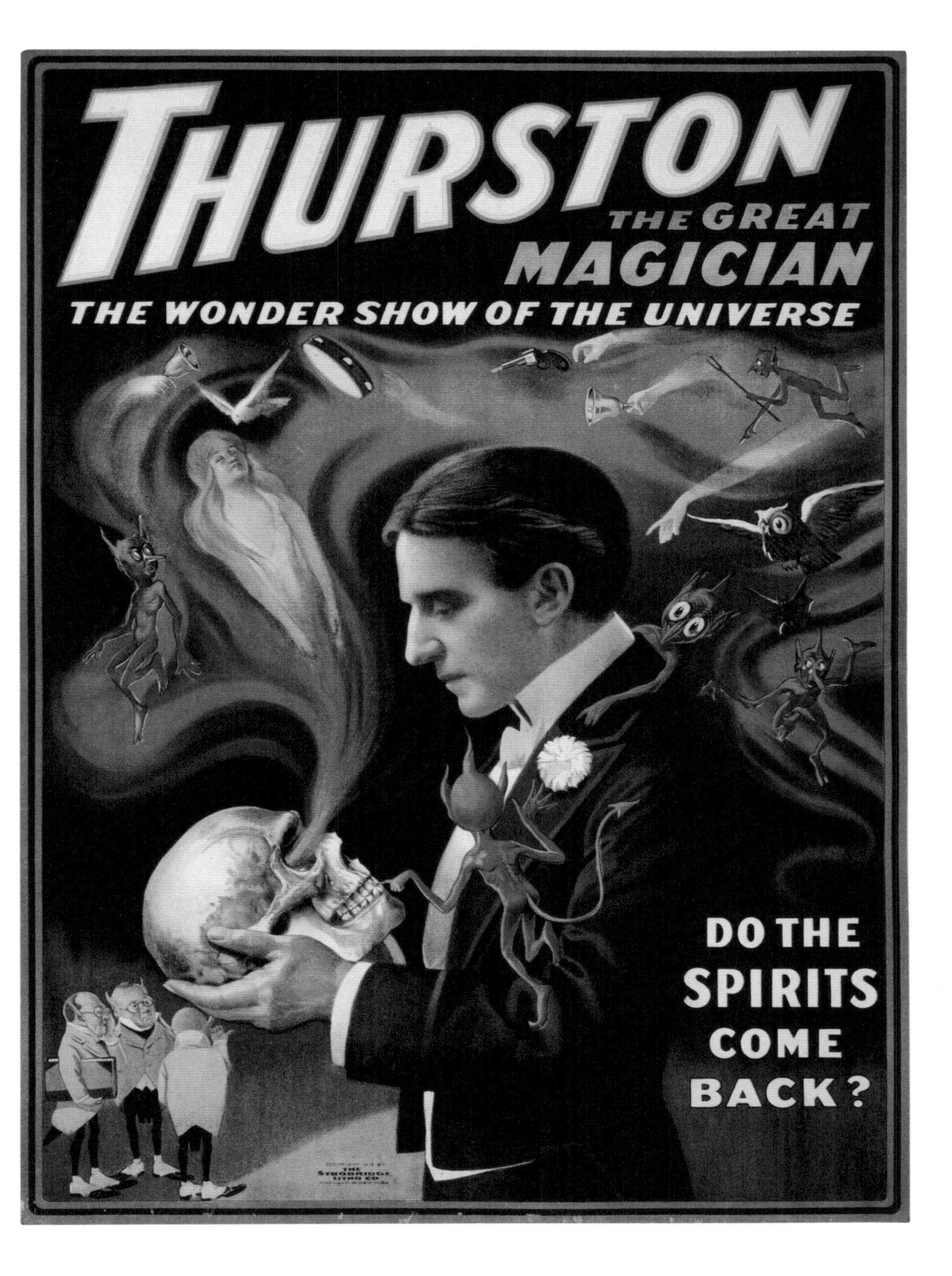
THURSTON
THE GREAT
MAGICIAN
THE WONDER SHOW OF THE UNIVERSE
DO THE
SPIRITS
COME
BACK?

**在我看来，所谓的“灵魂现身”完全来自日常现象，而且基本上可以说是通过粗陋且有害的把戏与欺诈行为实现的。**

——约翰·内维尔·马斯基林，1876 年

'MANIFESTATIONS' WHICH I HOLD TO BE ALTOGETHER MUNDANE IN THEIR ORIGIN, AND MAINLY ATTRIBUTABLE TO GROSS AND HARMFUL TRICKERY AND FRAUD.

JOHN NEVIL MASKELYNE, 1876

们的通灵表演——尽管兄弟二人声称，在凯特和马吉通过敲击与叉趾鬼交流之前，他们能通灵已经好几年了。最终达文波特兄弟开始了世界巡演。从很多方面来看，达文波特兄弟的行为方式都像是专业表演者：在剧院中为买票进场的观众表演招魂术。但是他们总是强调自己“不是简单地变戏法”，且将自己的表演称作“实验”。

在达文波特兄弟的标志性演出中，需要的道具包括一个大的木柜子，尺寸与衣柜相近，并配有长条座椅。还需要各种各样的乐器，如吉他、小号和铃鼓，都挂在柜面上或是摊在地上。兄弟二人会邀请由观众组成的“调查委员会”上台检查装置，然后坐在柜子里的长椅上，并指示委员把他们兄弟二人的手和脚都用绳子捆起来。然后，柜门被锁起来，剧院的灯光转暗。此时，柜中会传出乐声。有时，观众还可以看到发光的、脱离身体的双手飘浮在舞台四周。当灯光再次亮起，柜门打开，观众会看到达文波特兄弟静静地坐在那里，仍然被绳子绑缚着。对于信奉招魂术的人们而言，这样的表演提供了实证，证明达文波特兄弟与强大的、不可见的、智慧的力量联系在一起，这些力量超越了已知的科学，进行着操控。

但是，并非所有人都对达文波特兄弟的事迹给予如此正面的评价。1865 年 3 月 7 日，在格罗斯特郡的切尔滕纳姆，在兄弟二人的一场演出上，约翰·内维尔·马斯基林，一位 25 岁的钟表匠兼业余魔术师，被选作调查委员会的成员。在表演时，马斯基林声称自己从柜子的缝隙里清楚地瞥到，艾拉并没有被绑起来，而是一本正经地敲着其中的一个铃铛。马斯基林试图说服台下的观众，让他们相信达文波特兄弟在骗人，但未能成功，于是他在乔治·库克（George Cooke）的帮助下，制作了他自己的通灵之柜。马斯基林和库克花了好几个月的时间，进行严格的训练，学习如何解开绳索。同年晚些时候，他们首次将自己的反招魂术表演搬上了舞台。他们不仅不加掩饰地重复达文波特兄弟的表演，还将首演放在了马斯基林瞥见艾拉偷敲铃铛的那座剧院里。和达文波特兄弟一样，他们也收门票；但和达文波特兄弟不一样的是，他们公开宣称自己的表演都是通过戏法和骗术做到的。报纸对此做了热情报道，说这些表演“水平远超达文波特兄弟”。

马斯基林趁着这样的热度开始把魔术表演作为自己终生的事业。在几十年里，通灵柜表演一直都是他主打的表演项目，同时他仍然直言不讳地批评招魂术风潮。他宣称，“变不好戏法的魔术师转身就会是个优秀的灵媒”。他的理由是，一位魔术师在表演时必须始终在舞台上呈现不可思议的效果，而一位灵媒在把戏失败时，总是把灵魂未能现身归咎于灵魂的不遂人愿，甚至是观众自身的犹疑。

作为一位明星魔术师，马斯基林还以专家的身份，出现在与招魂诈骗相关的法庭审判中。1876 年，马斯基林现身伦敦弓街法院，作为控方证人，出席了“石板传信”灵媒亨利·思莱德医生（Dr Henry Slade）案件的审判。思莱德受到的指控是，他声称

THE DAVENPORT BROTHERS'

PUBLIC CABINET SÉANCE.

NOW BEING HELD AT

THE QUEEN'S CONCERT ROOMS,

HANOVER SQUARE.

**珍奇柜** | 1865 年，达文波特兄弟在伦敦标志性演出的海报。在确证被缚之后，达文波特兄弟被放进一个柜子当中，里面还有各种乐器。关上柜门之后，这些乐器开始神奇地自己“演奏”了起来，同时，还有鬼影一般的手时不时地出现在柜壁上。

WATERS-SON SC

WATERS-SON-SC

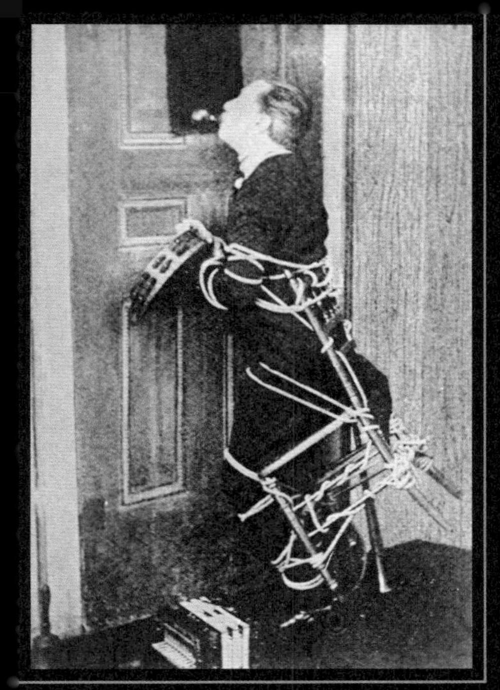

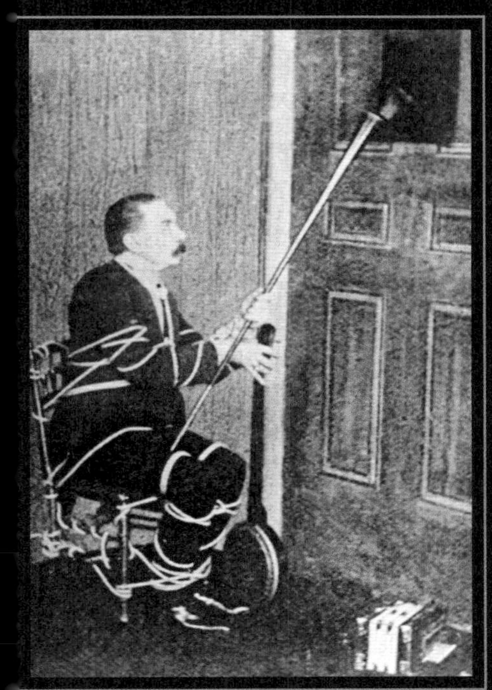

**术与真实** | 对页：一本 1869 年的达文波特兄弟传记中的图。本页：约翰·内维尔·马斯基林在演示魔术是如何

**后页** | 埃及厅（Egyptian Hall）坐落于伦敦皮卡迪利（Piccadilly），这里举办了无数的魔术表演。马斯基林在

DUDLEY
GALLERY
ART SOCIETY
EXHIBITIONS
of Water Colours
FEBY
MARCH
JACKSON & Co
EGYPTIAN HALL

EGYPTIAN
HALL
ENGLANDS
HOME OF
YSTERY
STABLISHED 1873
ERFORMANCES
DAILY
AT
3 AND 8
PROVED
PHOTOGRAPHS
ST IN LONDON
MR. MASKELYNE'S
SENSATIONAL
MAGICAL ROMANCE
THE
PHILOSOPHERS
STONE.
DAILY AT 3 & 8
JAMES EPPS & CO.
HOMŒOPATHIC
CHEMISTS
EGYPTIAN
HALL
HOMŒOPATHIC
CHEMIST EST 1839

**马斯基林与库克**｜这四张 19 世纪晚期的海报，宣传了他们二人在皮卡迪利大街上的“英国神秘之家”（England's Home of Mystery）进行的常驻演出。这两位魔术师自我标榜的卖点之一，是他们在演出时毫不掩饰自己的把戏和骗术，这要比那些声名远扬的通灵人士的表演更令人目瞪口呆。海报中提到这些通灵人士时用到了圣人（mahatmas）一词。

**我看到的一切并没能让我相信逝者的灵魂与生者可以互相交流。**

——哈利·胡迪尼，1924 年

NOTHING HAS BEEN REVEALED TO CONVINCE ME THAT INTERCOMMUNICATION HAS BEEN ESTABLISHED BETWEEN THE SPIRITS OF THE DEPARTED AND THOSE STILL IN THE FLESH.
HARRY HOUDINI, 1924

能接收亡魂发来的手写讯息，并以此骗取钱财。尽管被告方的辩护律师及当庭法官都提出抗议，但马斯基林还是在座无虚席的法庭上成功地上演了一场即兴魔术。他进行了一系列“石板传信”演示，呈现了他是如何通过用化学药剂浸泡过的海绵让手写讯息在石板上出现又消失的。他还让大家看到，他用牙咬住一段粉笔就能在石板上清楚地写下字来。马斯基林解释说，对于一个在黑暗的房间里绑起双手进行表演的灵媒而言，这是非常有用的骗术。控方指出，马斯基林的把戏证明了他们的论点，即思莱德本人在工作中使用了骗术。然而，思莱德的辩护律师则认为，仅仅因为马斯基林能够通过魔术把戏重现思莱德的做法，并不能断定思莱德本人也使用了同样的方法。

在英国的魔术界，马斯基林成了一个神话般的人物。他的反招魂魔术仅仅是他众多节目中的一类，他还有其他各种各样的表演，比如他追随罗伯特–胡丁的脚步，也发挥自己作为钟表匠的技能，做出了神秘的自动装置，包括可以玩纸牌的机械人“赛科”，以及可以用笔为现场观众画像的发条装置人“佐伊”。马斯基林的表演持续了很多年，一开始他的搭档是库克，后来则是魔术师大卫·达万特（David Davant）。他还缔造了一个魔术家族，把魔术技法传给了他的儿子内维尔（Nevil）和孙子贾斯珀（Jasper）——他们后来也都成为成功的魔术师。

终其一生，马斯基林都在不断地表演魔术，与招魂术士争论不休。直到 77 岁去世时，他始终活跃在舞台上。在去世前不久的一段时间里，马斯基林还创立了魔术圈奥秘委员会（Occult Committee of the Magic Circle）。这是魔术师专业组织的一个分支，负责调查工作，其唯一宗旨就是借助成员所掌握的魔术技巧来检视所谓的灵异现象。委员会的调查对象之一就是亡魂摄影。魔术师们与灵异调查员哈利·普莱斯通力合作，联系了伦敦各种各样的亡魂摄影师，包括一位名为 J. 韦恩科姆先生（Mr J. Vearncombe）的专业摄影师和一位名为艾达·爱玛·迪恩的灵媒。韦恩科姆宣扬自己可以制作“亡魂分身”，无须使用底片就能制作出亡魂照片。魔术师们则设计了一套特殊的程序来揭示其中的把戏。一系列的实验显示，亡魂只会出现在明显被动过手脚的底片上。

或许，有史以来最著名的魔术师当属美籍匈牙利裔魔术师埃里希·韦斯（Ehrich Weiss）。他的魔术生涯综合了马斯基林式的自我包装、反招魂术，达文波特式的逃脱技巧，以及罗伯特–胡丁的表演才能。他出生于匈牙利的布达佩斯，1878 年和家人移民去了美国。他对魔术的着迷源于他发现了一本罗伯特–胡丁的回忆录。年轻的韦斯效仿他的偶像，以哈利·胡迪尼为艺名开始练习和表演魔术。在职业生涯的早期，哈利·胡迪尼都是在小场子中进行表演，大多数时候都是耍耍纸牌。他甚至还短暂地做过灵媒，一个他后来羞于承认的行当。在将表演重点转向逃脱术之后，胡迪尼开始声名鹊起。

魔术师与招魂术表演者之间的友情实属罕见，

92

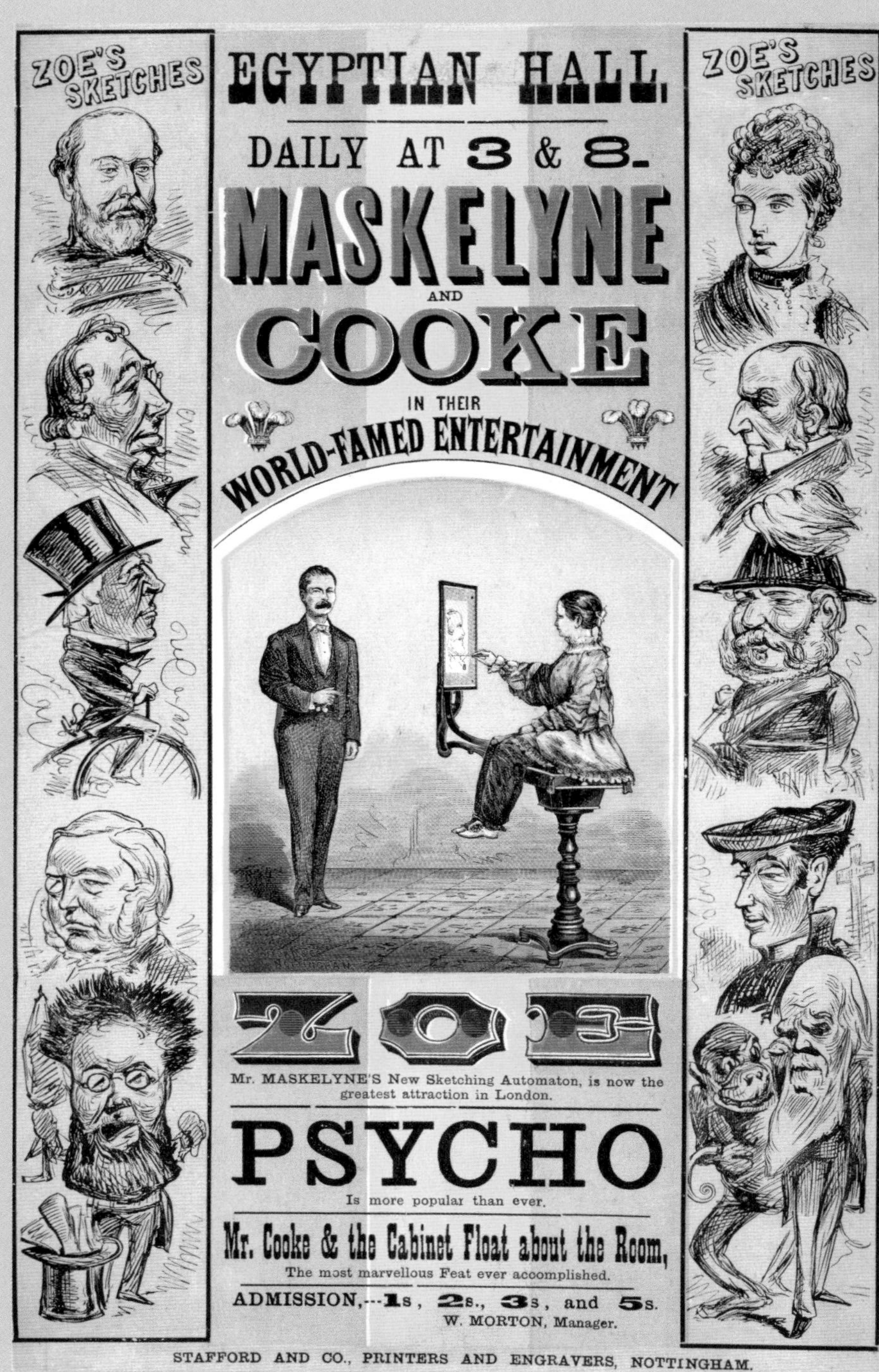
ZOE'S SKETCHES
EGYPTIAN HALL
DAILY AT 3 & 8.
MASKELYNE
AND
COOKE
IN THEIR
WORLD-FAMED ENTERTAINMENT
ZOE
Mr. MASKELYNE'S New Sketching Automaton, is now the greatest attraction in London.
PSYCHO
Is more popular than ever.
Mr. Cooke & the Cabinet Float about the Room,
The most marvellous Feat ever accomplished.
ADMISSION,---1s, 2s., 3s, and 5s.
W. MORTON, Manager.
ZOE'S SKETCHES
STAFFORD AND CO., PRINTERS AND ENGRAVERS, NOTTINGHAM.

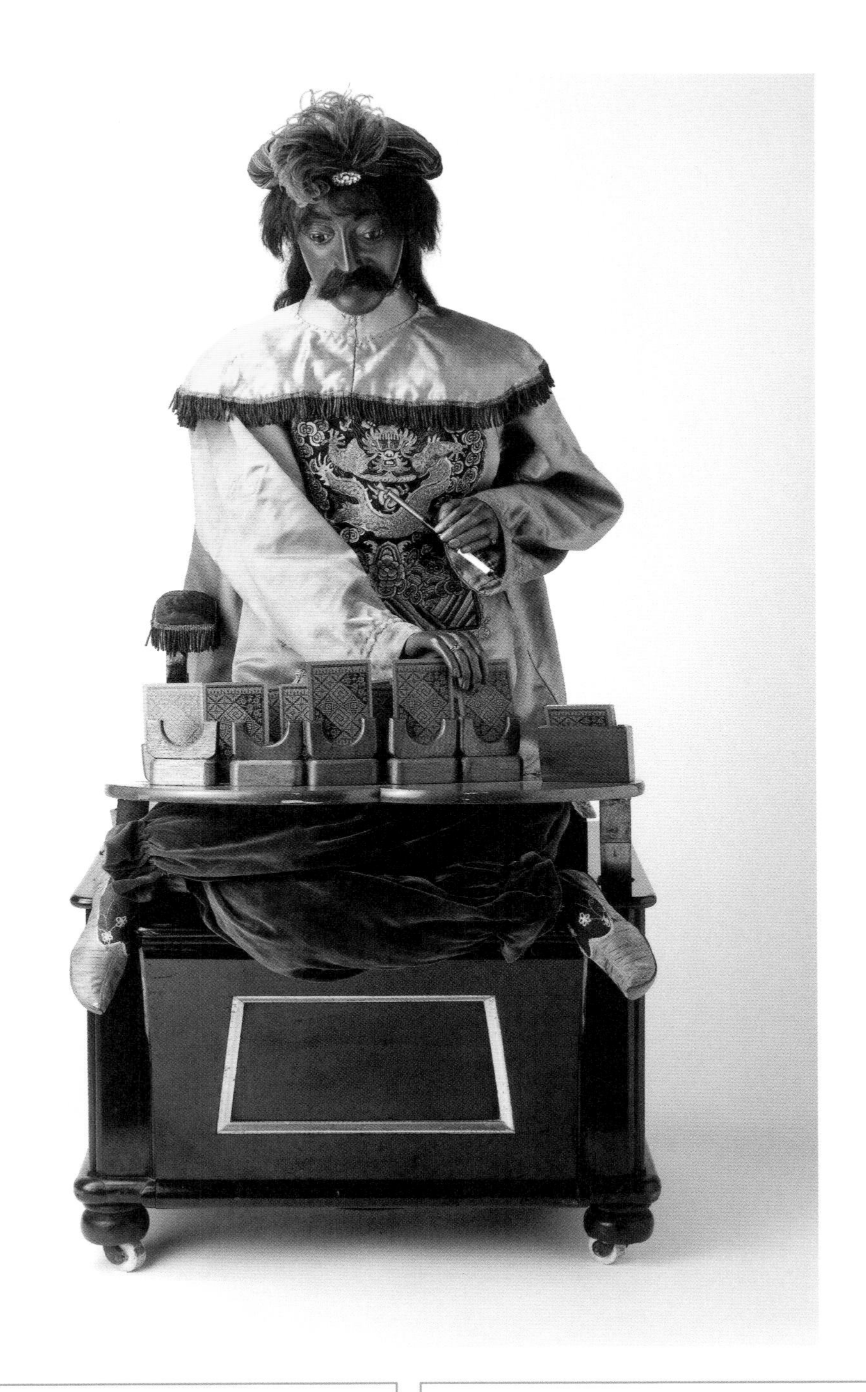

**对页：机械人表演**｜这张大约制作于 1878 年的海报重点宣传了两个神奇的机械人：1875 年于埃及厅首次亮相的“赛科”，以及两年后亮相的“佐伊”。

**本页：“赛科”**｜这个机械人能够解决数学难题、表演戏法，但令人印象最深的是它可以与观众一起玩惠斯特纸牌（whist）。

**本页 :“佐伊”绘制的肖像画** | 这张肖像素描是马斯基林的自动绘图机械人在埃及厅的舞台上创作的。

**对页:操作者与机器** | 这张照片大约拍摄于 1885 年,“佐伊”坐在马斯基林身旁,看起来正在为魔术师绘制一幅肖像画。

**对页：割头术表演**｜这是马斯基林的搭档乔治·库克的蜡像。在他们的一场惊险刺激的舞台魔术表演中，库克扮演了“受害者”的角色。

**本页：魔术照片**｜ 1898 年默片《一个顶四》（*Un Homme de Têtes*）中的一组剧照，本片由乔治·梅里爱（Georges Méliès）自导自演。

**本页：刀片午餐** | 在《幻术大师》（*The Famous Illusionist*，1937年）中，贾斯珀·马斯基林，即约翰·内维尔的孙子，看起来正在把刀片一个接一个地吞下去。

**对页：家庭表演** | 贾斯珀的兄弟姐妹诺埃尔（Noel）、玛丽［Mary，上面两张图，另有魔术师同行奥斯瓦德·威廉（Oswald Williams）］和克莱夫（Clive，下图）在表演。

# TARBELL COURSE OF MAGIC

LESSON No. 1 | LESSON No. 2 | LESSON No. 3 | LESSON No. 4 | LESSON No. 5 | LESSON No. 6 | LESSON No. 7 | LESSON No. 8 | LESSON No. 9 | LESSON No. 10

LESSON No. 11 | LESSON No. 12 | LESSON No. 13 | LESSON No. 14 | LESSON No. 15 | LESSON No. 16 | LESSON No. 17 | LESSON No. 18 | LESSON No. 19 | LESSON No. 20

LESSON No. 21 | LESSON No. 22 | LESSON No. 23 | LESSON No. 24 | LESSON No. 25 | LESSON No. 26 | LESSON No. 27 | LESSON No. 28 | LESSON No. 29 | LESSON No. 30

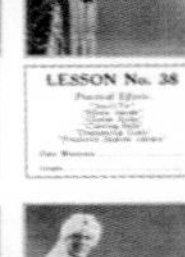

LESSON No. 31 | LESSON No. 32 | LESSON No. 33 | LESSON No. 34 | LESSON No. 35 | LESSON No. 36 | LESSON No. 37 | LESSON No. 38 | LESSON No. 39 | LESSON No. 40

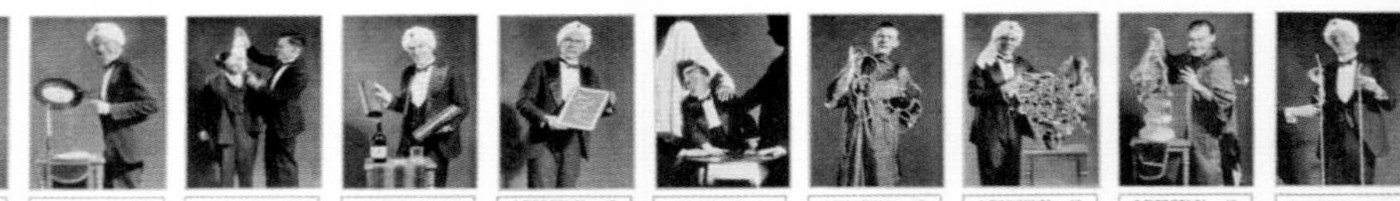

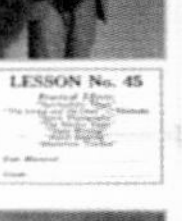

LESSON No. 41 | LESSON No. 42 | LESSON No. 43 | LESSON No. 44 | LESSON No. 45 | LESSON No. 46 | LESSON No. 47 | LESSON No. 48 | LESSON No. 49 | LESSON No. 50

LESSON No. 51 | LESSON No. 52 | LESSON No. 53 | LESSON No. 54 | LESSON No. 55 | LESSON No. 56 | LESSON No. 57 | LESSON No. 58 | LESSON No. 59 | LESSON No. 60

*Hang This Chart on the Wall of Your Room*

This Magic chart gives you some idea of the contents of the wonderful Tarbell course.
As you complete each lesson, write in the date and grade you think you deserve for the lesson. A space has been provided for this.
You will then have a complete record of your progress step by step from your early initiation into the secrets of the art until the time you are a Magician of the highest degree - a Master possessed of the innermost secrets of Magic.

TARBELL SYSTEM, Inc. — 1926 Sunnyside Avenue, — Chicago, U. S. A.

**如何学习魔术招数** | 这张 1929 年的海报宣传的是魔术教学，共包含 60 种魔术表演。前一年，哈兰 · 塔贝尔博士（Dr. Halan Tarbell）制作了一个自学教程。后来他又创作了八卷本的百科全书，名为《塔贝尔魔术教程》（*Tarbell Course in Magic*）。这本书对于渴望进入魔术行业以及正在从事这项工作的魔术师们来说，都是非常有用的参考书。

**塔贝尔魔术道具**｜上图是在“塔贝尔系统收录：魔术”（Tarbell System Incorporated: Magic）课程中提及的一系列魔术道具。其中包括魔杖管、中心穿孔的彩色魔术圆片、假指尖，以及横切之后可以立在桌上的铁球。直至 1931 年，塔贝尔共卖出了一万份完整教程。

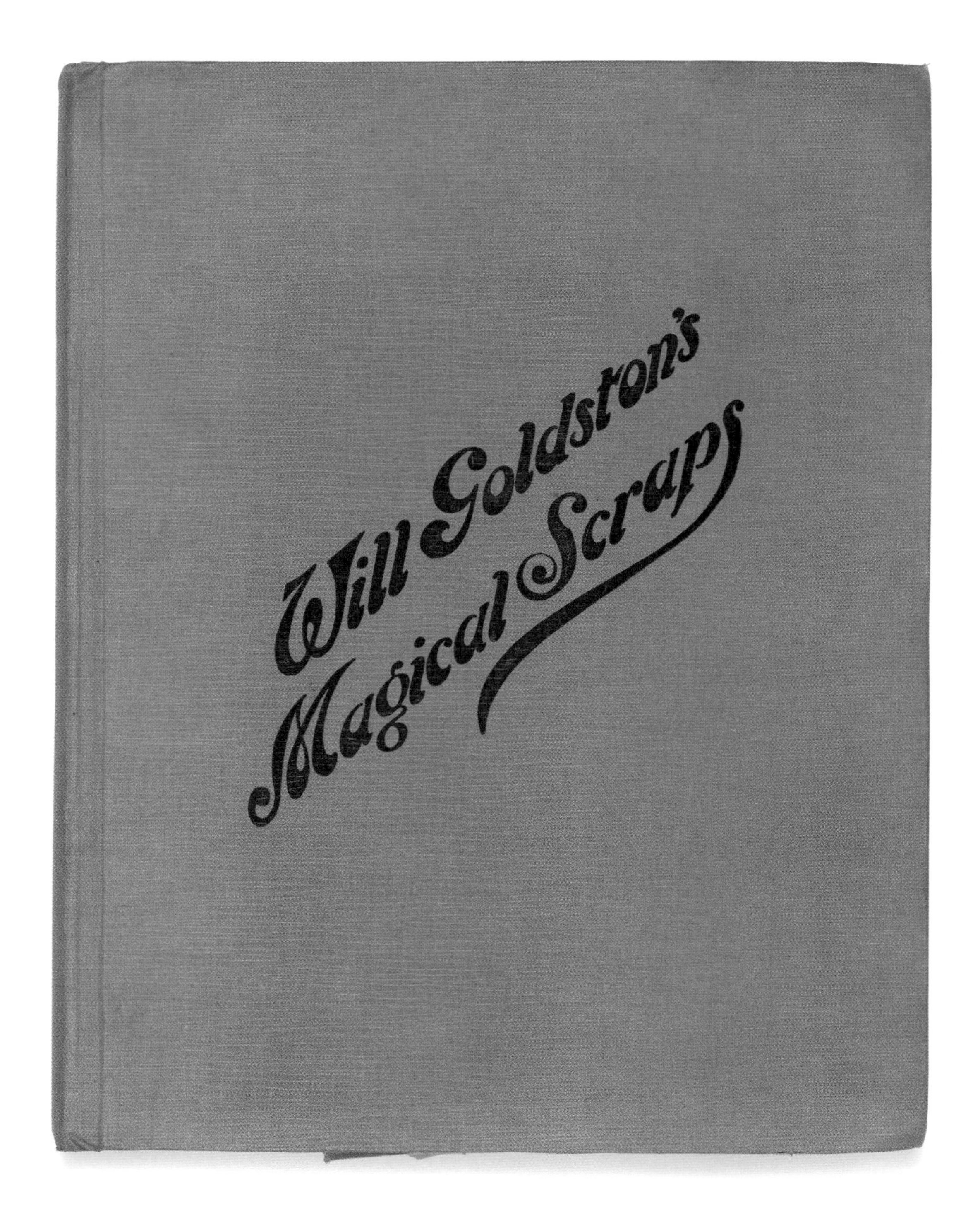


**《威尔 · 戈尔德斯顿的魔术随记》**（*Will Goldston's Magical Scraps*）｜这本剪报集大约作于 1916 年，其中包括文字说明与插图，解释了如何重现部分英国魔术师的表演，甚至包括在表演某些魔术时该说些什么这样的细节。有人批评戈尔德斯顿揭秘了自己的魔术，对此他回应道："魔术师会逝去，但他的魔术不能消失。"

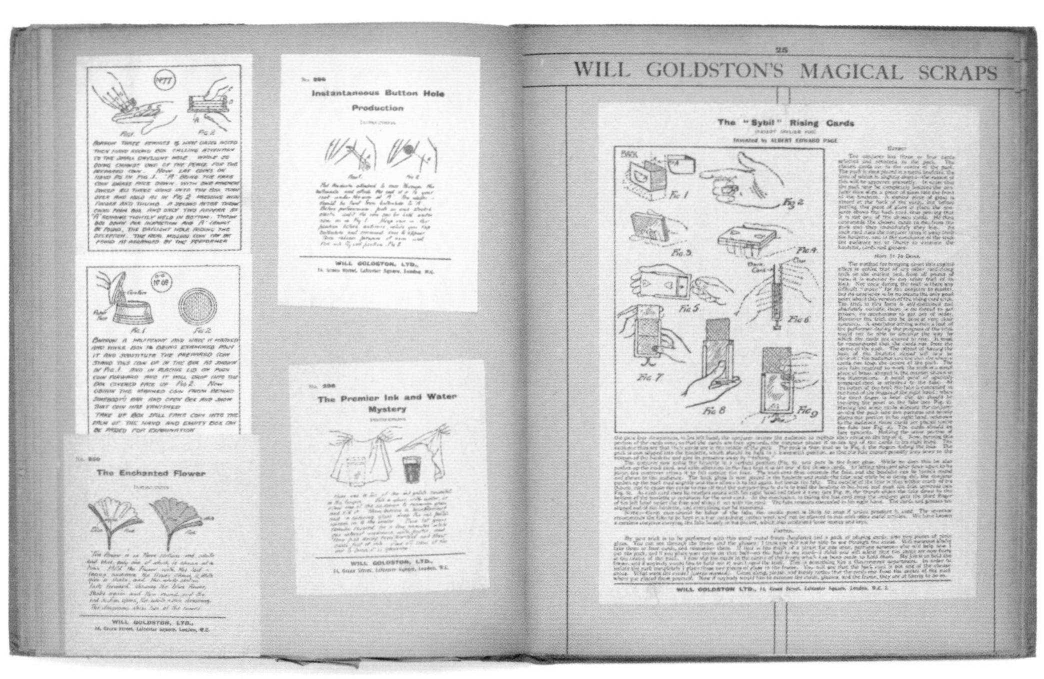

25
WILL GOLDSTON'S MAGICAL SCRAPS
Instantaneous Button Hole Production
WILL GOLDSTON, LTD.,
The Premier Ink and Water Mystery
WILL GOLDSTON, LTD.,
The Enchanted Flower
WILL GOLDSTON, LTD.,
The "Sybil" Rising Cards


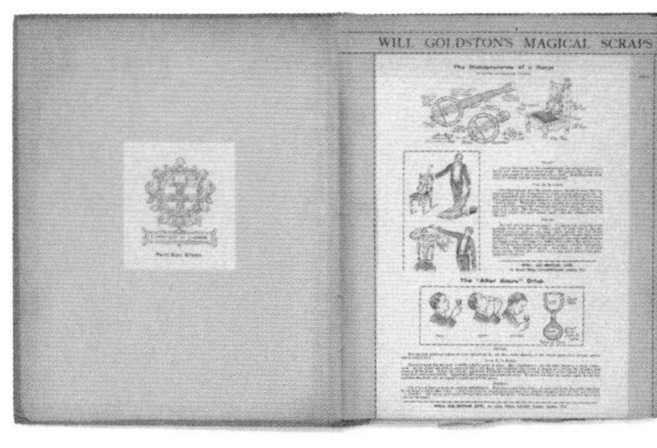

WILL GOLDSTON'S MAGICAL SCRAPS


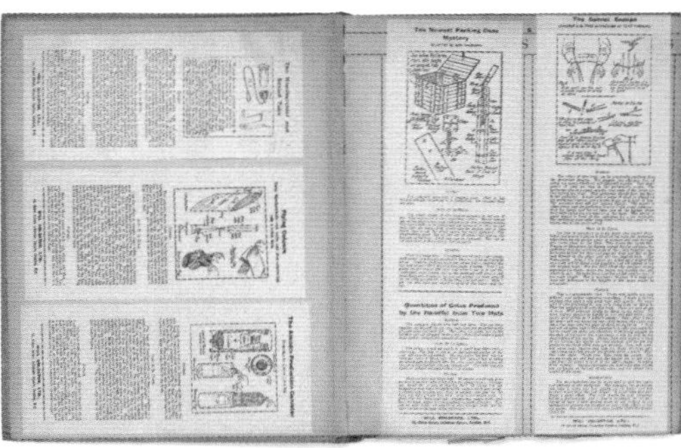

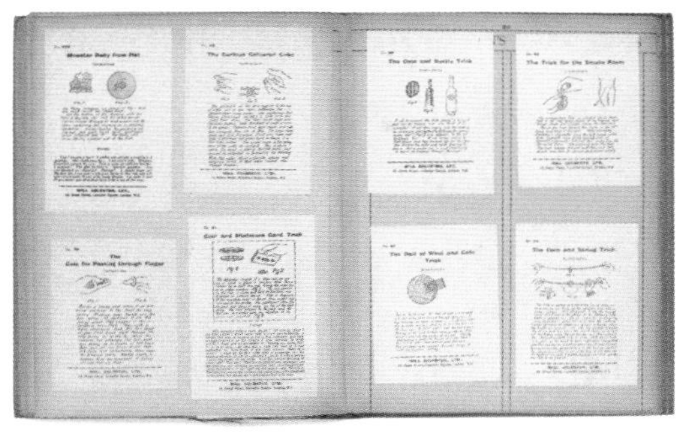

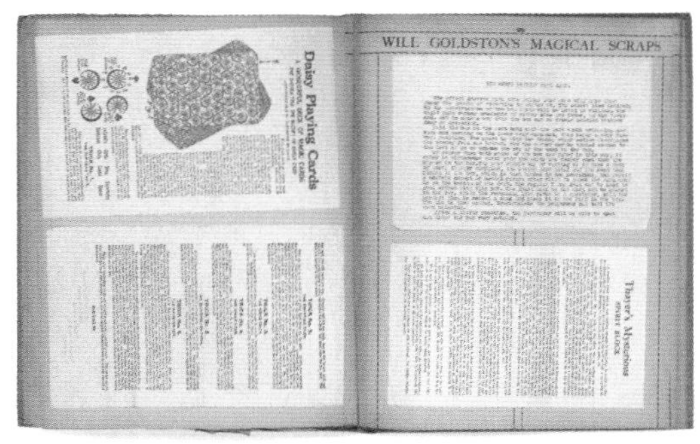

WILL GOLDSTON'S MAGICAL SCRAPS
Daisy Playing Cards

KELLAR
LEVITATION.

**“卡纳克公主的悬浮”**（Levitation of Princess Karnac）｜哈利·凯勒最有名的魔术之一就是让一位“印度公主”悬浮。事实上，他用到了一个藏匿起来的机器，这个机器连接到一块藏在助手裙下的板上，从而制造出这样的效果。对页的海报大约制作于 1894 年，本页这张图大概要早五年左右。

**“人体分割”魔术秀**｜这张 1923 年的德国海报呈现了最有名的舞台魔术表演之一，而且提醒我们，历史上很多惊险刺激的魔术常规表演都会采用伤害魔术师女助手的形式。这个魔术的源起尚不清楚，大概直到 20 世纪 20 年代才从想法变成了实践。P. T. 塞尔比特于 1921 年 1 月在伦敦的芬斯伯里公园帝国剧院( Finsbury Park Empire theatre )表演了这个魔术

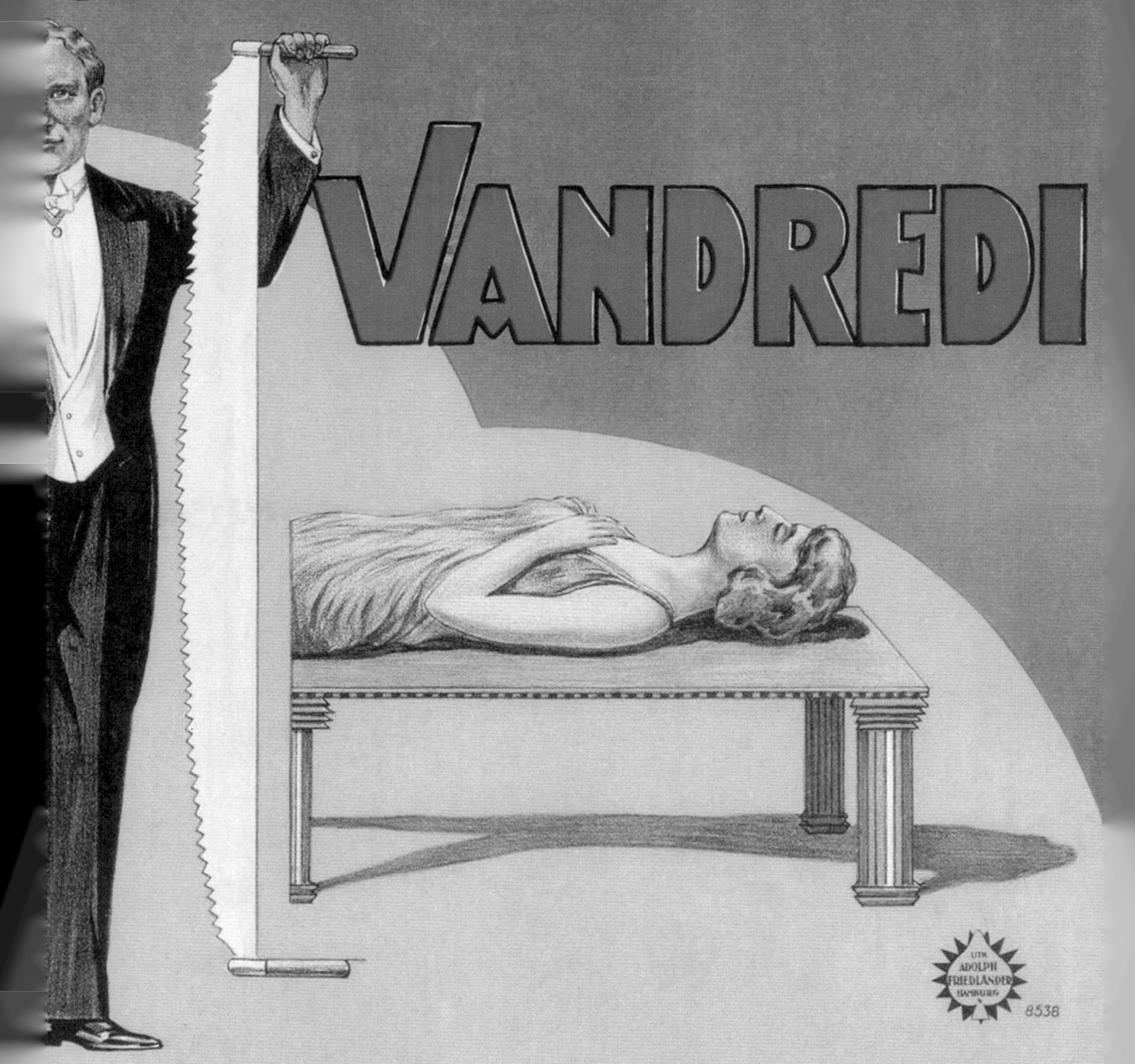


这或许是该节目的首次公开表演。前一年 12 月，塞尔比特曾私下里表演过这个魔术，但只是邀请了代理人及赞助人到场观演，他这样做是为了保证自己的表演可以得到预定。在这个魔术的早期版本中，他的助手是被绑起来的，整个被藏在一个封闭的木箱子里。

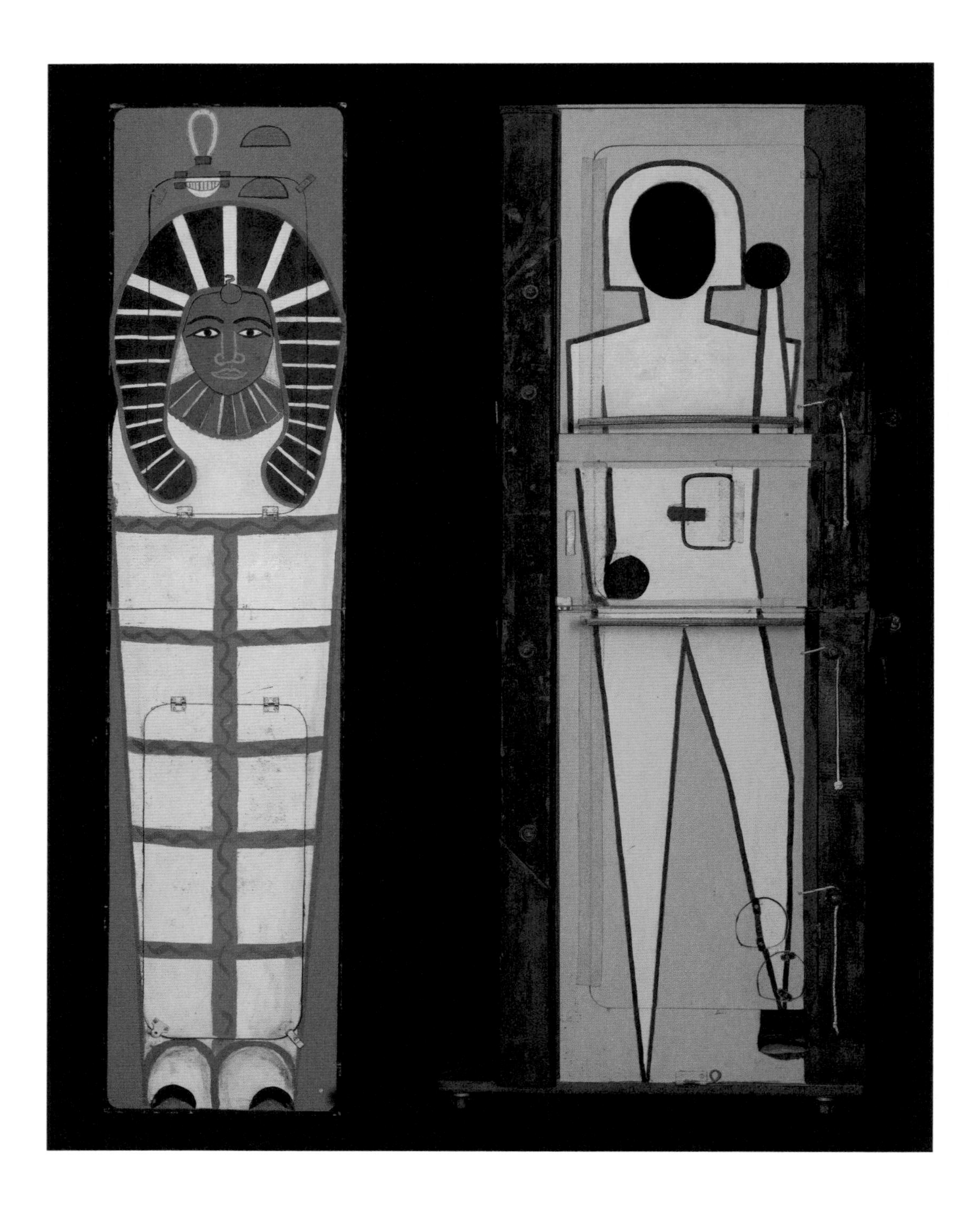

**颠三倒四**｜英国魔术师罗伯特·哈宾（Robert Harbin）开创了这一魔术。正如对页图片所呈现的那样，这个魔术会让观众产生错觉，以为表演者的身体部位发生了不可思议的错位。表演时助手会进入一个类似埃及石棺的箱子，魔术师将箱子转动起来，上下颠倒。当箱子上的一块板被打开时，助手似乎还处于直立状态。

**“人体移位”** | 这个魔术也是罗伯特·哈宾发明的。助手被放入一个垂直的柜子里，观众始终能够看到她或他的头、双手和左脚。然后，金属刀具会切穿柜子，柜子的中间部分会被抽走，不过其中的一扇门可能会开着，让观众看到表演者的腹部。

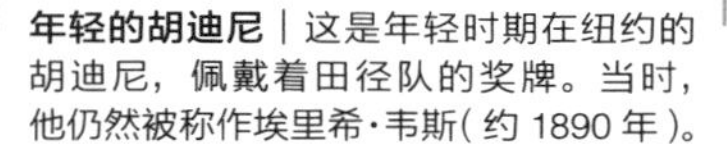

**年轻的胡迪尼**｜这是年轻时期在纽约的胡迪尼，佩戴着田径队的奖牌。当时，他仍然被称作埃里希·韦斯（约 1890 年）。

**新锐之星**｜在这张大约制作于 1895 年的宣传海报中，哈利·胡迪尼专门穿着晚礼服——这个灵感源于他的偶像罗伯特–胡丁。

**牛奶罐逃脱术**｜作为一个热衷于自我推销的人，胡迪尼摆出表演中的姿势，于 1908 年在圣路易斯市拍摄了这张照片。在表演中，他会被装进一个灌满了水的巨型容器里。

但实际上胡迪尼一直与艾拉·达文波特保持着友好的通信来往，并亲切地称对方为“作秀的老家伙”。他们二位也曾见面讨论解绳和脱柜的技巧。胡迪尼始终强调他的表演是通过技巧和戏法做到的，而且他最厉害的技巧可以说是自我推销。他创造了自己的逃脱术表演秀，并开始宣扬自己是“手铐之王”。为了追求曝光和噱头，他还挑衅警察，让自己被扒光、搜身、铐走、上镣、关进监狱，然后逃走。

讽刺的是，正是由于胡迪尼在表演中加入了真正有可能致命的因素，才让一些名垂青史的表演得以诞生。在绝技“牛奶罐”的表演中，胡迪尼被铐了起来，并封在一个超大的牛奶罐中。魔术开始之前，他会邀请观众同自己一道屏住呼吸，并提醒观众，魔术一旦失败就意味着他被淹死了。在其他表演者开始模仿他时，胡迪尼便增加了自己表演的危险系数，开创了一种新的逃脱术，名为“中国水牢”。与不透明的牛奶罐不同，在表演这个魔术的过程中，观众能看到魔术师在水中挣扎。

在职业生涯的早期，胡迪尼曾经为付费的观众表演过灵媒的把戏。多年之后，他愧称这些骗术很可笑。他写道，在他的母亲于 1913 年去世之后，他开始领会到灵媒骗局中的严肃性。悲伤中的胡迪尼开始认真地去尝试通过灵媒与自己的母亲交流。但令他震惊的是，他在降灵会上所看到的一切，通常只是灵媒为欺骗失去亲人的家庭而加以改头换面的魔术把戏。之后，胡迪尼不仅探索招魂术的可能性，还开始与骗人的灵媒作对——胡迪尼说他们对全人类的“身心健康都构成威胁”。

胡迪尼还将招魂术士的抵制者作为自己人设的一部分。他悬赏招募那些能够拿出真本领的灵媒或术士，然后无情地揭露他们的骗局。西班牙报纸报道说，贵族华金·阿加马西利亚（Joaquín Argamasilla）有一种特异能力，能用眼力穿透实心的东西。然后，胡迪尼便邀请这位“长着 X 光之眼的西班牙人”来到了纽约。胡迪尼在舞台上揭露了阿加马西利亚如何通过把戏，透过眼罩去偷看盒子，从而看到了貌似密封着的盒子里的东西。胡迪尼还担任《科学美国人》（*Scientific American*）杂志的鉴定人，该杂志宣布，如果有灵媒可以真正展示出自己的能力，就能得到 2500 美元的现金奖励。编委会宣布他们发现了一位真正的灵媒——米娜·克兰顿（Mina Crandon），艺名“马格丽”（Margery）。这时胡迪尼插手进来，并拆穿了她所谓的能力，导致她没能获得这笔奖金。胡迪尼还开始复制马格丽的所作所为（但会进行免责声明），并融入他自己的表演当中去。

胡迪尼不只是把揭露招魂术士的把戏作为自己

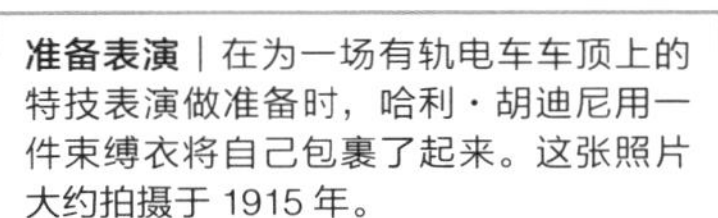

**准备表演** | 在为一场有轨电车车顶上的特技表演做准备时，哈利·胡迪尼用一件束缚衣将自己包裹了起来。这张照片大约拍摄于 1915 年。

**公开悬挂** | 胡迪尼从束缚衣中滑脱了出来，头朝下悬在纽约百老汇大街与第 46 街交汇处的空中。

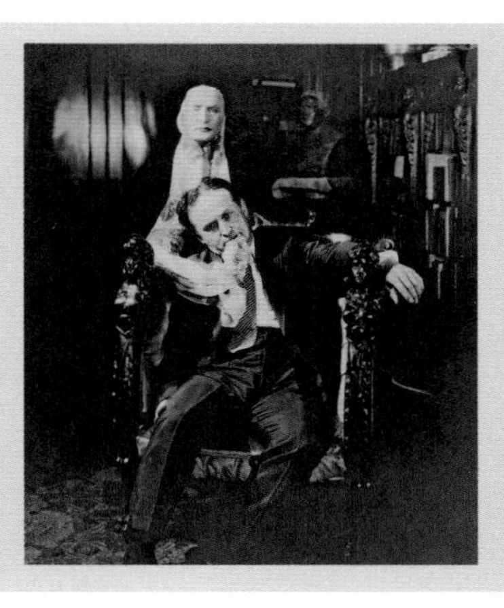

**灵魂现身** | 在这张大约于 1920 年伪造的照片中，胡迪尼假扮成一个鬼影，站在坐着的他自己身后。

> **作者曾看到过很多照片显示“马格丽”的身上流动着灵质，可以毫不怀疑地……说这都是……真实的。**
>
> ——阿瑟·柯南·道尔爵士
> 1926 年
>
> THE AUTHOR HAS SEEN NUMEROUS PHOTOGRAPHS OF THE ECTOPLASMIC FLOW FROM 'MARGERY' AND HAS NO HESITATION...IN SAYING THAT IT IS... GENUINE.
> SIR ARTHUR CONAN DOYLE, 1926

舞台表演的一部分，私下里他自己还时常扮成一位老者潜入降灵会，制造陷阱，干扰并揭露了很多灵媒。例如，如果有人宣称自己能够让亡魂在一间黑暗的房间里弹奏乐器，胡迪尼便会装作相信的样子，等待房间里的灯光暗下来。在黑暗中，胡迪尼会悄悄地把乐器涂黑。然后，在降灵会进行到一半的时候，他会从围坐的圈子里跳出来，打开灯，让大家看到灵媒的嘴和手都已经涂成了黑色。他会和当地的警察合作，制订逮捕骗子的计划；他甚至会去美国国会作证，促成一项法案的落实——“任何谎称自己可以占卜并以此收取酬金的人”都应被施以罚款，并判处刑罚。在听证会上，胡迪尼演示了如何通过魔术技法来重现那些看似不可思议的现象。他还披露说自己招募了一名私家侦探，名为罗斯·马肯伯格（Rose Mackenberg），负责潜入当地的招魂术士圈子，并曝光了很多参议员的身份——这些参议员曾向华盛顿地区的灵媒们寻求精神上的指引。

毫无意外，胡迪尼所发起的挑战使得他不被支持招魂术的人们所欢迎——他们时常反过来称胡迪尼是个骗子。举例来说，米娜·克兰顿就始终坚称，胡迪尼在她的《科学美国人》测试中动了手脚，使得她真正的能力被错误地否定了。

阿瑟·柯南·道尔爵士因创造了夏洛克·福尔

# CHALLENGE

TO

# HOUDINI

**REGENT THEATRE, SALFORD.**

Dear Sir,

We, the undersigned Committee, as the result of a controversy, have purchased from the **Henshaw Blind Asylum**, Stretford Road, one of their Extra Strong and Large Travelling Baskets, and Challenge you to allow us to Lock, Chain, and Rope you in the Basket, and defy you to make your Escape. Test to be made at the Residence of any one of the Committee you may select.

Awaiting your reply, yours truly,

**HENRY HAVLIN,** Eccles New Road, Salford.
**J. N. F. CARSIDE,** Eccles New Road, Salford.
**J. CROOK & SONS,** Regent Road, Salford.
**IRWIN BROOK,** Trafford Road, Salford.
**C. W. KIRKBRIDE,** Regent Road, Salford.

---

**HOUDINI** accepts no test to take place privately, and requests the Gentlemen to bring the Hamper to

# REGENT THEATRE

SALFORD,

## SECOND HOUSE,

## FRIDAY, JAN. 22ND.

**HOUDINI** will forfeit **£50** to anyone who can find any False Means or Exits, or Traps in the Basket.

# GRAND SPECIAL NIGHT

The World Famous Self-Liberator,

# HOUDINI

The Supreme Ruler of Mystery

Will present a GRAND

# MAGICAL REVUE

In which he will prove himself to be the Greatest Mystifier that History chronicles.

WHICH WILL BE SEEN FOR THE THIRD TIME ON ANY STAGE.

1. THE CRYSTAL CASKET.
2. GOOD BYE, WINTER.
3. MONEY FOR NOTHING.
4. THE ARRIVAL OF SUMMER.
5. CALICO CONJURING.
6. METAMORPHOSIS.

## PALACE THEATRE,

## FRIDAY, MAY 1st, 1914,

AT 6-45 & 9-0.

# EMPIRE THEATRE

# ALL-STAR MATINEE

## FRIDAY, FEB. 20TH, 1914

(By kind permission of MOSS' EMPIRES LTD.)

At 1-30 p.m. Early Doors 12-45. Ordinary Doors 1-15.

# A NOVELTY

The First Time in 20 Years

# HARRY HOUDINI

AS

# A MAGICIAN

**伟大的胡迪尼**｜这些海报大约制作于 1895 年至 1914 年间，呈现了胡迪尼魔术表演的发展历程——从他最为后世所知的逃脱术，到使其成为魔术师的敏捷手法。胡迪尼对于实际存在的风险毫不害怕，这是他自我宣传的一个点——尽管这导致了他的最终死亡。

**胡迪尼的束缚衣**｜胡迪尼最具代表性的魔术表演之一，是他用这件衣服将自己套起来，头朝下悬空挂在高处，下面的观众可以一览无余——观众有时多达几千名。有一次，狂风将他吹向了一栋楼的立面。此后，他都会再拴一根安全线，这样再有危险就可以被拉回去了。

**沉箱逃脱术**｜这两页的照片是 1912 年 7 月 7 日在纽约港拍摄的，记录了胡迪尼标志性魔术之一的首次公开亮相。胡迪尼被绑上了脚镣和手铐，然后被装入一个行李箱中。行李箱被钉严绑死，再加配重 200 磅的铅，然后沉入水中。

胡迪尼只需不到一分钟就可以从密闭的箱子里逃脱出来。而当箱子再次被拖上水面时却是完好无损的，并且还装着那些铐着胡迪尼的器具。当局禁止胡迪尼使用港口的码头，因此，胡迪尼不得不在一艘租来的拖船上表演他这大胆的逃脱术。

**胡迪尼的手铐**｜上图自上而下分别是胡迪尼的一副单锁和一副双重锁的西亚特“8”字形手铐。面对竞争者的模仿，他大约从 1908 年起不再表演手铐逃脱术，而是继续进行更为大胆和惊人的魔术表演。对页的图片非常有名，拍摄的是被链条捆绑起来的胡迪尼，大约拍摄于 1899 年。

**密探罗斯 · 马肯伯格** | 哈利 · 胡迪尼雇用了一组调查员，由罗斯 · 马肯伯格（做了极好的伪装）带领，收集有关骗子灵媒的证据。上面的这些照片，出现在马肯伯格写于 1929 年的一篇文章中。阿瑟 · 福特（Arthur Ford）宣称自己在当年 1 月份的一场降灵会上收到了来自已故胡迪尼的密信，马肯伯格在这篇文章中驳斥了他。

> **我以极大的兴趣和深切的忧虑见证了招魂术的汹涌浪潮席卷了全世界……它对人们的身心健康构成了威胁。**
>
> ——哈利 · 胡迪尼，1924 年
>
> IT IS WITH THE DEEPEST INTEREST AND CONCERN THAT I HAVE WATCHED THIS GREAT WAVE OF SPIRITUALISM SWEEP THE WORLD...
> IT HAD BECOME A MENACE TO HEALTH AND SANITY.
>
> HARRY HOUDINI, 1924

摩斯这一角色而名垂至今。他是胡迪尼最重要的批判者之一。这听来或许讽刺——因为他留给后世的遗产就是在文学作品中创造了一个怀疑主义的典范——但道尔终其一生都是招魂“大业”的极力鼓吹者。他表示自己曾面对面地与已逝的母亲及哥哥进行交谈。在问及此类情形中是否存在欺骗的可能性时，他回答说：“我所说的一切都是千真万确的。在这些事情发生时，我都是亲眼所见……如果一个人不能相信自己的亲眼所见，不能相信这个房间里每个人的亲眼所见，那我们还能相信什么呢？”然而，蒙蔽房间里所有人的双眼，正是胡迪尼魔术表演生涯的基础。

作家道尔与魔术师胡迪尼之间的友谊长达几十年，但他们的关系又总是紧张的。胡迪尼始终觉得道尔这个人不可思议地好骗，道尔则认为胡迪尼这个人不可思议地疑神疑鬼。有一次，道尔安排妻子琼（Jean）在亚特兰大市的酒店房间里举办一场降灵会，以唤来胡迪尼母亲的灵魂——琼曾与胡迪尼的母亲走得很近，且当时正从事灵媒的职业。胡迪尼对此不以为然，他后来回忆说：“尽管我亲爱的母亲在美国居住了将近五十年，但她完全不会英语。然而，道尔女士写下来的文字却是地道的英语。”反过来，胡迪尼也会给道尔演示魔术技法，包括精妙的石板传信表演。胡迪尼认为，自己能够通过把戏做到这

**胡迪尼与安娜·伊娃·法伊**｜这位深具怀疑精神的魔术师揭露了法伊的招魂术把戏，但令人惊讶的是，这两人之后却成了朋友。法伊在胡迪尼去世的次年也离开了人世。

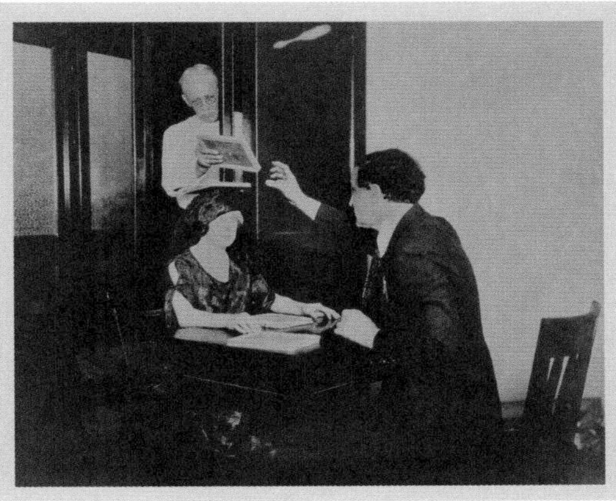

**骗人的石板传信**｜在这张照片中，胡迪尼演示了在降灵会上借助同谋的协助，就可以写出骗人的来自亡魂的讯息。

些事情，这一事实本应该让道尔不那么轻易相信才是。但他的计划却事与愿违。道尔反倒把这些把戏视作证据，认为这证明胡迪尼实际上是个灵媒。

道尔和胡迪尼之间的关系说明，灵媒与魔术师之间的界限并不总是如胡迪尼所定义的那样泾渭分明。一位名为华盛顿·欧文·毕晓普（Washington Irving Bishop）的魔术师的职业生涯，就为此提供了最为有力的证明。毕晓普从给灵媒安娜·伊娃·法伊（Anna Eva Fay）做经纪人和舞台助手开始了自己的表演生涯。他公开声明法伊演出时发生的一切都无可置疑是真实的——直到他们闹翻之后，他便宣称法伊是个骗子，并且开始自己的表演，声称他会揭露自己这位前搭档的所有把戏。

在与法伊断绝关系之后不久，毕晓普就坚称招魂术都是骗人的，同时他在表演中宣称自己拥有读心术。令人疑惑的是，关于这些能力是不是超自然能力这一点，毕晓普的态度总是游移不定、前后矛盾，但他又始终坚称自己是个意志坚定的人。他展示着自己的才能，明确无误地读解出观众的内心想法。为推广自己的读心术表演，他会蒙住双眼，坐在一辆四轮马车上，任其飞速地在城市中奔驰，由此来说明自己有着“开天眼”的超能力，能够很好地驾驭马匹。

或许正是因为毕晓普总是遮遮掩掩地吹嘘自己的能力，才导致了他的死亡。1889年，当他在纽约的一场演出中倒在舞台上时，当地的医生几乎是立刻就对他进行了解剖。此举不仅仅是为了确认他死亡的原因，也是为了检查他的脑部是否有不同于常人之处，这或许能给他异乎寻常的感知力一个解释。尽管此次解剖没能弄清楚毕晓普的能力究竟源自何处，但的确引发了一场非常有趣的法律事件。毕晓普的家人宣称在医生们将毕晓普的脑袋切开之前——医生们的此举并未征得他们的许可——毕晓普实际上并没有死。这位读心者有强直性昏厥病史，在医生们迫切地将手术刀伸向他的脑袋时，当时的他或许只是昏了过去。毕晓普母亲的指控将医生们送上了审判庭，但陪审团最终并未做出裁决，法庭也未能做出审判。

胡迪尼自己则始终毫不迟疑地相信，自己的能力源于再正常不过的训练。悲剧的是，1926年，他却上演了自己的死亡——当时他因一次意外事故导致阑尾破裂和腹膜炎，最终不治而亡。这位久负盛名的揭露者和逃脱大师，再也未能成功地从坟墓中爬出来。

**手与假手印**｜胡迪尼演示如何用蜡制作“亡魂之手”。在魂包围下的魔术师》（*A Magician Among the Spirits*，4 年）一书中，胡迪尼指出，曾经有一位雕塑家兼灵媒用一位已故工人的手的模具制作了一只假手，并将这只用在了当晚的降灵会上，用灯灰模仿手印。这些手印当其时躺在停尸房里的尸体的手印相吻合。

**戏法揭秘**｜安娜·克拉克·伯宁霍夫（Anna Clark Benninghoffer）是一位自我坦白以骗人为生的灵媒。最上面的两张图就是这位灵媒，还有一个“亡魂之号”。在下面的两张图中，左侧是胡迪尼坐在一个柜子中，复制了灵媒米娜·克兰顿所受到的束缚，以验证她声称自己所具备的灵异力；右侧是胡迪尼正在仔细查验一根长绳。

ACT 3

# THE PSYCHICAL RESEARCHERS

# 第三幕

# 灵异研究者

VAUGHAN GLASER PRESENTS
EVA FAY
THE HIGH PRIESTESS OF MYSTICISM
IN THE POWERFUL DRAMA OF LOVE AND MYSTERY
OLD HALLOWELL'S MILLIONS
"YOU MAY UNTIE THE ROPES NOW, GENTLEMEN"

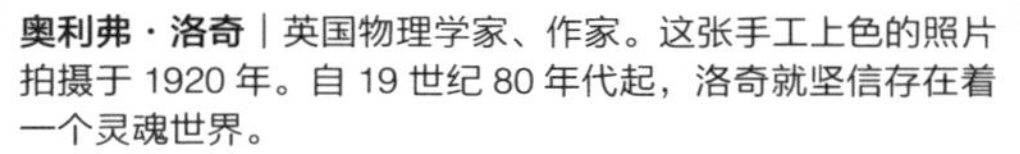

**奥利弗·洛奇** | 英国物理学家、作家。这张手工上色的照片拍摄于 1920 年。自 19 世纪 80 年代起，洛奇就坚信存在着一个灵魂世界。

**古列尔莫·马可尼** | 这位意大利的无线电先驱在洛奇等前辈的基础上继续工作。他面前的装置包括一个 10 英寸的电感线圈火花式发报机、莫尔斯印码机及“蚱蜢腿”式发报电键。

由于招魂术士和魔术师之间的冲突，科学团体成员力图建立一套方法，来客观地解决问题，例如意念沟通、死而复生以及幻影和通灵等现象发生的可能性。专业科学家并未组成一个怀疑主义的统一战线，面对灵异与超自然问题，他们通常都有难以调和的分歧。尽管自然科学家们力图将自己塑造成通过实证来观察现实世界的权威，但他们在面对和人类主体相关的问题时通常都是束手无策的。

要理解科学家们是如何对招魂术产生兴趣的，以及在一些情况下他们如何轻易地被骗子灵媒所操控，考察科学与技术在 20 世纪之交的动荡状态会对此有所帮助。当时，科学研究者们源源不断地揭示出曾经几乎难以想象的种种不可见的自然力量。科学界为放射研究及电磁领域所取得的进步而欣喜，有人甚至想到，把福克斯姐妹这样的新兴灵媒看作一种新型的“灵魂电报机”，这种想法会不会太激进？物理学家奥利弗·洛奇爵士进行了一场革命性的研究，这项研究对无线电报机和无线电广播的发展有重要影响。同时，他也是一位狂热的招魂说信徒。他坚信，通过灵媒，他能够与已故的儿子雷蒙德（Raymond）直接交流。1894 年，洛奇在伦敦皇家学会（Royal Society of London）向一群科学家展示了一种证明电磁波存在的新方法，证明自己可以将电波从讲堂的一边无线传输到另一边。演示的效果看起来很简单：他让房间的前端冒了一点火花，此举在房间后端引发了一声枪响般的巨响。对洛奇来说，这只是用一种简便的方式验证一个科学原理，呈现不可见的“赫兹电波”（Hertzian waves）。当洛奇继续调查通灵现象，比如欧萨皮亚·帕拉迪诺的灵魂现身表演时，意大利的发明家古列尔莫·马可尼（Guglielmo Marconi）认识到洛奇的设备可以当作一种无线电报机械装置，且具有极大的商业潜能，于是加以开发利用。波兰裔法国籍化学家玛丽·居里在其夫皮埃尔·居里去世之后，继承了他的事业，也投身于对欧萨皮亚·帕拉迪诺的研究。皮埃尔相信，帕拉迪诺的通灵术或许与另外一种神秘的不可见力有关，即放射线。

在有关招魂术的科学研究领域，博物学家阿尔弗雷德·拉塞尔·华莱士（Alfred Russel Wallace）是一个极具争议性的人物。华莱士因为与查尔斯·达尔文共同创立了进化论而声名鹊起。面对保守的科学家们，他坚定不移地提倡并维护进化论。1876 年，华莱士引发了激烈的争论，因为他邀请物理学家威廉·弗莱彻·巴雷特（William Fletcher Barrett）在英国科学促进协会宣读了一篇有关读心术的论文。华莱士最后还指出，招魂术不仅对于科学研究而言是一个合法的议题，而且，招魂现象的真实性是毋庸置疑的，因为有许多报道为证，而这些报道在他看

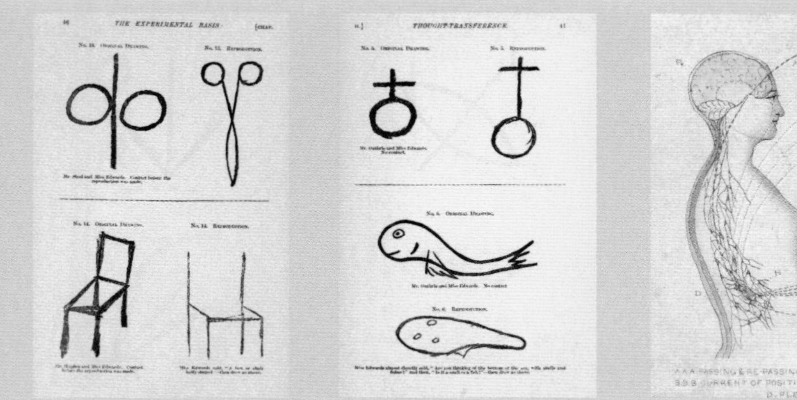


**读心术示例**｜《人的幻影》(*Phantasms of the Living*，第一卷，1886 年）一书探讨了在人与人的读心交流中出现的视幻觉，这些素描都是幻觉存在的“证据”。

**能量流**｜《灵魂与动物的磁力》(*Spiritual and Animal Magnetism*，1871 年）一书的卷首插图。这张图意在呈现正负电流之间的交换。

来都是可信的目击者提供的。他还在法庭审判中提供专业证词，为被控诈骗的灵媒辩护。这不仅仅给他招来了与怀疑主义者（如魔术师马斯基林）之间的冲突，还导致了他与自己的朋友和同事达尔文这样一位招魂术坚决反对者之间的矛盾。华莱士的职业生涯与科学争议难解难分。除了公开捍卫招魂术和进化论，华莱士还公开抨击地平协会（Flat Earth Society)，反对强制接种疫苗。巴雷特则又与他人共同创立了一个新的科学组织以调查超自然现象，即灵异研究协会（Society for Psychical Research)。灵异研究协会与随后成立的大西洋彼岸的美国灵异研究协会（American Society for Psychical Research）拥有很多著名的科学家和知识分子——如数学家及作家查尔斯·道奇森［Charles Dodgson，也就是刘易斯·卡罗尔（Lewis Carroll)］、精神分析理论创立者西格蒙德·弗洛伊德、美国讽刺作家马克·吐温，以及很多美国早期著名的心理学家，如约瑟夫·贾斯特罗（Joseph Jastrow)、G. 斯坦利·霍尔（G. Stanley Hall）和威廉·詹姆斯。总之，灵异研究协会致力于使超自然现象的科学研究合法化。

借助著名科学家及知识分子的支持，招魂师们鼓吹着他们信仰的合法性。而且，他们也迫切地想要建立通灵现象与新兴技术进步之间的联系。在谈及福克斯姐妹及丹尼尔·邓格拉斯·荷姆时，阿瑟·柯南·道尔爵士认为，灵媒将“电报机与电报员融为一体”，能够在我们的现实世界与死亡之地间收发信息。招魂师们还认为，科学方法和观点永远都无法真正地排除超自然力量存在的可能性。法国天文学家和灵异研究者尼古拉斯·弗拉马利翁栩栩如生地描述了这个观点。他声称，“亡者的灵魂或许会存活世间，到处游荡，与我们交谈”——不仅仅这一点是合理的，甚至“有可能我们的四周都是神灵与妖怪等不可见的非人类存在”。他的结论是，科学并不具备颠扑不破的理由来拒绝这样的可能性。

在美国，被今人尊为美国心理学之父的哲学家威廉·詹姆斯，是灵异研究协会式超自然研究的重要倡导者之一。在人们看来，他最著名的著作《心理学原理》(*The Principles of Psychology*，1890 年）对于心理学成为重要的科学分支发挥了很大的作用，已成为现代实验心理学历史上不可或缺的一部分。

但当代的很多心理学家并未认识到，詹姆斯同时还是灵异研究坚定的支持者。除了在哈佛大学创立心理学系之外，詹姆斯还是美国灵异研究协会的主席。他甚至宣称自己至少发掘了一位真正的灵媒，一位名叫利奥诺拉·派珀（Leonora Piper）的波士顿女士。詹姆斯于 1896 年在美国灵异研究协会做演讲时提出，只需要一位真正的灵媒，就可以把人类灵魂在死后仍然存续的可能性合理化。他指出：“如果你想要推翻

114

**的奇迹**｜上图呈现了19世纪的各种交流工具。左上起针方向：查尔斯·惠斯通（Charles Wheatstone）的带式ABC电报机（1858年）、威廉·福瑟吉尔·库克（William Fothergill Cooke）与惠斯通的ABC电输机（1840年）、埃德温·克拉克（Edwin Clark）电报信号拦截工具（1854年），以及西门子和哈尔

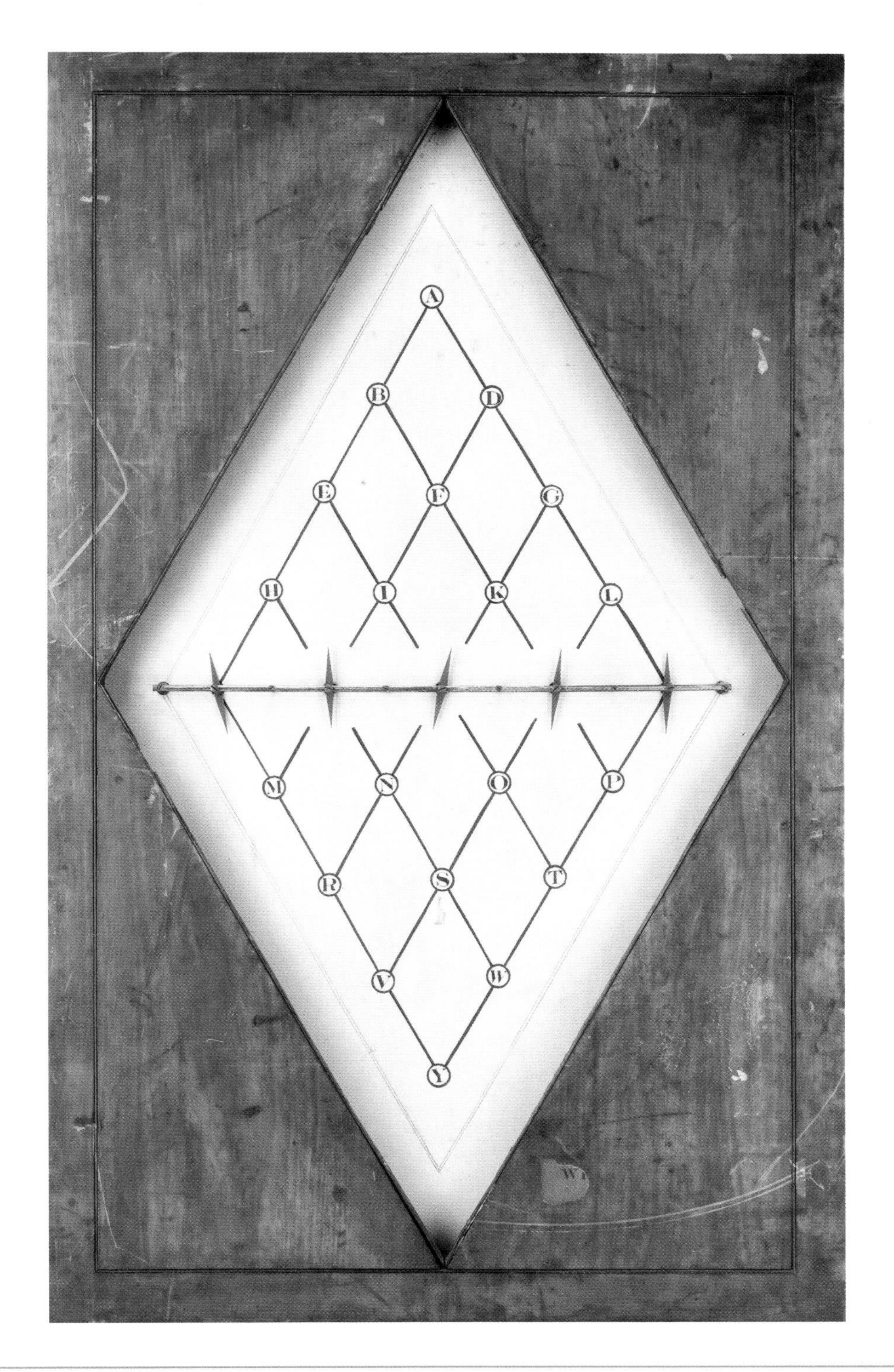


（Siemens and Halske）的 ABC 电报机（1850—1897 年）。本页是库克和惠斯通的五针电报机，1837 年进行了首次演示。这台电报机使用便捷，象征着历史上首个应用式电报系统。在运行期间，其中的两个针会旋转起来，指向字母表上的字母。这台机器总共可以指出 20 个字母——字母 C、J、Q、U、X、Z 不在其中。

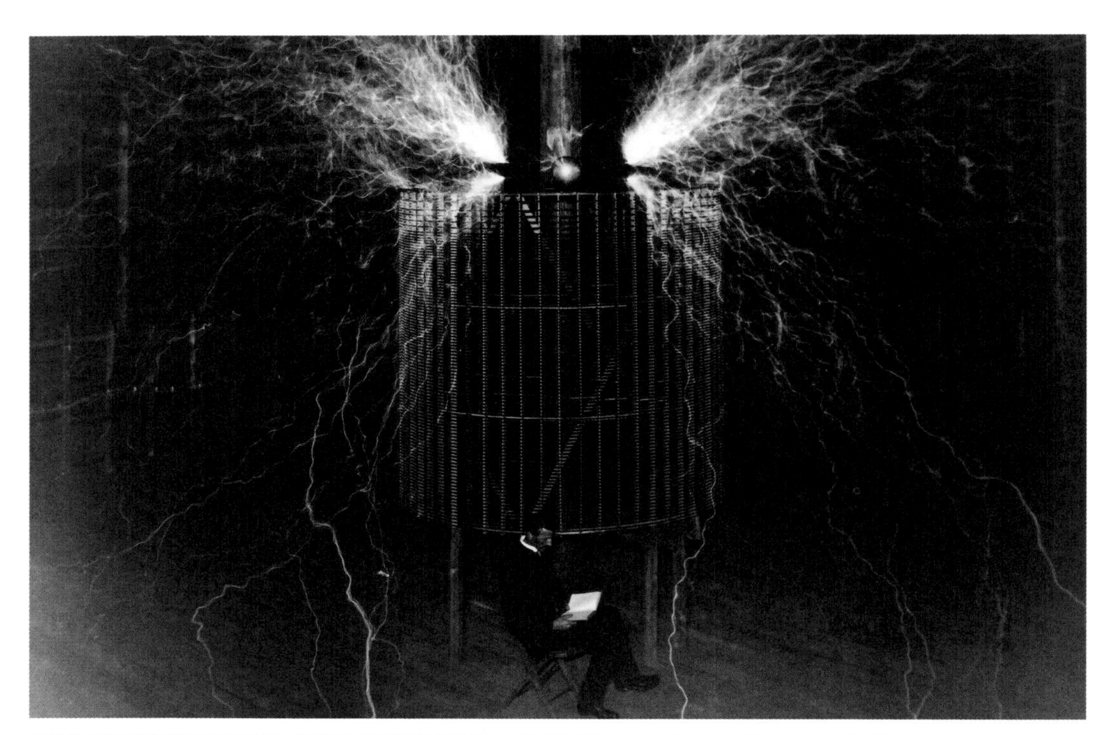

**磁暴实验**｜这些照片拍摄于 1899 年，其中一个巨大的特斯拉线圈（Tesla Coil）正在释放出壮观的电流火花。照片拍摄于这个线圈的发明者尼古拉·特斯拉（Nikola Tesla）位于科泉市（Colorado Springs）的实验室中。在本页下面的这张图中，电力振荡器释放出 1200 万伏的电流，让空气中的氮气和氧气都燃烧了起来，占据了周围直径 20 米的空间。

**利奥诺拉·派珀** | 这位灵媒中的“白乌鸦”几十年如一日地为研究者们上演所谓的亡魂交流。

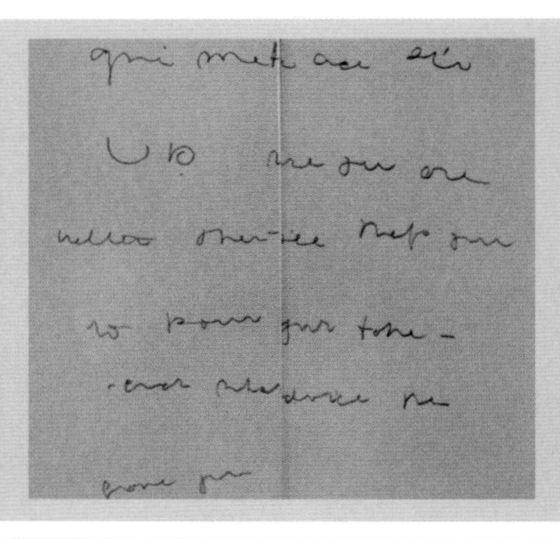

**自动书写** | 这些线条出现在利奥诺拉·派珀 1911 年举办的一场降灵会上，据称来自已故的通灵学研究者理查德·霍奇森博士。

**威廉·詹姆斯** | 心理学家，作家亨利·詹姆斯的哥哥。照片拍摄于 1865 年。

天下乌鸦一般黑这条定律，决不需要证明没有乌鸦是黑的。你只需要证明一只乌鸦是白的就够了。”他宣称，利奥诺拉·派珀就是他找到的“白乌鸦”。

派珀声称自己能够进入一种特殊的催眠状态。在进入这种状态之后，她可以收到特殊的“灵魂指引者”发来的灵魂讯息，其中一位“灵魂指引者”是法国物理学家“菲纽伊特”（Phinuit）。派珀的拥护者们相信，在某些情况下，当派珀进入自我催眠状态之后，灵魂指引者会操控她的声音，或操控她的手来写出讯息。在催眠状态当中，派珀会自称是部“机器”，与一些灵魂建立了联系，围坐在旁边的人如果想与那些灵魂进行交流，可以根据指示，握住派珀的手并举到嘴边，对着手说话，好像派珀是一部电话一样。派珀有时会提示围坐者在对她的手讲话时声音大一些，就像是信号不好，电话两头的人相距特别遥远。美国和英国的灵异研究者们都对派珀青睐有加。她和研究者们进行了几百场聚会，后者由此写下了几千页的手稿。灵异研究者理查德·霍奇森（Richard Hodgson）曾多次和派珀组织围坐会，在他去世之后，派珀开始声称，她是在代表霍奇森的灵魂说话。但是，在心理学家艾米·坦纳（Amy Tanner）和 G. 斯坦利·霍尔对派珀的话做了详尽的研究之后，得出的结论是：“他如果真的现身了，那他所现身的形象不只是碎片化的，而且愚蠢、健忘到不可思议，和以前判若两人。”

心存怀疑的批评者们提出了一些派珀可能使用的把戏，凭借这些把戏就可以实现她所谓的灵异洞察力。比如，魔术师马丁·加德纳（Martin Gardner）就认为，派珀之所以知道许多她原本不应该知道的东西，是因为运用了被魔术师称为“冷读术”和“热读术”的技艺。“冷读术”的使用场景是这样的：通常，当表演者对面前的观众一无所知时，他或她可以使用各种各样的话语技巧去将对话伪装成独白。举例来说，一个“冷读者”可以做出含糊其词或模棱两可的陈述，听众对此可以有自己具体的理解。表演者也可以将从观众那里得来的信息再返回给观众。一个灵媒的开场白可能是含糊其词地说自己感到围坐者近期失去了某人（一种相对而言安全的说法，毕竟围坐者选择来拜访灵媒通常是出于这个原因），围坐者或许会回答自己的母亲于近期去世了。然后，灵媒就可以自信地提出：“的确，我能够感受到你母亲此刻正在场，这种感觉非常强烈。”这些技巧或许看起来不值一提，但是在以情绪为主导的场合里，当围坐者被高度调动起来，并且希望能借此来确认他们自己有关死后世界的看法，或是在近期痛失亲人后于此寻求宽慰，冷读术的技巧就可以产生惊人的效果。与此相对的热读术，是指表演者在表演之前就秘密地搜集观众的信息，然后再把这些信息讲给观众听，就好像他们是什么都知道的神人

**仿造亡魂照** | 这四张照片都收录于赫利沃德·卡林顿（Hereward Carrington）所著的《招魂术中的实际现象：虚构与真实》（*The Physical Phenomena of Spiritualism, Fraudulent and Genuine*，1907 年）中。这本书考察了灵异事件的证据，并解释了一些看起来超自然的现象——如亡魂照——是如何伪造出来的。左起第一幅图是理查德·霍奇森博士。

**对于这个问题，我的想法从来没变过……现世和来世必定建立了某种联系，这是千真万确的。**

——威廉·克鲁克斯爵士
1917 年

I HAVE NEVER HAD ANY
OCCASION TO CHANGE MY MIND
ON THE SUBJECT...
IT IS QUITE TRUE THAT A
CONNECTION HAS BEEN
SET UP BETWEEN
THIS WORLD AND THE NEXT.
SIR WILLIAM CROOKES, 1917

一样。据说，派珀同时代的其他灵媒会把降灵会参与者的信息记录下来，列出他们以及与他们亲近之人的关键信息（如他们近期故世亲人的姓名、年龄）。这些“蓝皮书”在欺人耳目的灵媒手中流转。因此，一场降灵会上的一位围坐者所讲述的信息，或许之后会由另外一位灵媒“奇迹般地获知”，而且这位灵媒从未与这位观众见过面。

威廉·克鲁克斯爵士是一位灵异研究者，他的著作特别强调了一位科学家试图将自己的实验技能运用于灵媒研究时所遭遇的陷阱。作为一名具有开创性的化学家，克鲁克斯最早因为发现了铊这个元素而获得国际赞誉。

他因为使用火焰光谱仪发现了此前从未被其他研究者发现的亮绿色放射谱而闻名于世。1870 年，著名的美国灵媒亨利·思莱德经过伦敦并短暂停留。此后，克鲁克斯便宣布，他会把自己在化学实验室里练就的科学技能运用于对通灵术相关问题的调查。他写道，他期待自己的关注能够有助于“将通灵术这毫无价值的社会余孽”推入“魔术与巫术之间的混沌之地”。苏格兰灵媒丹尼尔·邓格拉斯·荷姆自告奋勇地成为克鲁克斯首推的实验项目的研究对象。然而，在对荷姆的能力做出评估之后，克鲁克斯却宣布存在一种新的“超自然力”，这一点“不容置疑”。他为这一项目发明了各种各样的实验装置，并

120

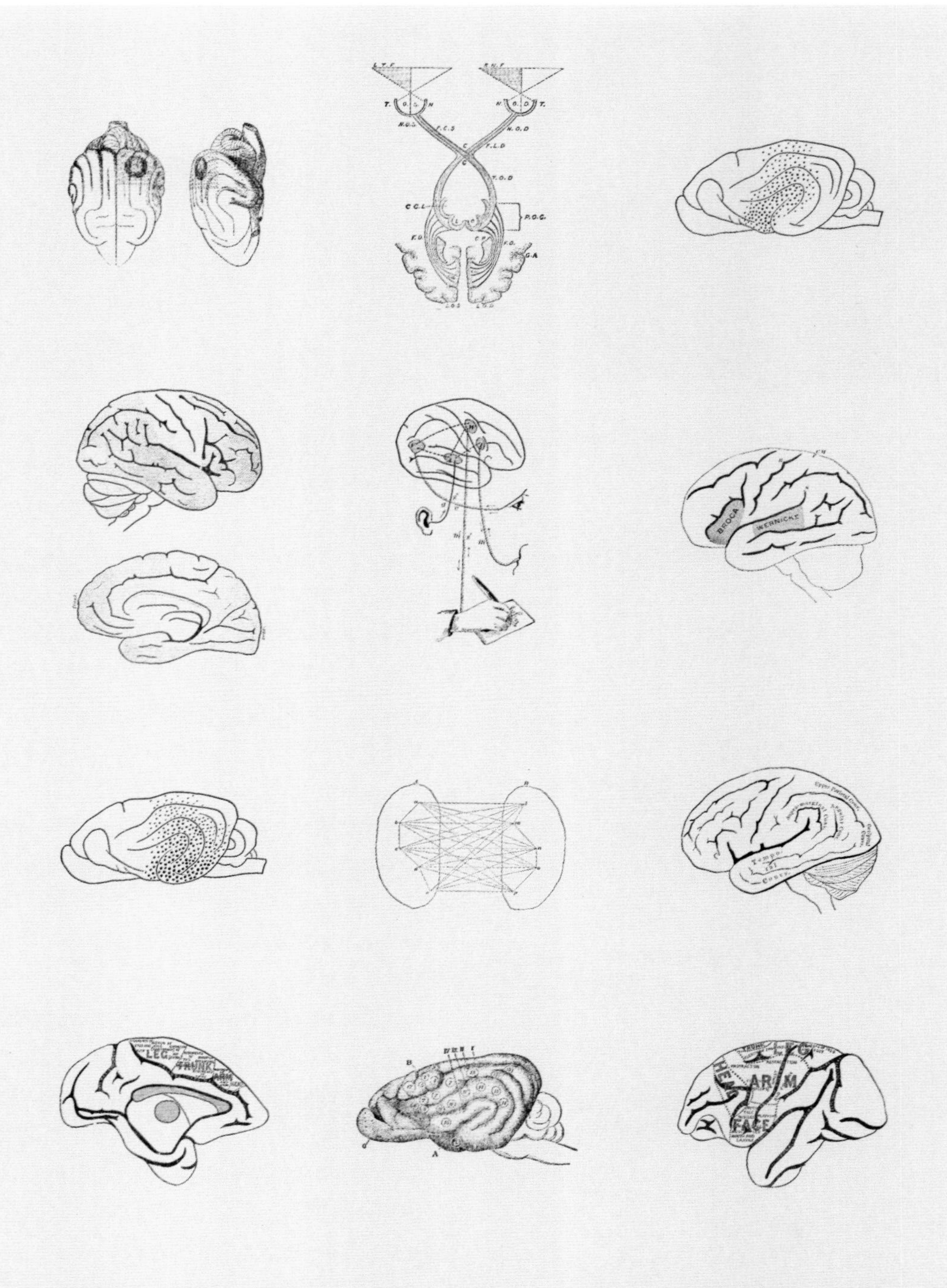


**本页：解剖图** | 大脑剖面图，收于威廉·詹姆斯的《心理学原理》一书中。

**对页：心智高于灵魂？** | J. S. 格里姆斯（J. S. Grimes）的《揭示人类本质之谜》（*The Mysteries of Human Nature Explained*，1860 年）一书试图用颅相学来解释超自然现象。

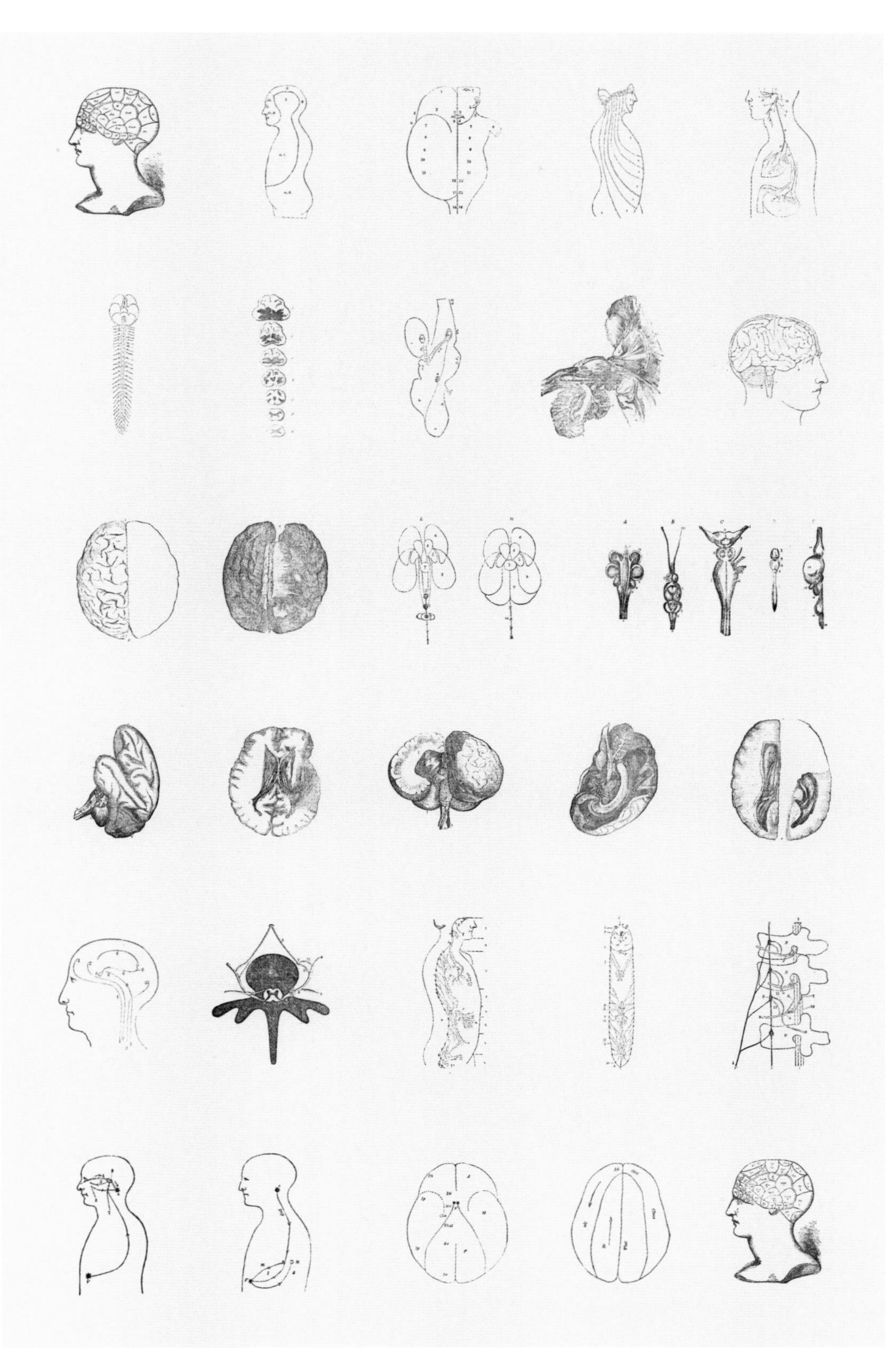

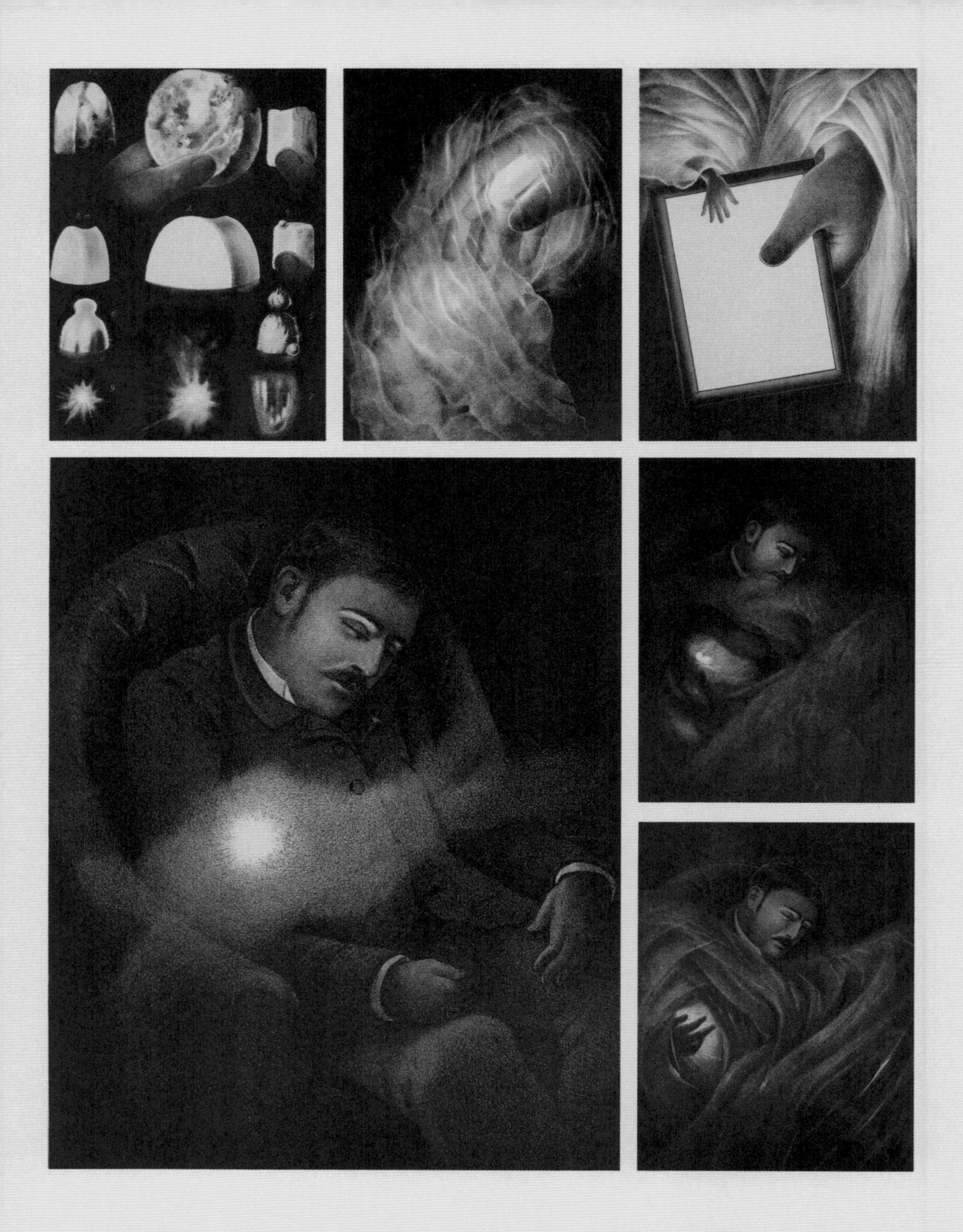

**一位灵媒的生平**｜这些艺术作品收录于约翰・S. 法默（John S. Farmer）所著的《两个世界之间：威廉・艾格林顿的一生及其成就》（*Twixt Two Worlds: A Narrative of the Life and Work of William Eglinton*，1886 年）中。在对页的这张图中，艾格林顿以往生界的"阿卜杜拉"（Abdullah）现身。人们在他的物品中发现了一个箱子，里面装有一套服装（包括袍子和假胡子）。这套装扮与"阿卜杜拉"的装扮非常相像，令人生疑。

**第 122—123 页：揭秘招魂术** | 这张海报大约制作于 1882 年，宣传的是在伦敦皮卡迪利大街上的圣・詹姆斯礼堂（St James's Hall）举行的一场表演。S. S. 鲍德温（S. S. Baldwin）是招魂术强有力的批判者，而且，他早期的表演——和他当时的妻子克拉拉（Clara）一起——试图揭秘所谓的"超自然"现象。在这张海报中，表演的主题是揭秘"凯蒂・金"的灵魂现身——威廉・克鲁克斯在 19 世纪 70 年代记录过这个招魂术表演。

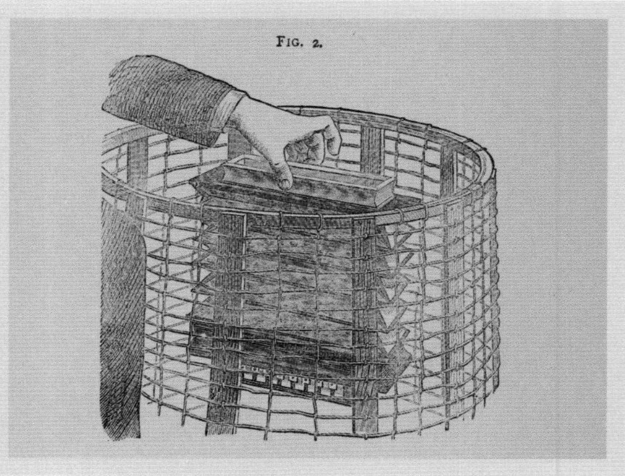


**灵异表演**｜威廉·克鲁克斯的《招魂现象研究》（*Researches in the Phenomena of Spiritualism*，1874 年）一书讲述了他与丹尼尔·邓格拉斯·荷姆做的一个实验。荷姆用手指尖握着放在桌下笼子里的手风琴。尽管荷姆的指头从没碰到过琴键，但克鲁克斯却说荷姆让这个乐器演奏并旋转了起来。甚至在荷姆将手完全移开之后，手风琴仍然在演奏和旋转。

在他位于伦敦莫宁顿路（Mornington Road）20 号的家里搭起了一间临时实验室。克鲁克斯最具戏剧性、最奇怪的实验之一，是让一部手风琴忽然自己动起来。这个乐器是新的，是这位化学家自己购买的，而且荷姆在实验之前从未见过这个手风琴。克鲁克斯搭建了一个钢铁制的网状笼子，将手风琴放了进去，然后将笼子放在一张桌子下面。荷姆的任务是坐在桌子旁边，在左右两边都有目击者的情况下，让手风琴自己弹奏起来。根据克鲁克斯的记述，荷姆将一只手伸进笼子里，然后让手风琴开始演奏。克鲁克斯的助手看向桌子下面，发现荷姆的那只手并没有动，但是手风琴却在一张一合。荷姆还将自己的手从笼子里拿出来，而手风琴却在没有任何可见支撑物的情况下仍然飘浮在空中。在接下来的实验中，克鲁克斯还宣称，在他拿着手风琴时，荷姆仍然能够让这个乐器弹奏起来，甚至还能让手风琴飘浮在房间各处，并不间断地演奏。后来的很多作者认为荷姆或许是通过自然界的力量做到了这些事情，并提出了各种可能的办法，其中就包括使用半透明的肠线；他们还宣称，荷姆事实上并非通过弹奏手风琴来演奏乐曲，而是在他的长须中藏了一个口琴。克鲁克斯则始终坚称自己之所以进行手风琴实验，就是为了杜绝任何形式的戏法。

克鲁克斯还测试了各种各样的灵媒，包括一位到访者，凯特·福克斯（Kate Fox）。福克斯得到了克鲁克斯完全的认可，被称作一位真正的灵媒。或许，针对 15 岁大的灵媒佛罗伦斯·库克（Florence Cook）所做的实验是克鲁克斯所有实验中最著名的。佛罗伦斯宣称自己与一个名为凯蒂·金（Katie King）的灵魂有着秘密的联系。“凯蒂”与同时代的其他灵媒结交的灵魂伙伴不同。她的互动不局限于不见其人只闻其声的敲击声、对话交流，或不解其意的潦草字迹。相反，凯蒂会以亡魂之身现身，看起来是个有魅力的年轻女性，和佛罗伦斯差不多年纪，穿着白色的礼服长裙。在一场佛罗伦斯式的降灵会上，她会被关在一个达文波特式的柜子里。她解释说，在被关进柜子里的时候，她会进入深度催眠状态。过一会儿，凯蒂会向围坐者及调查员们现出真身。她甚至还会摆姿势拍照。在降灵会的最后，凯蒂离开，佛罗伦斯重新加入围坐者。1873 年，一位名为威廉·沃克曼（William Volkman）的多疑的围坐者打断了降灵会，想要揭露佛罗伦斯的骗术。在这场集会进行到中间阶段时，沃克曼试图抓住凯蒂的真身。其他围坐者义愤填膺，认为沃克曼会扰乱降灵会神圣的氛围，因此及时将他拉开，凯蒂才得以从这场混战中脱身，直奔佛罗伦斯所在的柜子——她应该还在里面处于催眠状态。过了一会儿，佛罗伦斯的确从柜子里出现了，看起来衣衫不整的

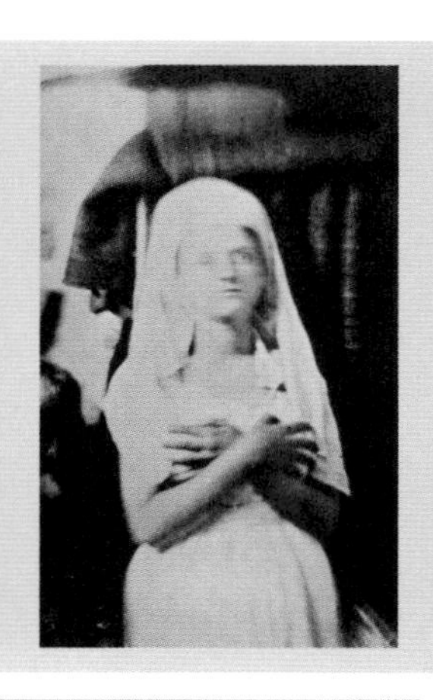

**佛罗伦斯·库克和“凯蒂·金”** | 这些照片可能来自 19 世纪 70 年代在威廉·克鲁克斯家举行的一些降灵会，据说画面上是一个被灵媒佛罗伦斯·库克（见第一张图，看起来处于催眠状态）召唤来的名为“凯蒂·金”的灵魂。作为英国皇家学会的成员之一，克鲁克斯在 1897 年因其为科学做出的贡献而被授予爵位，但他为库克所做的辩护却遭到了大众的耻笑。

样子。当沃克曼继续向媒体讲述他的故事时，佛罗伦斯的解释是，凯蒂进到了柜子里，并且很快就消失了。这个解释遭到了普遍的怀疑。佛罗伦斯和她的家人求助于克鲁克斯，以重建其作为一个真正灵媒的形象。克鲁克斯欣然应允。

我们从这位化学家接下来对佛罗伦斯灵媒事业的支持中，可以看出他的灵异调查方法存在几个最严重的问题。克鲁克斯坚信，凯蒂和佛罗伦斯都是独立的实体。尽管他并不完全确信凯蒂是个鬼魂，但他确信，一种原本不可见且至今不为科学所知的生物通过她现身。他努力地说服自己的读者们相信这一点，但他所采用的方法多少存疑。举例来说，他说自己曾在一场降灵会上测量了凯蒂的脉搏，他的记录是每分钟 75 次。他很快又去测量了佛罗伦斯的脉搏，是每分钟 90 次。他承认这中间存在造假的可能，但他却声称自己作为一个“事实调查员”完全能够看透任何一种由“魔术师”制造的错觉。他还补充说，认为佛罗伦斯这样一个“纯真的女学生”能够成功地完成如此的“大型骗局”，这太可笑了。基于他的证据，他总结说，认为凯蒂是个骗子的想法，显然要比认为她是灵魂之身更为异想天开。

克鲁克斯还调查了灵媒安娜·伊娃·法伊。法伊和佛罗伦斯一样，在面临欺诈的指控之后找到克鲁克斯，想要使自己的灵媒事业合法化。克鲁克斯再次声称，法伊的通灵能力是真实的。法伊代表的是一个极为有趣的案例，因为她后来公开承认自己欺骗了克鲁克斯。她将自己的方法详述给哈利·胡迪尼，后来她的确得到了“魔术圈”的认可，成为一名荣誉女性成员。当克鲁克斯发表了自己的报告，介绍了他与荷姆、凯特·福克斯、佛罗伦斯·库克及法伊的实验经过，他的发现得到了招魂术士的广泛支持，但遭到了很多科学同侪的反对。克鲁克斯显然对同行的反对感到震惊。但他始终坚持自己的结论，只是最终决定不再试图说服他们自己的灵异调查是合法的。几十年后，他在 1913 年当选英国皇家学会主席。英国皇家学会是全世界历史最悠久、最著名的科学机构之一，此前的主席都由艾萨克·牛顿爵士和李斯特男爵（Lord Lister）这样的杰出人物担任。

尽管克鲁克斯的方法论存在局限，且大众普遍认为他是诈骗，但当代科学家并未彻底否定他的灵媒调查。他的报告激发了德国物理学家约翰·佐尔纳的兴趣。佐尔纳是莱比锡大学物理天文学（即今天的天体物理学）教授，是一位声望颇高的物理学家和实验主义者。他当时因为在物理学、天文学及哲学领域的建树而在欧洲声名广传。在对招魂术产生兴趣之前，他发明了几件实验室设备，其中包括一件名为天文光度计（astrophotometer）的设备，用以测量遥远星体的距离。讽刺的是，他还培养起

124

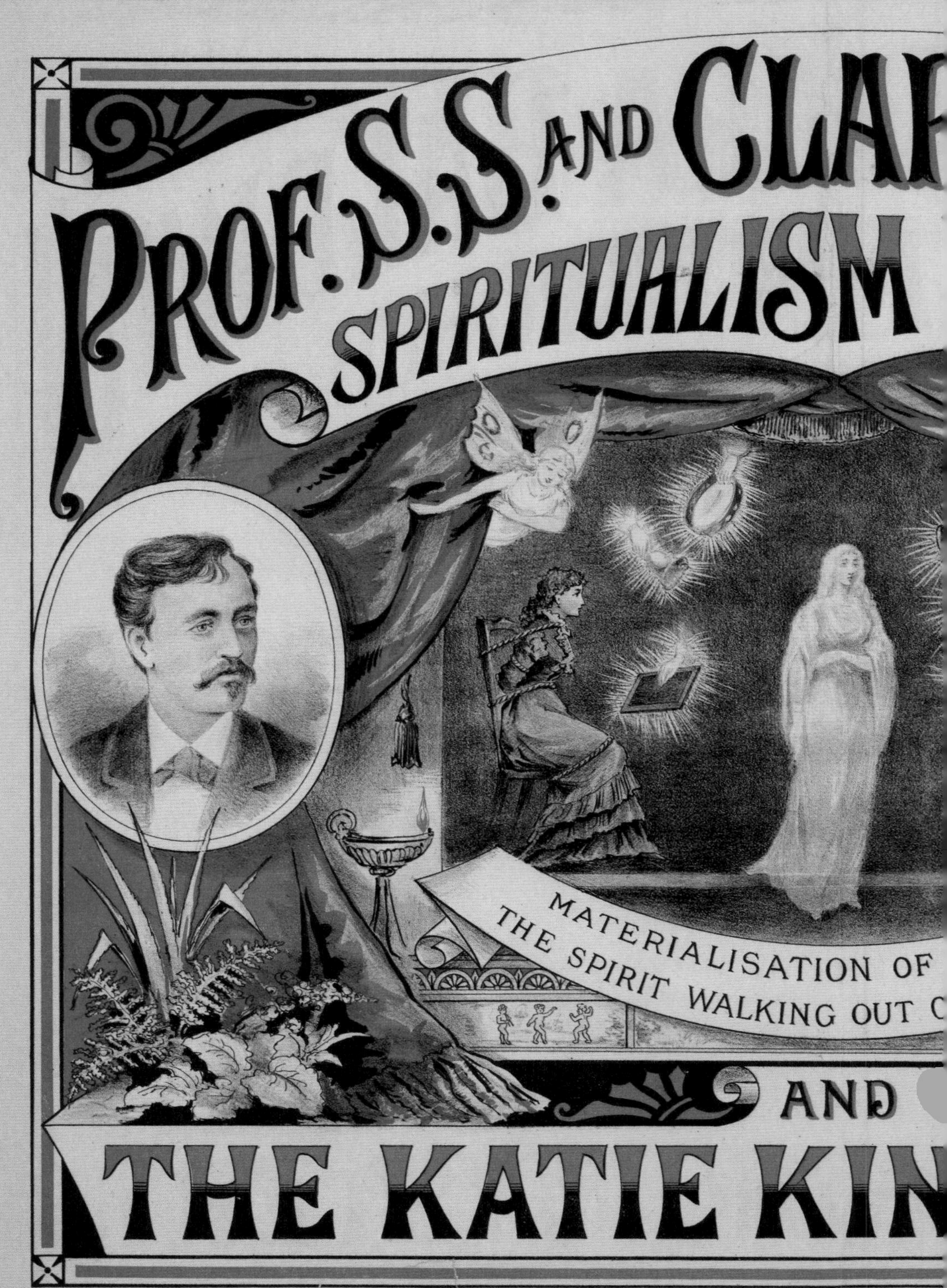
PROF. S.S. AND CLAR
SPIRITUALISM
MATERIALISATION OF
THE SPIRIT WALKING OUT O
AND
THE KATIE KIN
W. AUBERT. LITH, LONDO

ST. JAMES'S LARGE HALL
ENTRANCE, REGENT STREET & PICCADILLY.
EVERY EVENING
Until further Notice, at EIGHT o'Clock.
PRICES OF ADMISSION .. 5s., 3s., 2s., and 1s.

COMMENCING
MONDAY
EVENING,
SEPTEMBER
11th.

PROF. S. S. and CLARA
BALDWIN
In their Startling and Wonderful Entertainment,
SPIRITUALISM EXPOSED
And the Marvellous
KATIE KING MYSTERY

**安娜·伊娃·法伊** | 这是著名灵媒法伊的签名版明信片，制作于 1906 年。

**徽章** | 这些仿硬币被当作“吉祥物”售卖。“法伊夫妇”（The Fays）指的是安娜·伊娃·法伊的儿子约翰（师从其母）与他的妻子。夫妇二人有他们自己的演出。

Queen's Concert Rooms
HANOVER SQUARE.
MISS ANNIE EVA FAY
THE CELEBRATED
INDESCRIBABLE PHENOMENON
(Just Arrived from America)
Has the honour to announce that she will continue to give her
ENTERTAINMENTS
COMPRISING
LIGHT & DARK SEANCES
Every Day.
Miss Fay is universally acknowledged by the American Press and Public as the introducer of the MOST
MARVELLOUS AND SENSATIONAL MANIFESTATIONS
And thrilling Scientific Experiments ever heard of under the most stringent test conditions.
Reserved Seats, First Row only, 7s. 6d.; other Reserved Seats, 5s.; Stalls, 3s.; Admission, 2s.

**法伊在英国** | 这张海报宣传的是安娜·伊娃·法伊在英国的首秀，制作于 1874 年。

了对视错觉的兴趣。佐尔纳逐渐开始相信从降灵会的房间里传出来的那些超乎寻常的事件，克鲁克斯临时搭建的实验室或许也给他提供了实验证据，帮助他给物理界带来巨大的变革。在美国灵媒亨利·思莱德医生于 1877 年经过德国时，佐尔纳迫切地抓住了这个机会，开始了自己对招魂现象的考察。

思莱德的“医生”头衔并非医学或学院机构所授予的，而是自他以“先知医生”之名谋生时起就沿用下来的。在做“先知医生”期间，他周游美国，声称能够调整病人的磁场生命力，从而治愈他们的疾病。在他宣扬自己是个灵媒时，他的人生迎来了突破。他声称自己能够和死者的灵魂进行对话，大多数交流都是通过在石板上神奇显现的手写信息来进行的。

在美国功成名就之后，思莱德——声称亡妻阿尔辛达（Alcinda）的灵魂附身于他——开始了一场环球旅行，在各处演示自己的石板传信技艺。在第一站伦敦，他当即被逮捕，并因涉嫌诈骗而受审。这场轰动一时的案件在 1876 年秋季开庭，吸引了公众与国际媒体的大量关注。思莱德的降灵会是收费的，他被控使用了诈骗手法来进行虚假的灵魂交流。控方找来了马斯基林，让他演示如何通过魔术把戏重现思莱德所谓的通灵术。查尔斯·达尔文并未亲自去看思莱德的庭审，但的确为控方捐助了 10 镑（相当于现在的 1000 英镑）。

尽管思莱德的辩护团队采取了大胆的辩护策略，将思莱德与伽利略这样的科学变革者相提并论，但思莱德最终还是被定诈骗罪，并被判处三个月的强制劳役。但此事件迎来了反转，根据一项诉讼程序性细节，他的定罪又被推翻了。在再次被捕和审判之前，思莱德逃离了英国。

1877 年初冬时节离开英国之后，思莱德在欧洲各处游历。他在法国、荷兰、丹麦展示自己的才华。他开始在德国进行表演，很快便受邀去了莱比锡。1877 年 11 月 16 日，佐尔纳安排了和思莱德一起用茶。应佐尔纳的请求，思莱德演示了自己如何徒手让指南针的指针发生偏移。

佐尔纳深为所动，在 1877 年冬至 1878 年春于莱比锡举行的三十场围坐会（或降灵会）上，他继续对思莱德的能力进行了考察。佐尔纳急于发表自己的发现和理论，集成一套多卷本的著作，名为《科学著述》（*Wissenschaftliche Abhandlungen*）。这套出版物囊括了两千多页的内容，描述了他对思莱德的调查。这些文字所引发的争议并不仅限于德国，而是蔓延到了全世界。佐尔纳还在由威廉·克鲁克斯编辑的《科学季刊》（*The Quarterly Journal of Science*）上发表了部分节选。事实证明，佐尔纳著

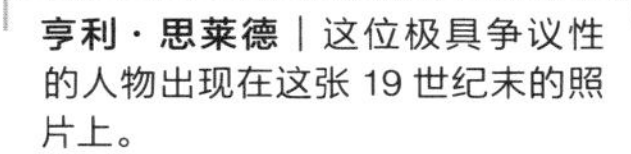

**亨利·思莱德**｜这位极具争议性的人物出现在这张 19 世纪末的照片上。

**思莱德与佐尔纳**｜这张图片拍摄了一场研讨会中的二人，收录于卡尔·维尔曼的《现代奇迹》（*Moderne Wunder*，1897 年）一书中。

**威廉·冯特的实验室**｜威廉·冯特（Wilhelm Wundt，图中坐着的那位）创办了莱布尼茨第一间实验心理学实验室。照片大约拍摄于 1890 年。

**我们只关心证据……如果它们能经受住每一次考验和所有的批评……我会接受……《一千零一夜》或《格列佛游记》中的所有奇迹。**

——约翰·佐尔纳，1880 年

---

THE EVIDENCE IS OUR WHOLE CONCERN...IF IT STOOD EVERY TEST AND EVERY CRITICISM... I WOULD ACCEPT... ANY MARVEL IN *THE ARABIAN NIGHTS* OR *GULLIVER'S TRAVELS*.

J. K. F. ZÖLLNER, 1880

作的译本也广为流行，特别是在讲英语的招魂师圈子当中，并且多次再版。

佐尔纳在著作中自始至终都坚持，他对思莱德的考察——大多数都发生在他家的客厅里——都是在严谨的科学条件下进行的。他在提及与思莱德举行的围坐会时，会称之为实验或降灵会。在他的报告中，他似乎将自己看作一位主导性的调查员，而思莱德则既是一个合作者，也是他考察的对象。关键在于，佐尔纳知道人们指控思莱德是个骗子。但是，他却写道，思莱德给他的“感觉是一名绅士”。他还声称，这位美国人十分正直，却遭到了固执己见之人的无端诽谤。佐尔纳的调查并未采取今天所谓的对照心理实验的形式。

在随意演示了指南针偏移术之后，思莱德继续参与了更多“正式的”围坐会。有时候，佐尔纳希望进行某种特定的实验；有时候他只是等待，看看会发生些什么。思莱德坚称他对所发生的现象没有任何操控，这些现象就那么发生了。的确，在看到自己的举动所带来的“结果”时，他也常常表示惊叹和无法相信。当佐尔纳想要做某一项特定的实验时，他会让思莱德“问问他的灵魂们”。实验的失败被归因于灵魂们无法理解他们被问到的问题。举例来说，在 1878 年 5 月 9 日的一场降灵会上，佐尔纳

129

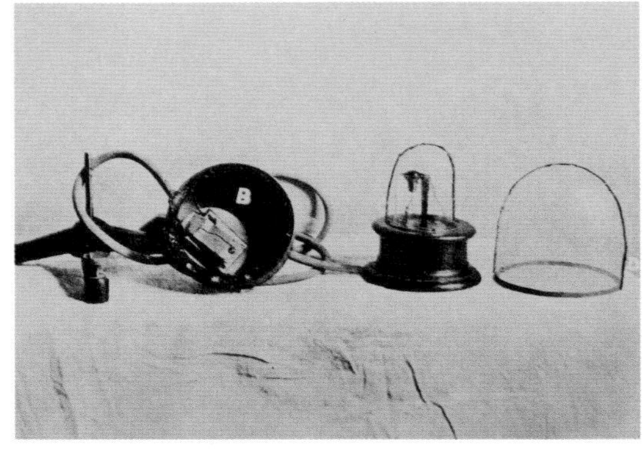

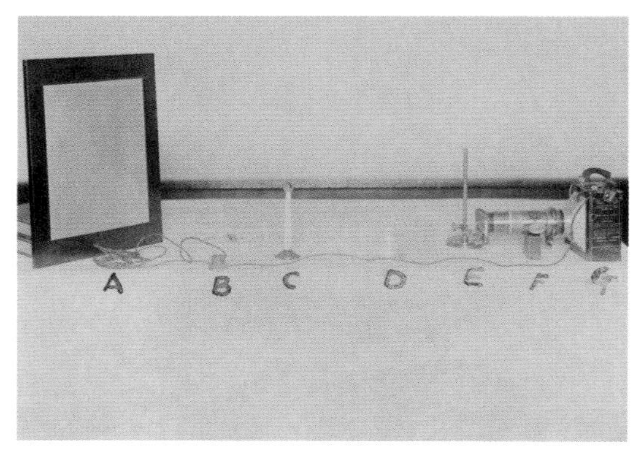


**调查斯特拉·克兰肖** | 哈利·普莱斯运用他所发明的测试灵媒的设备，在 1923 年、1926 年和 1928 年与灵媒斯特拉·克兰肖（Stella Cranshaw）共组织了三场围坐会。左上起顺时针方向：压力测试设备的内部构造；拆开的电显像管（telekinetoscope）；内格雷蒂与萨布拉（Negretti and Zembra）生产的温度传输仪（transmitting thermograph）；捕影设备（shadow apparatus）；双筐桌；“拍击”连接器（contact apparatus）。

**模拟灵异实验室**｜ 1926 年 1 月，哈利 · 普莱斯在伦敦昆斯伯里广场（Queensbury Place）建造了一套房间，在里面对灵媒及招魂师进行科学测试。上图展示了化学及物理实验室，配备有显微镜、照片放大器、煤气喷灯；下图是举办降灵会的房间，里面有照相机、录音机以及吊灯。

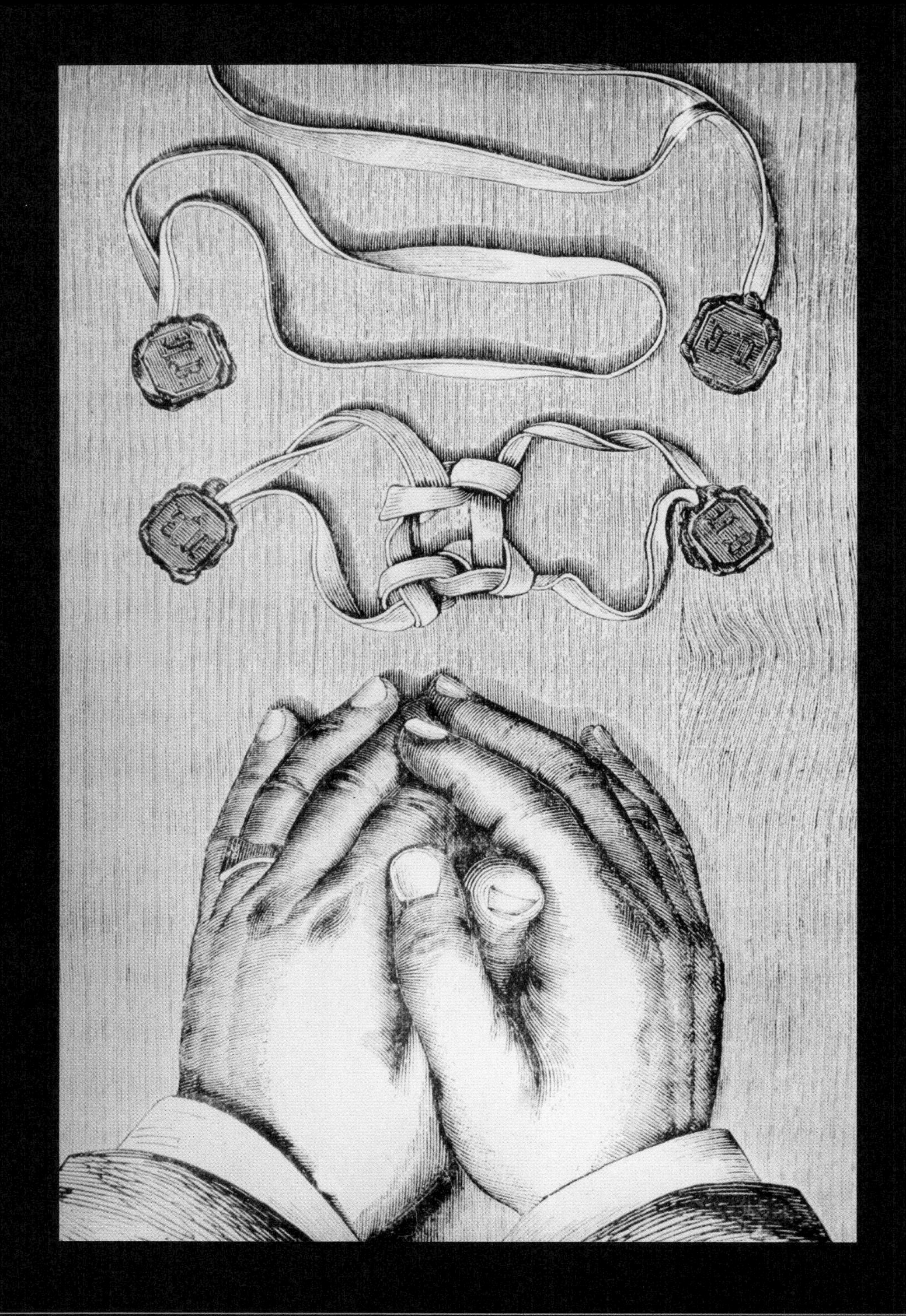

**灵异结**｜这张插图收录于约翰 · 佐尔纳的《超验物理学》（*Transcendental Physics*，1878 年）一书，图中有一双科学家的手和两条皮带，每一条都带有封印。在一场与亨利 · 思莱德共同实施的实验中，佐尔纳将他的手放在皮带的上面，思莱德的双手在上方作法，并且声称自己仅借助灵异的力量就能把皮带打上结。

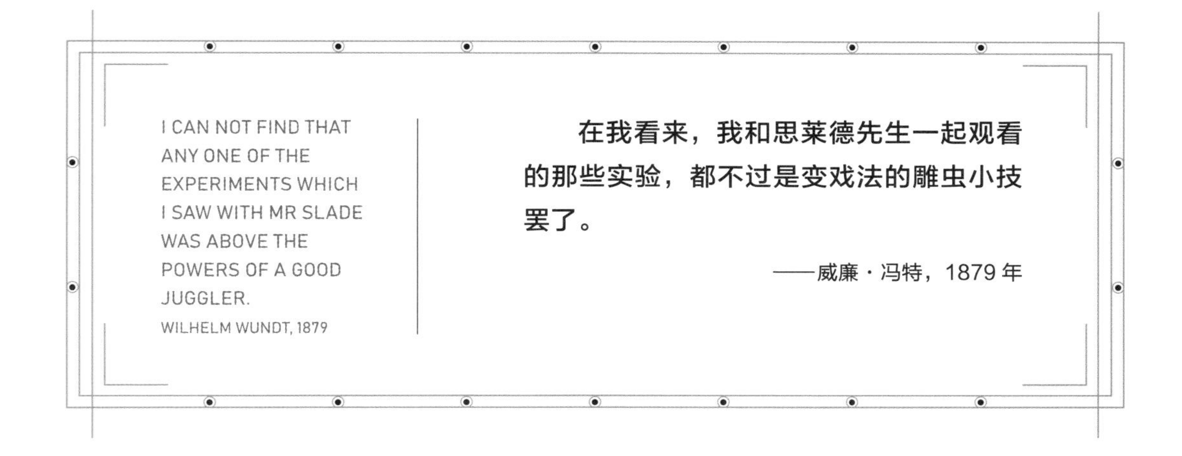


试图弄清楚思莱德的灵魂们是否可以将两个木质戒指套到一起去，也就是让一个固体穿过另外一个固体。思莱德同意一试。佐尔纳将戒指悬在一截肠线上，并将它们挂在坐着的思莱德身旁的一张桌子上。当思莱德试图将戒指套在一起时，佐尔纳注意到，思莱德的手位于桌子上方，是可见的；而戒指对于佐尔纳来说却是被桌子挡住的。几分钟之后，佐尔纳听到房间里的另外一个地方传来一阵响声。他去查看时发现，挂在思莱德身前的戒指无可置疑地消失不见了，却出现在了另外一张小边桌的底座旁。但是，由于戒指看起来穿过了边桌的桌面，所以，佐尔纳宣布这场“实验”是成功的。

他相信，思莱德的能力为一个原本不可见的第四空间维度提供了实证性的证据——他将这一突破称为“超验物理学”。他提出这样一个假说，即死者的灵魂——思莱德声称自己可与之交流——栖居在这另一个维度，不受我们所栖居的三维空间定律的约束。

在调查进行期间，佐尔纳邀请他的很多朋友和同事来亲自观看思莱德的展示。在这些亲历者中，有一位名为威廉·冯特的年轻学者。冯特后来成为实验心理学的创立者之一，也因此闻名于世。他是为数不多对佐尔纳调查的真实性提出质疑的亲历者之一。1879 年，他撰写了一封公开信，质疑思莱德的可靠性。他的这封信得到了译介，并在美国的《大众科学》（*Popular Science*）一刊上再次发表。尽管冯特并未就超自然现象提供任何具体的解释，但他提出，这些现象或许可以归因于“欺诈术”或是“做了手脚”。他指出，思莱德说他自己哪儿都没藏吸铁石，这话是不可信的。

冯特还指出，要揭开骗局，物理学家或许并不是最称职的人选。举例来说，当思莱德徒手让指南针发生偏移之后，科学家们立刻就开始用“分子力”这样的术语来讨论其可能产生的影响。冯特说，非科学人士或许会把注意力更多地放在检查思莱德的袖子上。他还说，石板上来自灵魂的信息多是用英语或蹩脚的德语（一门思莱德并不擅长的语言）写就的，这一点非常可疑。

冯特的公开信激怒了佐尔纳，他认为这是一种对自己的背叛。他回应道，冯特说思莱德的能耐是些魔术把戏，一文不值，这于科学毫无助益，因为冯特自己并未就这些魔术究竟是如何做到的提供任何具体的解释。

佐尔纳还做出了进一步反击，指责冯特所言是对思莱德的可耻诽谤，甚至还提出，思莱德的灵力所产生的磁力，或许真的干扰了冯特的大脑，或是任由他被第四维度的恶灵们所控制。佐尔纳的文字太具煽动性了，以致他的批评者们后来拿他的文字来证实他本人已精神失常。

很多魔术师和研究者继续提出，思莱德的神迹背后或许是因为做了手脚。德国魔术师卡尔·维尔曼（Carl Willmann）提出了各种各样的方法，来重现佐尔纳所描述的那些天方夜谭一样的绳结逃脱和人体错位。宾夕法尼亚大学的美国研究者们成立了一个调查委员会，即西伯特委员会（Seybert Commission），

132

Fig. 6

很多研究者都致力于调查灵媒在表演时所使用的骗术。[illegible]灵异研究协会成员赫利沃德·卡林顿的《招魂术中的实际虚构与真实》一书。

Fig. 1

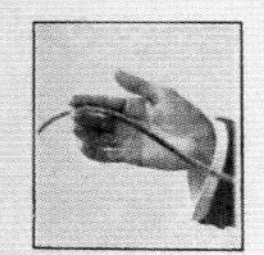
Fig. 2

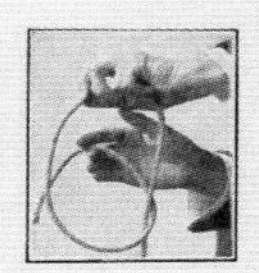
Fig. 3

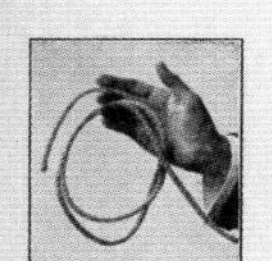
Fig. 4

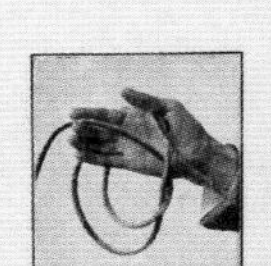
Fig. 5

Fig. 7

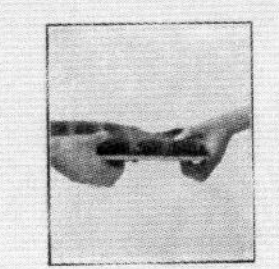
Fig. 8

Fig. 9

Fig. 10

Fig. 11

Fig. 12

Fig. 13

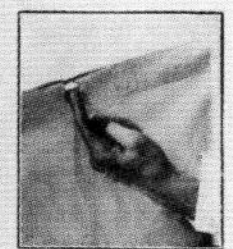
Fig. 14

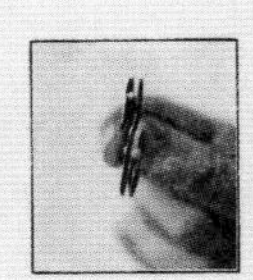
Fig. 15

Fig. 16

Fig. 17

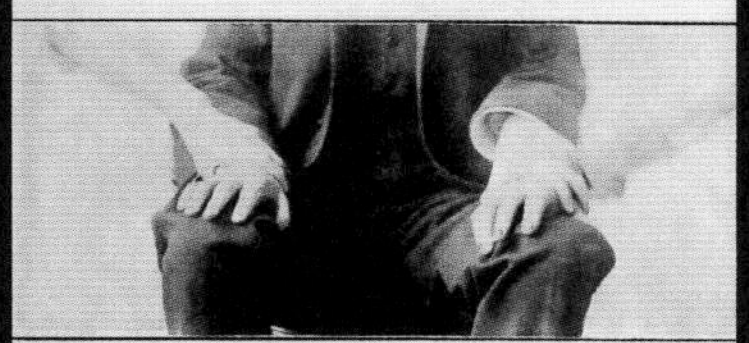
Fig. 18

Fig. 19

Fig. 20

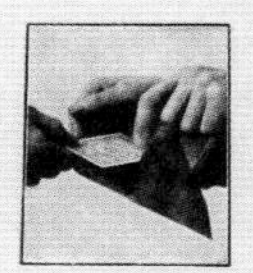
Fig. 21

Fig 22.

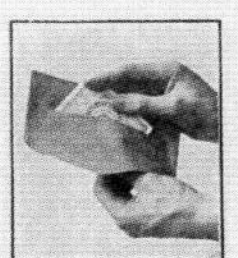
Fig. 23

THE MOST SCATHING EXPOSURE DOES NOT SHAKE THE FIRM FAITH OF THOROUGH-GOING SPIRITUALISTS...
WHAT WONDER, THEN, THAT LESS CREDULOUS PERSONS ARE CHARY OF ACCEPTING THEIR EVIDENCE !
ANGELO LEWIS (A.K.A. 'PROFESSOR HOFFMANN), 1889

**最为彻底的曝光都无法动摇忠实招魂信徒的坚定信念……所以，他们提供的证据无法说服不那么好骗的人，这也就难怪了！**

——安吉洛·路易斯（即霍夫曼教授），1889 年

来评估招魂术的科学有效性。他们重点关注了佐尔纳与思莱德所做的实验。1885 年，他们甚至还邀请思莱德到访宾夕法尼亚，并演示他的石板交流术，当时思莱德已经回到了美国。委员会完全不为思莱德的能耐所动，总结说那些“表演方式几乎与骗术无异，很难对二者进行区分”。研究者们认定他们看到了思莱德试图用预先写好的石板来调换表面空无一字的石板，甚至发现他用自己的脚试图造成家具升到空中、围绕在他四周的假象。重点是，他们还咨询了一位专业的舞台魔术师。他叫哈利·凯勒，向委员会演示了他的石板交流“能力”。委员会评判认为，他的演示远比思莱德的演示更为可信。在表演结束之后，凯勒还演示了他魔术背后的技法。

克鲁克斯和佐尔纳这些调查者的工作启发了其他的研究者，他们针对幻觉及人类认知进行了开创性研究。举例来说，在 19 世纪 80 年代后期，灵异研究协会创始成员之一埃莉诺·西奇威克（Eleanor Sidgwick）联系了英国的辩护律师及魔术师安吉洛·路易斯（Angelo Lewis）——他曾以“霍夫曼教授”（Professor Hoffmann）为笔名发表了大量关于魔术的文章。西奇威克请求路易斯给出他作为一名魔术专家的意见，谈谈有关灵媒招魂的报道存在欺骗的可能性。她特别感兴趣的是在围观过程中那些围观者“可能遭到欺骗或误导”的时刻。路易斯回应说，试图在文字报道中找到欺骗的证据，这种做法没什么意义。原因在于，如果存在欺骗的可能性，那么，围观者的描述就一定会“被认为无法代表围观者真实看到的事物（所有门外汉写的有关招魂现场的描述皆是如此），而是他们自认为所看到的，二者完全不是一回事”。鉴于人们通常都觉得降灵会后的报道并不能被当成十分可靠的证词，另外两位灵异研究协会的成员，理查德·霍奇森和塞缪尔·约翰·达维（Samuel John Davey），开始着手开创一种更为正式的调查。他们并没有采用自诩“绝不作假”的灵媒，而是编排设计了他们自己的假冒降灵会，这样他们就能够精准地控制每位围观者所看到的现象分别是什么。他们的研究报告发表于 1887 年，名为《错误观察与失真记忆的可能性：基于实证观点》。但他们的研究强调说，在未来的很多年里，主流的心理学家都无法理解人类的认知机制——这一点还是存在争议的。

不管是霍奇森还是达维，都不认为自己是实验心理学家。1887 年，实验心理学这一学科还只是刚刚开始得到认可，随着哈佛大学威廉·詹姆斯和莱比锡大学威廉·冯特等人著作的广泛传播，才成为一门独立的科学学科。当时，霍奇森和达维只是“灵异调查者”，负责调查超自然现象，包括灵媒使得灵魂现身的各种方法。

他们特别感兴趣的是“假灵媒”。他们想要搞清楚，为何降灵会的参与者会被骗，会认为自己亲眼看见了超自然事件的发生——而实际上他们所看到的更准确地说只是魔术把戏。

理查德·霍奇森出生于澳大利亚墨尔本，拥有剑桥大学法学学位。在剑桥读书期间，霍奇森和亨利·西奇威克（Henry Sidgwick）教授成为朋友，并加入

136

**石板传信**｜在《现代奇迹》一书中，魔术师卡尔·维尔曼评估了 19 世纪持续时间最长的招魂技法之一——石板上出现由一双不可见的手所写就的讯息。维尔曼在他的书中提及了约翰·佐尔纳对著名石板传信灵媒哈利·思莱德的研究，并考察了如何复制石板传信现象。

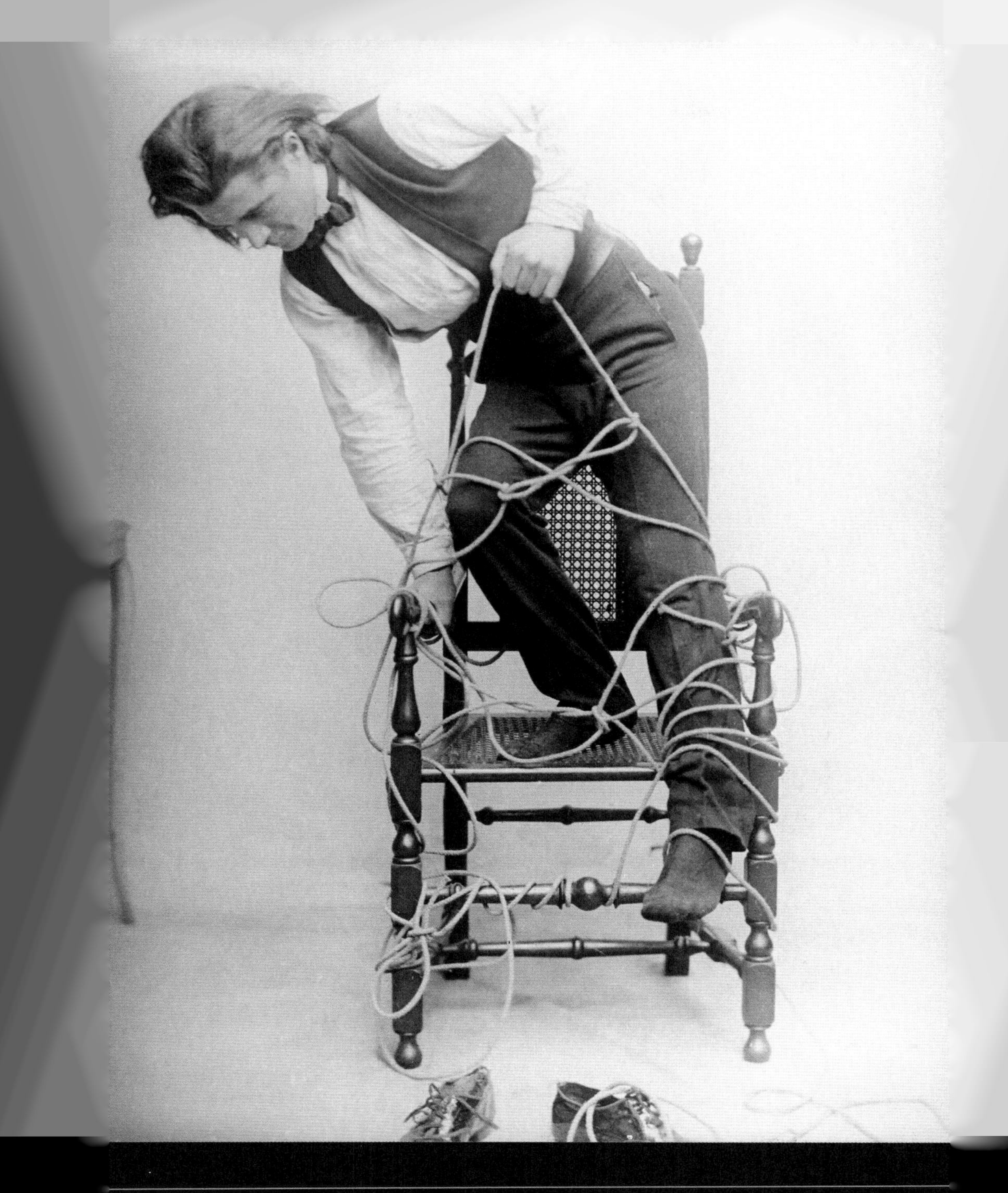

**逃脱术揭秘**｜这两页的图片呈现了英国逃脱术表演者瓦尔·沃克（Val Walker）在演示灵媒如何让自己从束缚中脱身出来，花大绑，沃克还是从自己的外套中脱身出来。上图中的他已经完全逃脱了把他绑在椅子上的绳子。

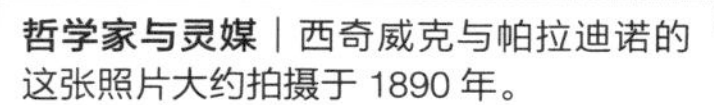

**哲学家与灵媒**｜西奇威克与帕拉迪诺的这张照片大约拍摄于 1890 年。

**埃莉诺·西奇威克**｜灵异研究协会的联合创立者及首届主席，亨利的妻子。

**赫莲娜·德·勃拉瓦茨基**｜俄国神秘主义者及作家，照片大约拍摄于 1891 年。

了成立不久的灵异研究协会。霍奇森很快就因极强的调查能力而名声在外，他揭穿了许多灵媒的把戏，并带领灵异研究协会实施了第一次针对招魂术的重要调查。他去印度探查伯爵夫人赫莲娜·德·勃拉瓦茨基（Helena de Blavatsky），她是一位来自俄国的神秘术士，据传有着非凡的超自然能力，因而吸引了众多的追随者。她声称自己是在传递已故神秘主义者的心灵教诲，而且能够让自己的身体进入一种“精神形态”。霍奇森在印度待了两个月，试图查明勃拉瓦茨基所言是否为真。在他于 1885 年通过灵异研究协会发表的最终报告中，他宣布勃拉瓦茨基所自诩的那些“超能力”完全是子虚乌有。她所说的那些来自亡灵的信件都是她自己亲手写就的，而她所化身的那些灵魂形式是她的同谋者假扮的。霍奇森指出，勃拉瓦茨基的追随者“极易受骗又不善观察”，而她实际上是一个“庞大欺骗体系”的核心人物。可以说，针对勃拉瓦茨基的调查引发了霍奇森对魔术把戏与目击者证词之间关系的兴趣。

在成为魔术师之前，达维对招魂现象的真实性深信不疑。他写道，他最早有这样的想法是源于自己在梦中见到了刚刚去世的一位朋友。在读了佐尔纳《超验物理学》一书的英译本，并亲眼见证了灵媒威廉·艾格林顿的通灵之力之后，他被深深吸引了。石板交流这一现象尤其让达维着迷。有一段时间，他相信自己的确与灵魂有着联系，灵魂会把信息留在他的房子周围——直到有一天他发现，这些信息实际上是他的朋友们精心策划的一套复杂的把戏。

达维和霍奇森的联合报告基于一系列精密策划的圈套，这些圈套结合了达维的魔术技巧与霍奇森在揭露专业灵媒骗局方面所积累的一手经验。在几个月的时间里，这两位公开邀请了各种各样的成员加入由达维所主持的降灵会。尽管并非全部，但大多数的降灵会都是在达维家中举办的。降灵会没有固定的程序，而且面对不同观众时，形式也会有所不同——因为达维会针对观众不同的情况和反应即兴发挥。在每次表演开始时，他经常会特意提醒观众注意各种各样的把戏或骗术，但他并不会特意告诉他们自己将要表演魔术技法，也不会将自己的表演明确说成是超自然能力的结果。在每场降灵会结束时，他会要求观众以书信的形式描述他们在整个降灵会过程中所经历的一切。

总之，《错误观察》报告从 17 场表演中收集到了 27 份不同的描述。每一份描述都全文收录在报告当中，并附有霍奇森和达维的评述，讨论了围坐者对事件的记忆与实际情况发生偏离时的一些主要表现。那些声称自己目击了超自然现象发生的人在声明中犯了意料之中的系统性错误。他们的文字都不约而同地遗漏了降灵会上的关键因素——确切地说，

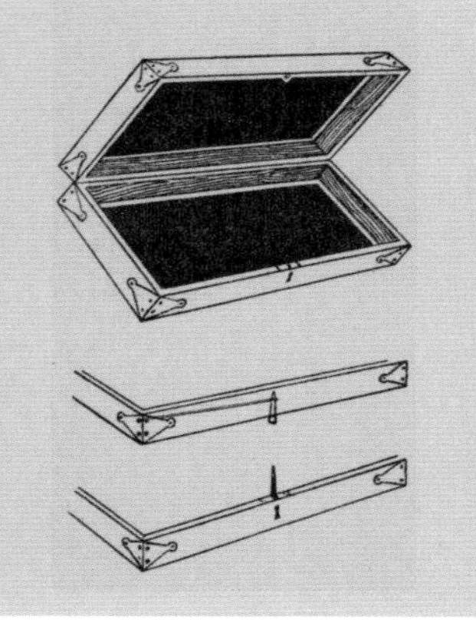
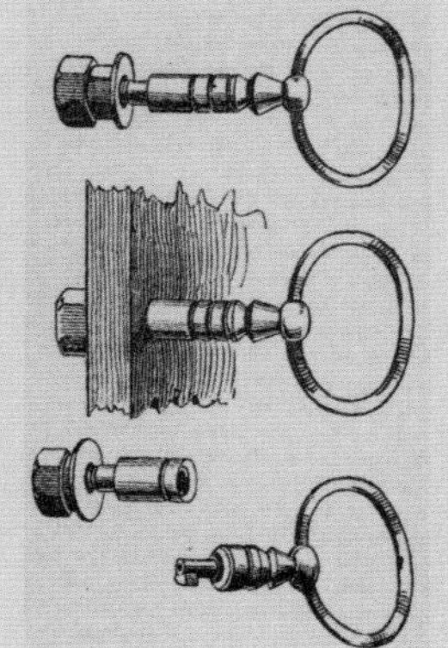
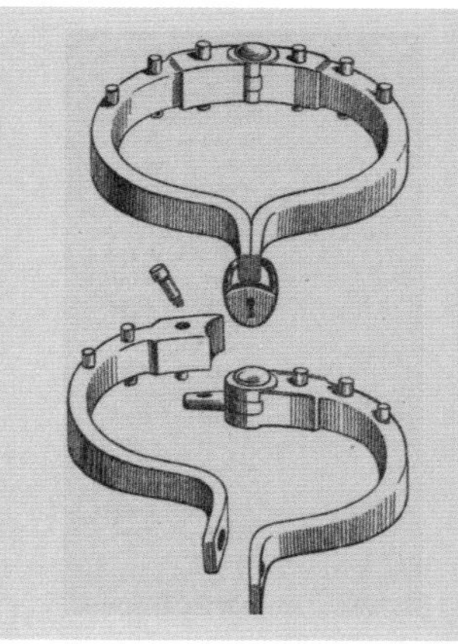

**超自然现象的真相** | 哈利·普莱斯和埃里克·丁沃尔印行的《灵媒揭秘》(*Revelations of a Spirit Medium*，1891 年)一书，作者名为“A. 灵媒”(A. Medium)。这本书旨在揭秘所谓的超自然现象背后的魔术技法。1922 年版的前言中指出：“当本书于 1891 年面世时，灵媒欺诈潮流之兴盛超乎所有人想象。”

是对于招魂把戏的完成起重要作用的因素。举例来说，在为降灵会设计好的一个桥段中，达维偷偷地将一块空白的石板调换成另外一块石板，后者在降灵会开始之前就已经提前写上了东西。他的大多数表演都是坐在桌子旁完成的。在表演开始时，他会明确地展示一块空白的石板，然后将这块石板放在桌子下面。他会在桌子下面把空白的石板换成写了字的石板，然后拿开写了字的石板，也不给围坐者看上面写的字，然后假装一脸失望地告诉大家亡灵并没有来。接下来，他会把提前写了字的石板放在桌子上(写字的那一面朝下)，然后让围坐者把手放在石板上。片刻之后，他会让围坐者把石板翻过来，让写字的那一面朝上，假装这是围坐者的手放在上面时才出现的。这个把戏之所以能成，就是因为他把空白石板放在桌子下，并换成了提前写好的石板。但是，参与者的报告自始至终都未曾提及桌子下面的石板。这些遗漏让围坐者产生了极大的错觉，觉得不可思议之事发生了。而且，任何一个人，如果仅仅是读了他们的报告，都无法意识到这个把戏的背后其实有一双手在捣鬼。现代认知心理学家发现了一种极其相似的现象，并将其命名为“无意视盲”(inattentional blindness)：当观察者的注意力在别的地方时，会无法看到眼前显而易见的事实。达维的行为是显而易见的，就摆在围坐者的眼前，但围坐者却自始至终都坚称，文字是在他们抚摸石板的时候出现在石板上的；他们也未能察觉，或是不曾记得达维把石板放到桌下这一至关重要的动作。

读者对《错误观察》报告的反应，也反映出在他们看来这样的研究结果是多么的极端。阿尔弗雷德·拉塞尔·华莱士就是其中的一位，他参与了达维的表演。在围观了一整场降灵会之后，华莱士打心眼里觉得自己看到了真正的超自然现象。甚至是在报告出版，霍奇森和达维公开揭示了他们所耍的把戏之后，华莱士仍然相信，他所围观的降灵会是真正的超自然现象。他给灵异研究协会写了一封信，愤怒地说霍奇森和达维是在故意掩盖达维真正的通灵之力。华莱士认为，证词中的错误太多了，无法令人信服，他自己以及其他围坐者的观察肯定要比霍奇森和达维所说的更为准确。

这则报告之所以至关重要，还在于几十年后，霍奇森和达维关于不可靠证词的很多观点得到了更为专业的心理学研究的支持。现代认知心理学家在此后进行了各种各样的研究，探索认知的错误及记忆的扭曲。1999 年，心理学家欧文·洛克(Irvin Rock)和亚瑞恩·麦克(Arien Mack)发表了一系列有关“无意视盲”的实验——这一术语就是他们发明的。麦克和洛克通过简单的电脑演示实施了他们的第一场实验，后继的研究者们则将这一观念拓展到更为复杂的

144

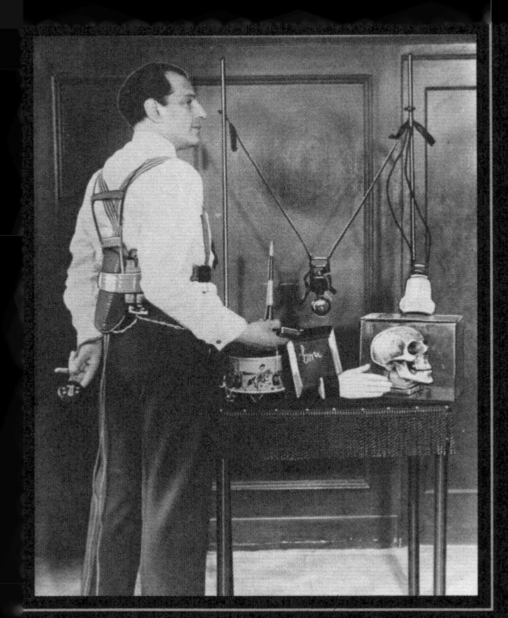

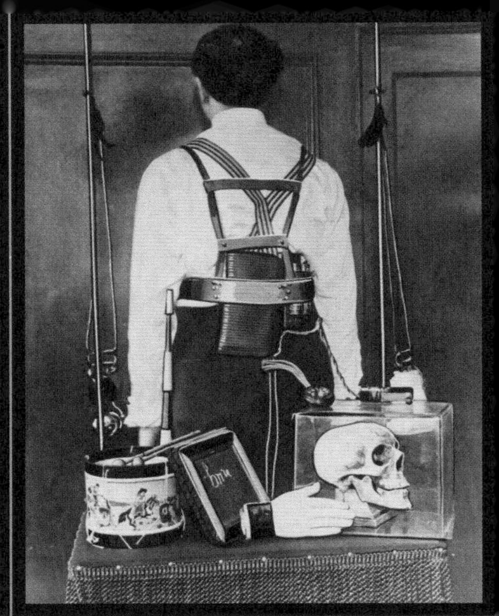

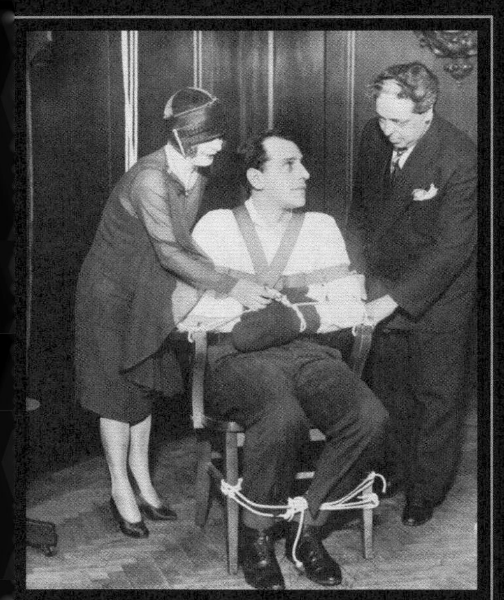

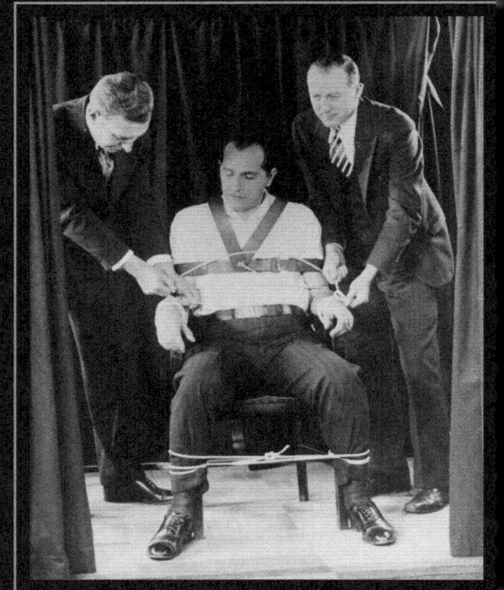

**场演示** | 这些图片呈现的是美国魔术师约瑟夫·邓宁格（Joseph Dunninger）正在模仿灵媒及招魂师可能使用的技巧，其中包括一个可携带的无线装置（此页第一排图），该装置可以用来制造另一个世界的声音效果。对页的图片是一个机械装置，用于制造亡魂敲门或者敲墙的效果。

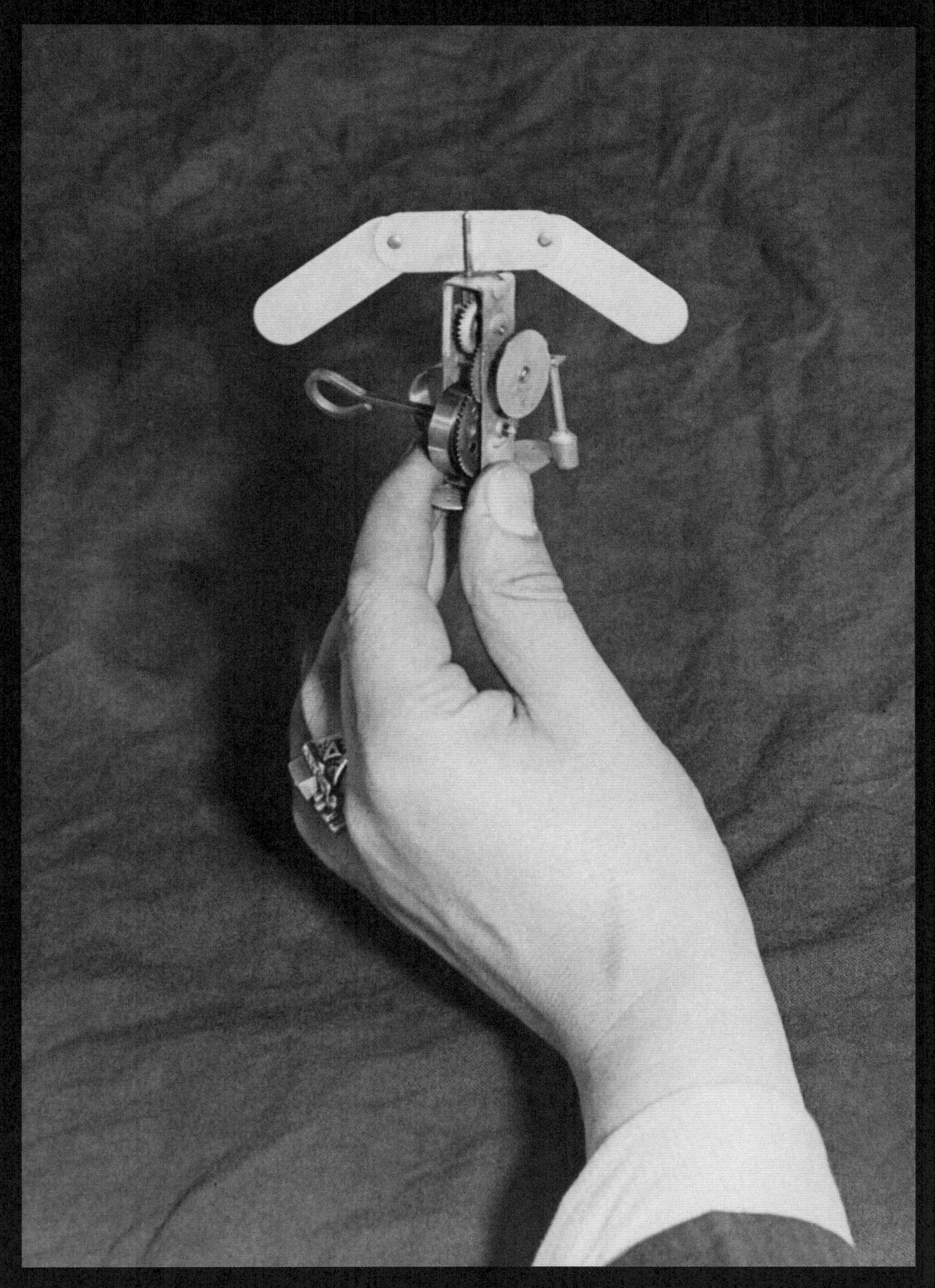

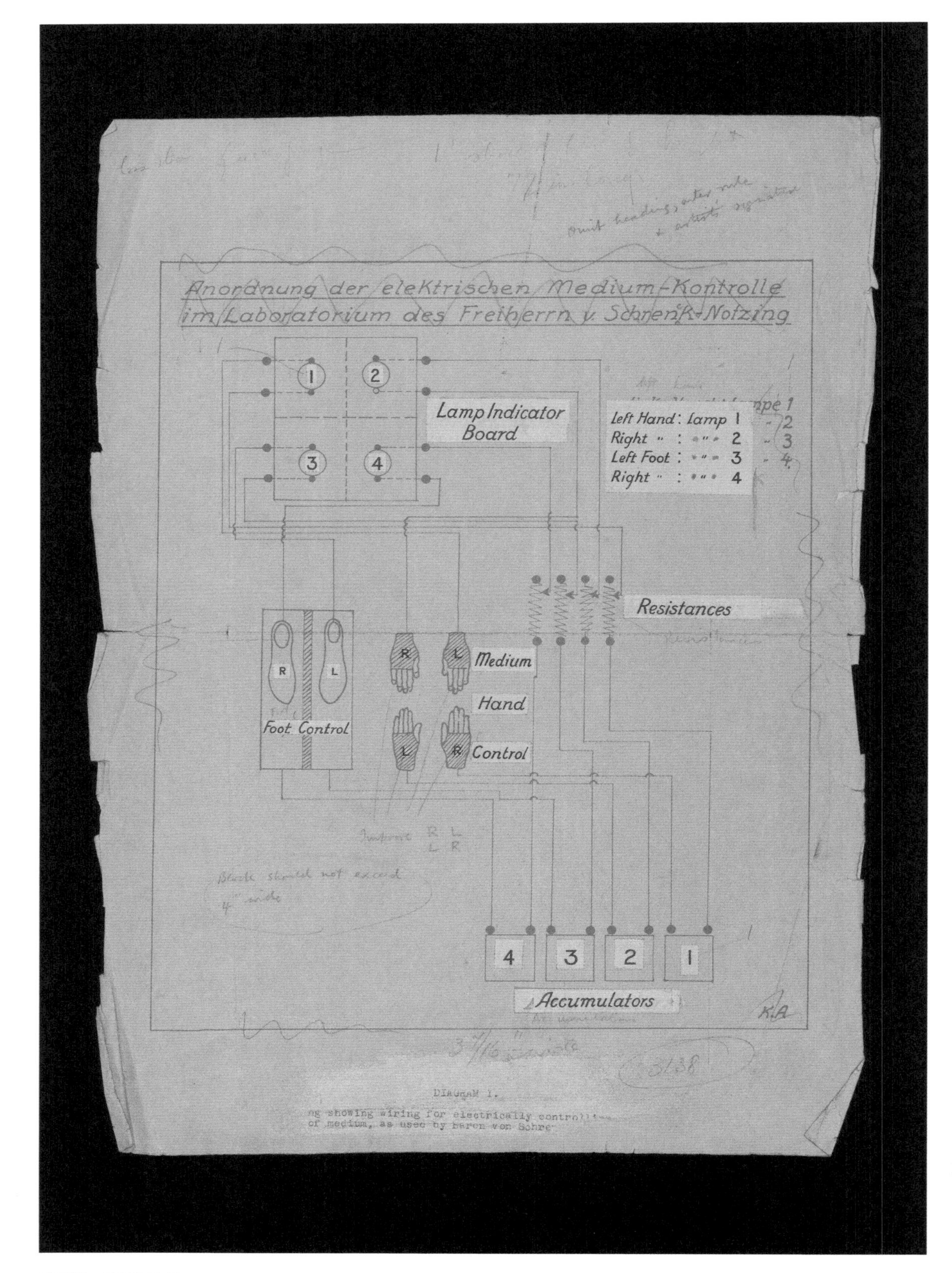
Anordnung der elektrischen Medium-Kontrolle
im Laboratorium des Freiherrn v. Schrenck-Notzing
Lamp Indicator Board
Left Hand : Lamp 1
Right " : " " 2
Left Foot : " " 3
Right " : " " 4
Resistances
Medium
Hand
Control
Foot Control
Accumulators
K.A.
DIAGRAM I.
ng showing wiring for electrically controll
of medium, as used by Baron von Schre

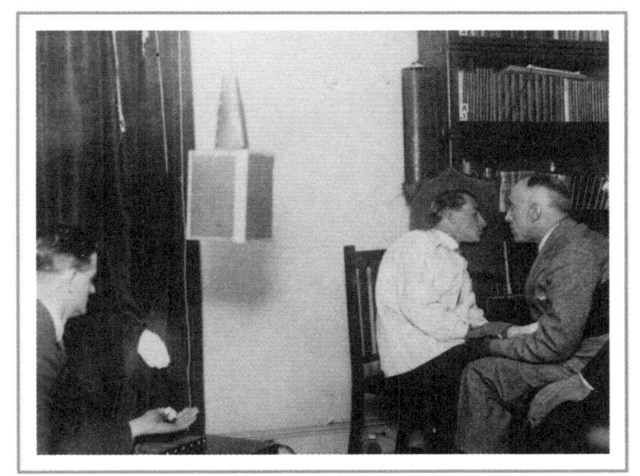

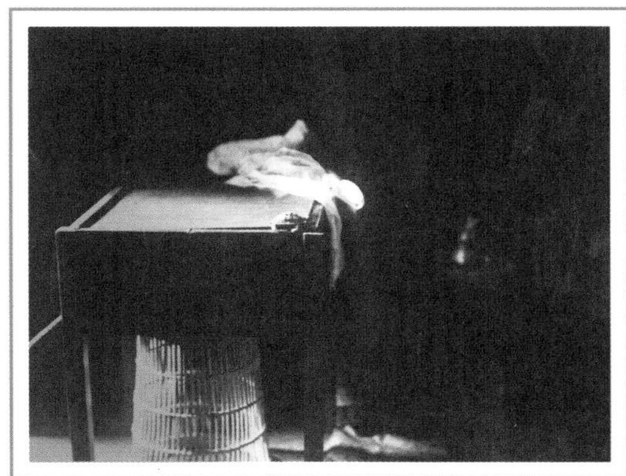

**对页：研究工具**｜灵异研究者拜伦·施伦克–诺岑（Baron Schrenck-Notzing）曾通过此电路图电控灵媒。

**本页：研究小组**｜哈利·普莱斯于 1932 年调查鲁迪和威利·施耐德（Rudi and Willi Schneider）兄弟的通灵力。

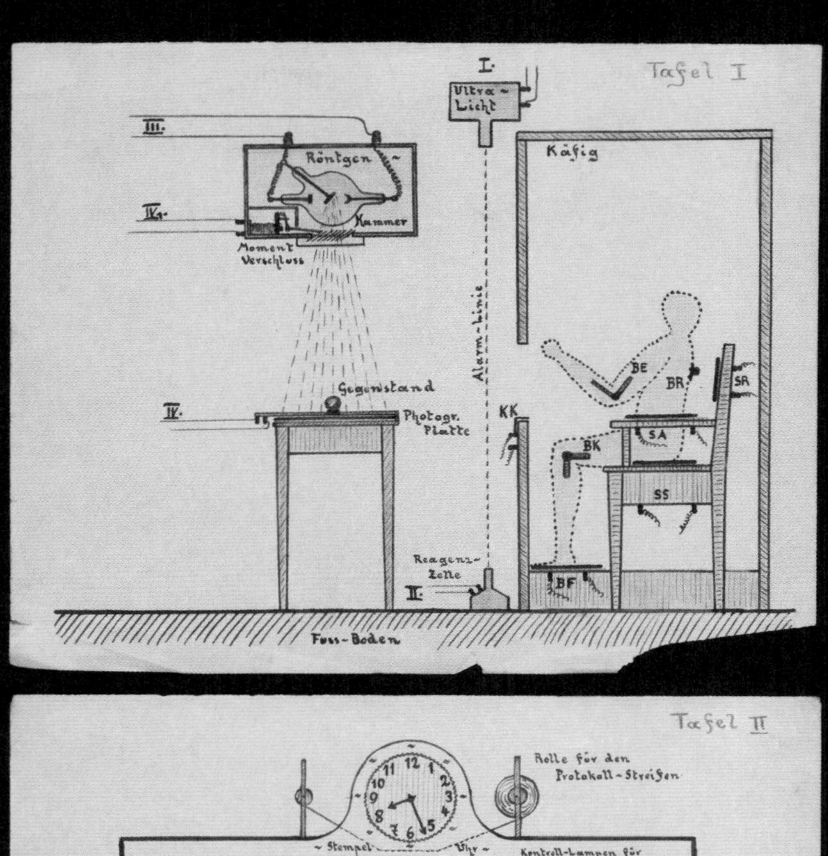


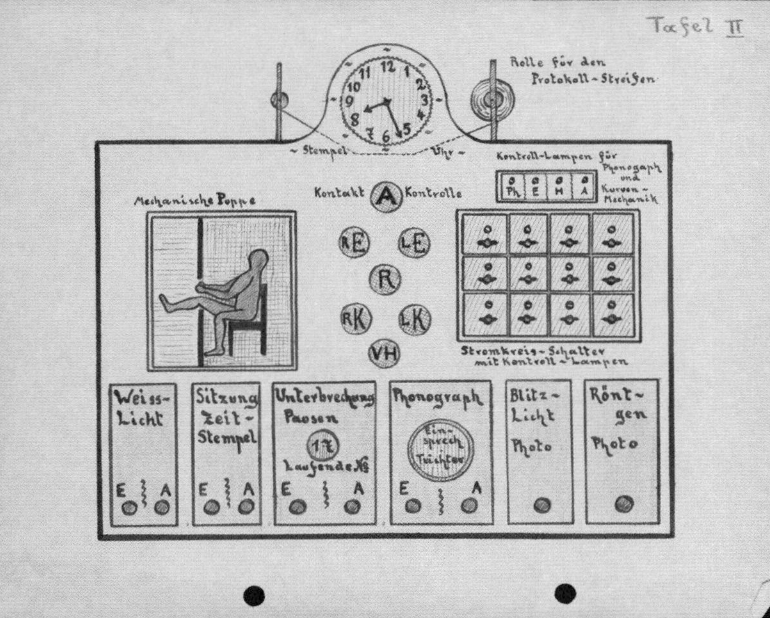


**对页：降灵会** | 这张照片来自普莱斯 1932 年与施耐德兄弟举行的降灵会，是一张俯拍桌子的双重叠加照片。

**本页：灵异图** | 这张简图描绘了在围坐会上控制鲁迪·施耐德的各种方法，以防止他伪造超自然事件。

刺激源当中去，包括录影带，甚至是现场演示。丹尼尔·西蒙斯（Daniel Simons）与克里斯托弗·查布里斯（Christopher Chabris）的演示就很有名。他们的演示表明，观看篮球赛视频的人会有意地无视打扮成大猩猩从画面中慢慢走过的人。

而且，即使我们准确无误地认识到了事情的发生，我们的记忆也很容易发生扭曲。在谈及人类记忆的局限时，大多数人通常想到的都是遗忘。但是，当代专家认为，如果要用一个词概括我们回忆某一事件的过程，最准确的说法是“重构”。这意味着，回忆不仅仅包括我们亲眼看到的东西，还包括我们从想象以及外部因素的影响所引申出的东西。心理学家伊丽莎白·洛夫特斯（Elizabeth Loftus）提出了“错误信息效应”（misinformation effect）这一术语，用以说明错误信息可以以意料之中的方式，有时甚至是强有力的方式，改变目击者对事件的回忆。1974 年，在早期的一次实验中，洛夫特斯和她的研究生约翰·帕尔默（John Palmer）证明，简单的语言暗示就可以改变他们的研究参与者对一段车祸录像的记忆。

自那以后，类似的实验都表明，听闻错误信息会导致身体健康、头脑正常的人构造出对于完全没发生过的事件的强烈记忆，比如孩童时期去迪士尼游乐园的旅行，或是乘坐热气球。2015 年，犯罪心理学家朱莉娅·肖（Julia Shaw）与史蒂芬·波特（Stephen Porter）的一项研究表明，参与者可以在引导下错误地记起不存在的犯罪。在与《错误观察》报告的主旨更为契合的研究中，心理学家理查德·怀斯曼（Richard Wiseman）提出，多项研究表明，装神弄鬼的超自然现象表演的观看者，会在语言暗示的引导下回忆出在表演中从未真实发生过的情节。

倾斜不倒的桌子是早期招魂师信奉者所宣称的灵魂直接干预现实世界的证据之一。验证这一现象的最简单的方式，只须一群参与者在桌子旁围坐成一圈。每个人将自己的指尖放在桌子上，似乎所有围坐者都无须施力，桌子就会不可思议地开始摇晃，有时甚至是飘浮在空中。对于信徒而言，倾斜不倒的桌子坚定了他们的信念，即外部无形的力量确实可以作用于现实世界。尽管任何感觉到或是见到桌子倾斜不倒的人都会认可有一种力量在发生作用，但这种力量的确切来源，却总是引起人们激烈而又不同寻常的争论。

一些催眠师，比如自称“电子心理学家”的约翰·博维·多兹（John Bovee Dodds）推测说，这种移动可能是“由许多人的手组成的活电池对桌子进行了电磁充电”的结果，“桌子上成千上万的孔隙中充满了来自人脑的电磁”，而且电磁要“比气体更轻”，这导致桌子能够像气球一样飘浮起来。

大多数灵媒认为，这种力量实际上是死者灵魂的真实显现。1916 年，奥利弗·洛奇写道，一个灵媒通过清点桌子的移动并分配相应的字母，从而拼出了他已故儿子雷蒙德的名字，这让他对招魂术的信念更为坚定。

1851 年，物理学家迈克尔·法拉第（Michael

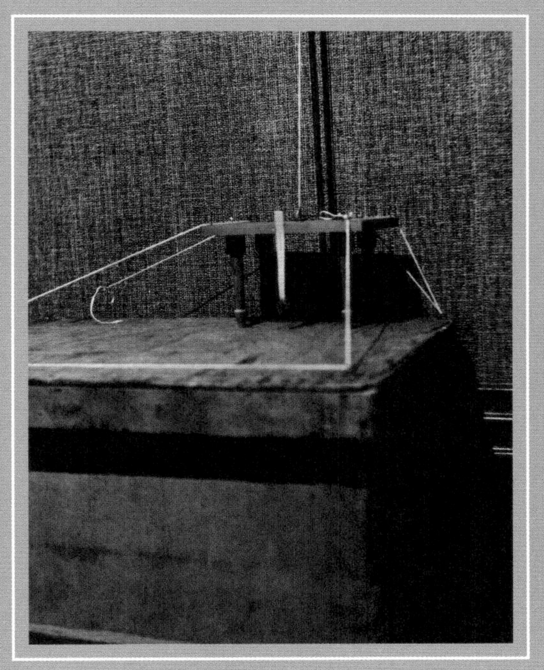

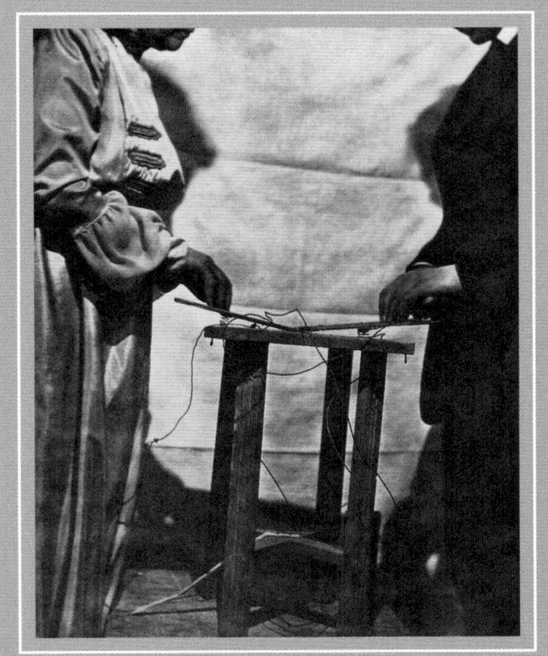

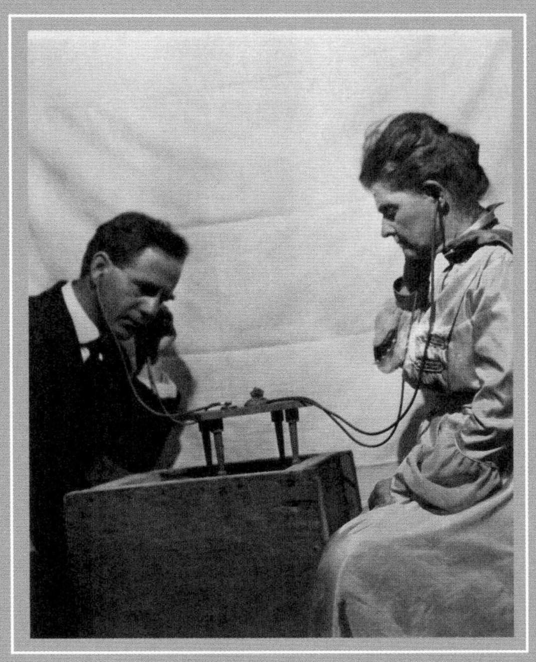

**灵异调查**｜这四张图记录了 P. S. 哈利（P. S. Haley）就亡魂照进行的实验，包括由一男一女操作的一个响铃机器（左下），以及一种可以听到微弱敲击声的操作方法——这种声音光靠耳朵通常无法察觉（右下）。哈利于 20 世纪 30 年代早期在旧金山与厄尔·吉尔摩（Earl Gilmore）共同进行着这一领域的研究。

**降灵会上的照片** | 这些照片拍摄的是灵媒托马斯·林恩（Thomas Lynn）在 20 世纪 20 年代举办的各种降灵会。上图据说呈现的是一根“亡魂之杖”正在桌上的齐特琴近旁成形。林恩自己也在照片中，在帘子的中间。两张照片都来自哈利·普莱斯的收藏。

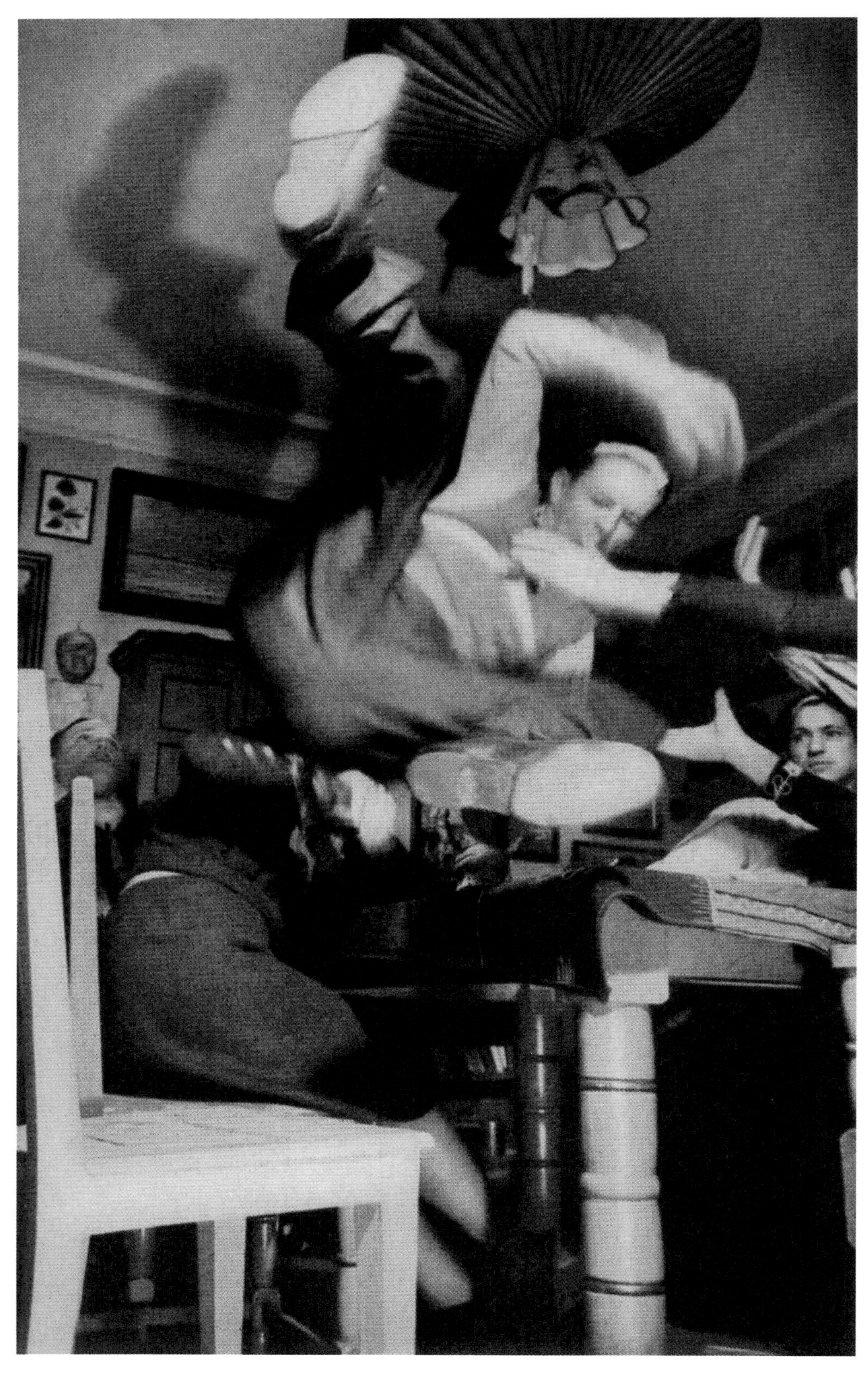

**悬浮实验**｜这些照片记录了 20 世纪 40 年代在丹麦摄影师斯文·蒂尔克（Sven Türck）家中举办的降灵会上所出现的悬浮现象。1945 年，蒂尔克在一本名为《我已经了解了灵魂》（*Jeg Var Dus Med Aanderne*）的书中公布了自己的发现。对页中那个腾空的人被认为是灵媒布吉·迈克尔森（Børge Michaelson）。

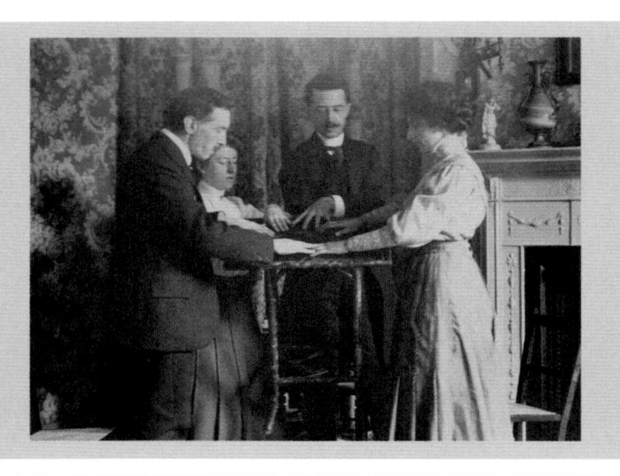

**威廉·S. 马里奥特主持一场降灵会**｜在这张 1910 年的照片中，魔术师马里奥特（站在后方）正在展示如何用手偷偷地让桌子“悬浮在空中”。

**魔鬼出没？**｜这张插图名为“教皇解决桌子悬浮问题的下策”，收录于乔治·克鲁克香克（George Cruikshank）的反招魂术著作《关于鬼魂的发现，敲击“敲桌叫魂者”》（*A Discovery Concerning Ghosts; With a Rap at the 'Spirit-Rappers'*，1863 年）中。

Faraday）提出了一种不那么神道的说法以解释这种力量。他发明了一个简单的仪器，能够把围坐者的肌肉运动悄悄地记录下来。法拉第的结论是，围坐者自己无意识的肌肉运动导致了桌子的移动。换句话说，是信徒们移动了他们自己的身体，却并未意识到这一点。由于他们并不知道自己身体的动作，他们就认为这是外力造成的。

1888 年，心理学家威廉·卡彭特（William Carpenter）提出了“念动效应”（ideomotor effect）这一术语，来描述这种无意识的肌肉动作。卡彭特将法拉第的发现拓展到其他看似难以解释的工具上。他认为，念动效应可以解释各种不可思议之物的神秘之处，比如占卜杖、钟摆以及通灵的写字板——不管是哪一种，操作者声称自己所经受的看似来自外部的力量，实际上可能是被误认的内力。卡彭特的实验表明，只有在操作者自己知道正确答案时，这些占卜之物才能提供准确的结果。换句话说，占卜板从来都不会提供出占卜者自己都不知道的答案。这进一步证实了一个观点，即驱动通灵物的力量来自内部，而非外部。

对念动效应的误解一直延续到了现在。举例来说，2014 年一位名为詹姆斯·麦考密克（James McCormick）的英国商人被判有罪，罪名是将假冒的炸弹探测仪售卖给各种国际警察部队。麦考密克所采用的推销方式近似于占卜，要冒非生即死的风险。据说，操作者要拿着名为“ADE 651”的设备——看起来像是一根魔杖，然后慢慢移动，以探出危险物质的所在。经查明，这些设备本身完完全全就是个摆设。但是，部分由于念动效应，这些设备可以很轻易地让人觉得是有用的，特别是当操作者坚信它们是正当合法的。自 20 世纪 90 年代末起，很多骗子都把没有任何功效的探测设备——如“嗅探器”（Sniffex）、“GT 200”和“Alpha 6”——卖给了世界各地的政府，其中包括伊拉克、埃及、叙利亚、印度、泰国和墨西哥。塔夫茨大学的世界和平基金会追踪了国际武器贸易中牵涉的腐败，并估算出假冒炸弹探测仪在 1999 年至 2010 年间产生了逾 1 亿的利润。

念动效应的概念还推动了当代的一些心理学研究。2015 年，由埃莱娜·L. 加乌乔（Hélène L. Gauchou）带领的英属哥伦比亚大学的研究小组提出，占卜板实际上可以当成是一种工具，用于开发参与者自己未曾察觉的知识。在这些实验中，志愿者会拿到一系列常识问答题，需要给出“是”或者“否”的答案（比如，“布宜诺斯艾利斯是巴西的首都吗？”）。研究者们发现，当人们不确定答案而被引导去

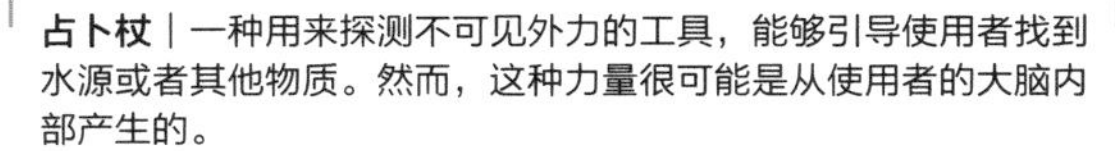

**占卜杖**｜一种用来探测不可见外力的工具，能够引导使用者找到水源或者其他物质。然而，这种力量很可能是从使用者的大脑内部产生的。

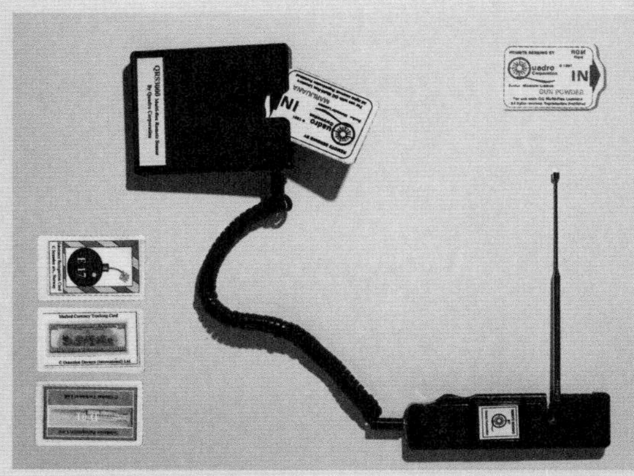

**假冒的炸弹探测仪**｜“ADE 651”是军队使用的假冒炸弹探测仪器中的一种。其原型是一种塑料玩具，名为“地鼠：奇妙的高尔夫球发现者！”（Gopher: The Amazing Golf Ball Finder!）。

“询问”占卜板时，相比没有占卜板纯靠猜测，前者的准确率明显提高了。

另外一则发表于 2018 年的研究可以说在法拉第程式的基础上做出了当代的改进。马克·安德森（Marc Andersen）及其在奥胡斯大学的同事搭建起了眼动追踪摄影设备，以研究一场占卜板集会的参与者们。他们的研究结果表明，参与者们提到的吓人的动静或许不能简单归结为他们自己无意识的肌肉动作。人与人之间的彼此互动，以及每个人都把手放在占卜板上，这些同样都有所影响。“我们的研究解决了一个显而易见的矛盾之处，即参与者一方面自己生产出占卜板上的内容，而另一方面，他们又无法在个体的层面上去预测大家完全相同的反应。”安德森这样解释说。“从这个意义上说，‘灵魂’实际上是集体的‘我们’的表征。”

随着心理学作为一种形式科学而兴起，很多研究者发表了关于骗术之科学的文章，并对魔术表演及对其的认知投以特别的关注。心理学家致力于确立他们的学科在科学中的合法地位。努力争取认同的不仅仅是实验心理学家，如冯特和詹姆斯，还包括灵异研究者，他们试图考察那些自称会读心术或死而复生的灵媒。

**在很多情况下，我们的肌肉都会随着被灌输的预设而无意识地运动……我们自己才是最终行为的源头。**

——雷伊·海曼（Ray Hyman）
1999 年

UNDER A VARIETY OF CIRCUMSTANCES, OUR MUSCLES WILL BEHAVE UNCONSCIOUSLY IN ACCORDANCE WITH AN IMPLANTED EXPECTATION...WE OURSELVES ARE THE SOURCE OF THE RESULTING ACTION.
RAY HYMAN, 1999

156

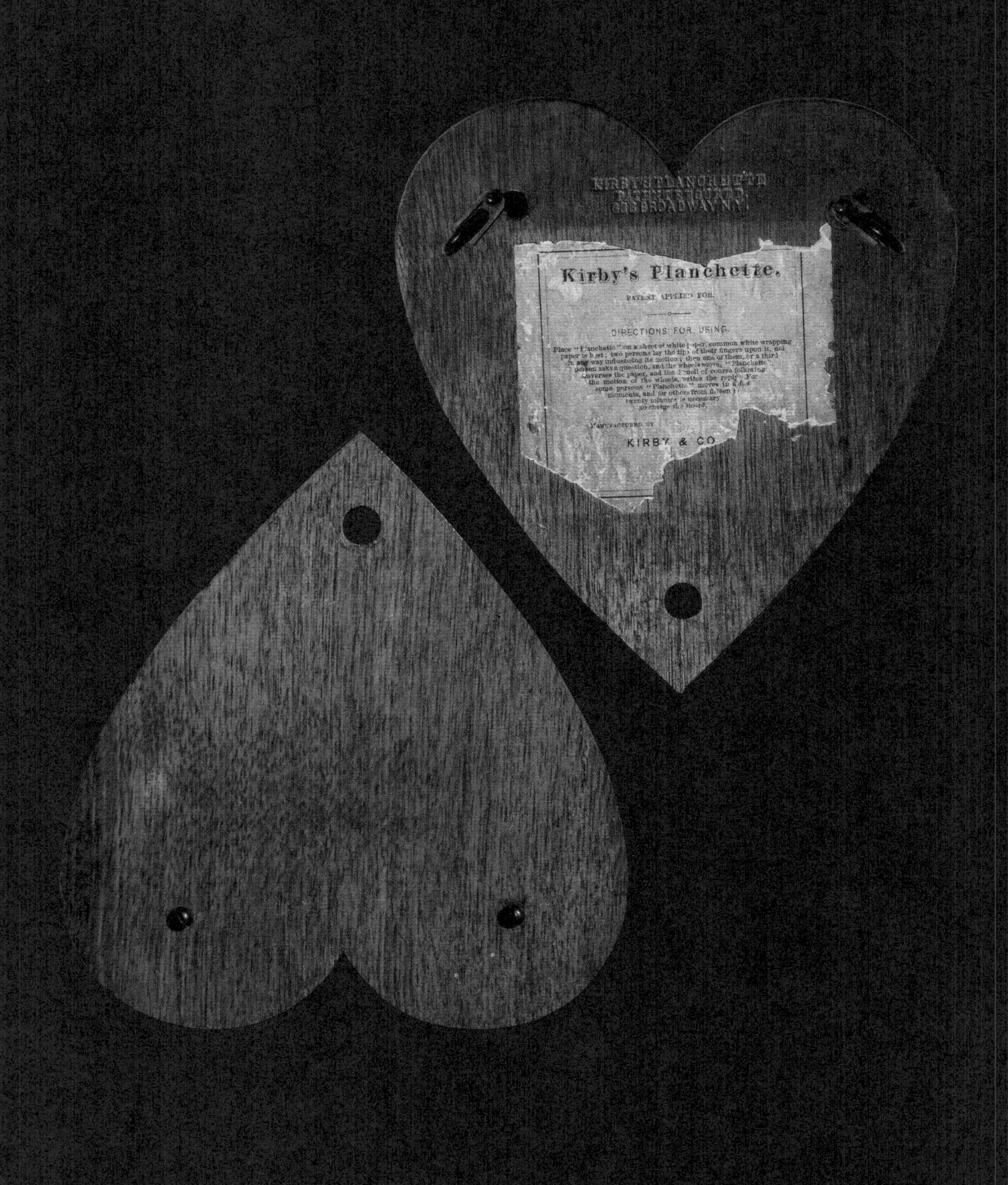


**带滑轮的科比占卜板**｜上图所示的占卜板在 19 世纪中期的美国盛极一时，使用者能够自己操作，与亡魂交流。两个小脚轮安装在心形的木板下面，木板上有一个孔洞，用来固定进行自动书写的铅笔。

**操作占卜板**｜这张照片来自魔术师威廉·S. 马里奥特的收藏，拍摄的是一个小女孩正在操作占卜板。招魂师们声称，神秘外力会引导使用者的手写下讯息。早期的心理学家认为，所谓的外力其实是使用者的大脑活动所引发的无意识肌肉动作。

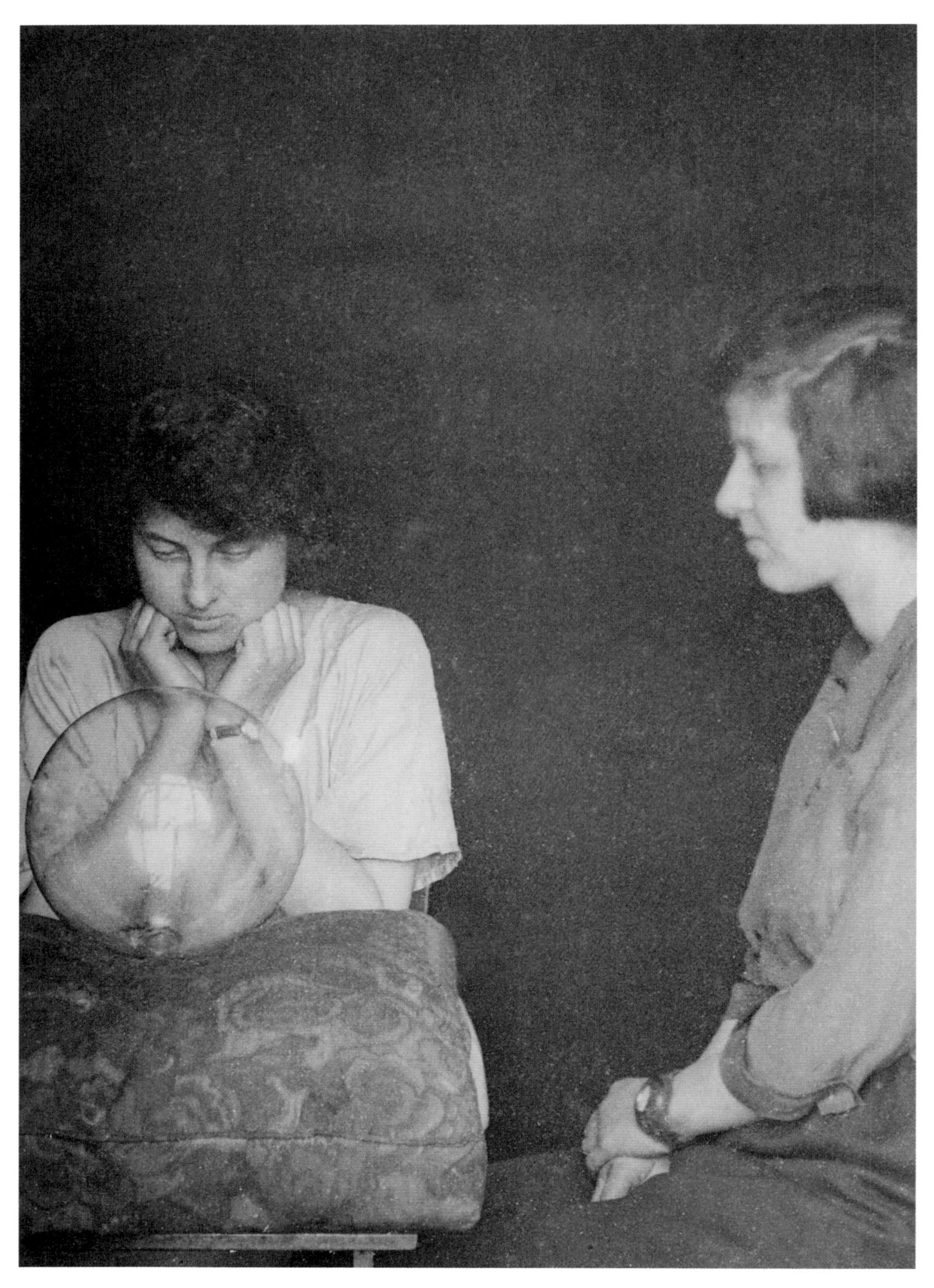

水晶球 | 哈利·普莱斯关于骗子灵媒的讲

侧摆锤 | 人们认为这个设备能够拼

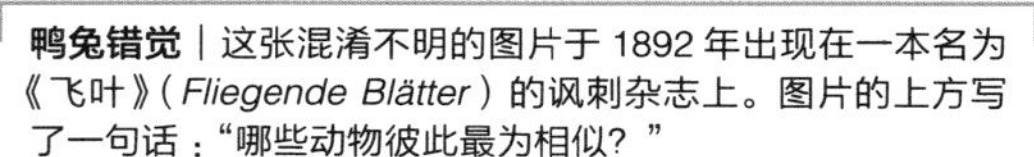

**鸭兔错觉** | 这张混淆不明的图片于 1892 年出现在一本名为《飞叶》(*Fliegende Blätter*) 的讽刺杂志上。图片的上方写了一句话 :“哪些动物彼此最为相似? ”

**约瑟夫 · 贾斯特罗** | 这张照片拍摄于 1934 年。他或许是历史上第一位“明星”心理学家。

**摄影枪** | 一种连续摄影的工具,能够迅速地拍摄一系列照片。

心理学家有意于把心理科学运用于对魔术的研究,与此相关的记录可以追溯至 1888 年。其时,约瑟夫 · 贾斯特罗撰写了一篇关于骗术及幻觉的短文,特别强调了招魂的把戏。贾斯特罗在 1888 年至 1927 年间曾担任威斯康星大学的实验心理学教授,我们或许可以说他是全世界第一位“大众心理学家”。他主要关注对心理学的普遍认知,将科学方法运用于对大众的教育。他还撰写了关于灵媒骗术、占卜板、视错觉(他将鸭兔图引入心理学)、信仰及梦境的文章。贾斯特罗和同代的实验心理学家如雨果·明斯特伯格和 G. 斯坦利 · 霍尔合作,于 1893 年在芝加哥的世界哥伦布博览会(World's Columbian Exposition)上呈现了一场心理学的展览。到了晚年,贾斯特罗还曾试图发表一个关于希特勒及纳粹德国的心理学分析。

在发表于 1888 年的论文中,贾斯特罗就感觉和幻觉所提出的主张,可以说预示了他后来关于无意识推理及图式理论的著作。他写道,自己特别关注“错误信念所导致的错误行动”。贾斯特罗指出,诱导出错误的认知或是错觉,这只是骗术的第一步 :接下来这些错误的认知和错觉肯定会通过对观众“心理态度的转变”而转化成错误的信念。为了阐明他的观点,贾斯特罗请读者考量魔术师表演与骗子灵媒

**如果……观众相信自己能够证明超自然现象的存在,他很快就觉得表演中的每一个……事件都是灵异事件。**

——约瑟夫 · 贾斯特罗,1888 年

IF...THE SPECTATOR IS ONCE CONVINCED THAT HE HAS EVIDENCE OF THE SUPERNATURAL, HE SOON SEES IT IN EVERY... INCIDENT OF THE PERFORMANCE
JOSEPH JASTROW, 1888

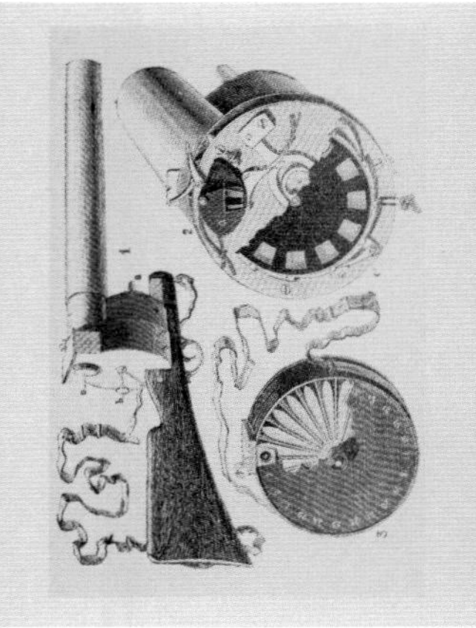

**摄影枪的机械原理**｜这张图呈现了对页所示摄影枪的工作原理。

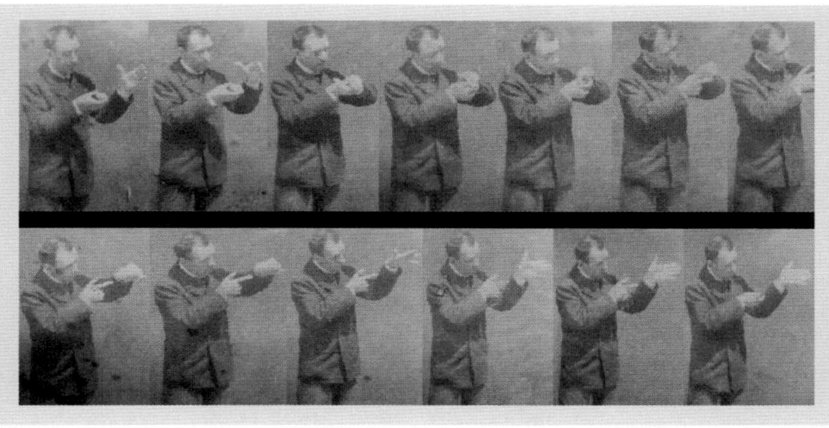

**连续摄影：魔术师的把戏**｜乔治·德米尼 1894 年在阿尔弗雷德·比奈的实验室里用艾蒂安–朱尔·马雷（Etienne-Jules Marey）的连续摄影术拍摄了这些照片。这些照片拆解了魔术师阿诺德在消失的线球魔术表演中的动作，从而解释了（不如说是破坏了）这种“魔法”。

表演的差别所在。在魔术师的表演中，观众知道自己所看的是魔术把戏或幻觉，而灵媒则努力让观众相信其制造的幻觉是真实的。

在发表于 1886 年的一篇文章中，贾斯特罗公布了一系列心理学实验的结果——这些实验是他针对两位著名的舞台魔术师而实施的，他们分别是哈利·凯勒和亚历山大·赫曼［Alexander Hermann，即“赫曼大帝”（Herman the Great）］。贾斯特罗假定这些专业表演者或许具备“特殊的能力”——不管是生来如此，还是通过进一步训练而习得，在此前提下他考察了魔术师的触觉及运动机能，以及他们的视觉感知及记忆。显然，令他大吃一惊的是，这些实验的结果均未超出正常范围——尽管他指出，两位魔术师对视觉和触觉刺激的反应比常人要稍快一些，而凯勒对听觉刺激较为敏感。贾斯特罗总结认为，“对于某项特殊技能进行的专业培训，对于其他方面的能力或许只能产生轻微的影响”。他在文末提醒说，他的实验适用于考查大规模群体的平均水平，而非零星的个例。

阿尔弗雷德·比奈（Alfred Binet）也是一位著名的早期心理学家，他也发表了一篇讨论魔术的短文。比奈以首次智力测试的发明者之一而闻名，他在 1894 年发表了名为《魔术伎俩的心理学》（*Psychology of Prestidigitation*）的文章，在文中报道了对魔术表演的首次拍摄。比奈与电影摄影师乔治·德米尼（Georges Demenÿ）合作，对古斯塔夫·阿诺德（Gustave Arnould）和爱德华–约瑟夫·莱纳雷（Edouard-Joseph Raynaly）两位魔术师进行“影像拍摄”。两位魔术师的表演以当时革命性的每秒 12 张连续摄影的方式被拍摄下来。2005 年，心理学家理查德·怀斯曼重新发现了这些照片。在研究了这些照片之后，比奈总结道，摄影有力地破坏了魔术的效果，去除了所有维持幻觉的必需要素。

另外一位名为乔治·梅里爱的魔术师也参观了比奈的实验室，他则继而倡导运用电影特效，将电影剪辑技巧与魔术把戏结合在一起，把幻觉从舞台搬到银幕上去。梅里爱执导了五百多部电影，大多数都在罗伯特–胡丁剧院上映。梅里爱还对剧院进行了现代化的改造，装上了新的影院设备。他的电影最鲜明的特点是超现实和不可思议的意象：比如，《月球旅行记》（*La Voyage Dans La Lune*，1902 年）就讲了一群探险家将自己从大炮中射出，从而登上月球的故事。探险家们与威胁他们的“月球人”进行战斗，发现“月球人”只要一碰就会化作一团烟雾。在参与了比奈实验室对魔术把戏的调查之后，梅里爱或许还受到了启发，用电影制造幻觉。

**凯勒与赫曼**｜这两位魔术大师用惊人的舞台表演争夺观众的眼球，如上图中的徒手接子弹、灵异柜等常规节目。他们二人还都自愿接受了心理学家约瑟夫·贾斯特罗的研究。对页是一张 1897 年的海报，宣传的是凯勒著名的割头术——他自己的头颅被割了下来，看起来像是飘浮在空中。

# KELLAR

IN HIS
LATEST
MYSTERY

## SELF
## DECAPITATION

**魔术与梅里爱**｜本页上图来自乔治・梅里爱 1902 年的电影《月球旅行记》。下图来自他 1907 年的电影《日蚀》（*L'Eclipse du Soleil en Pleine Lune*）。对页是一张 1891 年的海报，展现了一幕幻觉奇观。梅里爱在 1888 年收购了罗伯特–胡丁剧院。

**后页：魔术剧院** | 罗伯特–胡丁在 1854 年创建了这一以他的名字命名的场馆，位于意大利大道（Boulevard des Italiens）上一座巴黎式建筑的一层。在将这处房产买下来之后，乔治·梅里爱在那里表演了很多舞台魔术，其中一些最终又出现在他里程碑式的电影中。他在电影中所使用的复杂布景通常与他在剧院中所布置的相似。

HILIPS
VETS FRANCAIS
T.S.F
SAVON
ERASMIC
Pour La Beauté
PARIS-1925
MONTRE DE PRÉCISION FRANÇAISE
LIP
CHEZ LES BONS HORLOGERS
MONTMARTRE
SALLE MARIVAUX
VEILLE D'ARMES
un film français
DE JACQUES DE
PHOTOGRAPHES !
PLAQUES
LES
MEILLEUR
MEUBLE
12 mois DE CRÉDIT
FOLIES

EDITIONS
PHOTOGRAPHIQUES
PORTRAITS
ASCENSEUR
CONSORTIUM D'AFFICHAGE
EMPLACEMENT RÉSERVÉ
LE CHAPEAU
C'EST L'HOMME
DELION
PASSAGE JOUFFROY
STOP FIRE
GRAMOPHONE
CLASSE 18
ARTS
Décoratifs
NINA MYRAL

ACT 4

# THE PARAPSYCHOLOGICAL INVESTIGATORS

# 第四幕

# 通灵学调查者

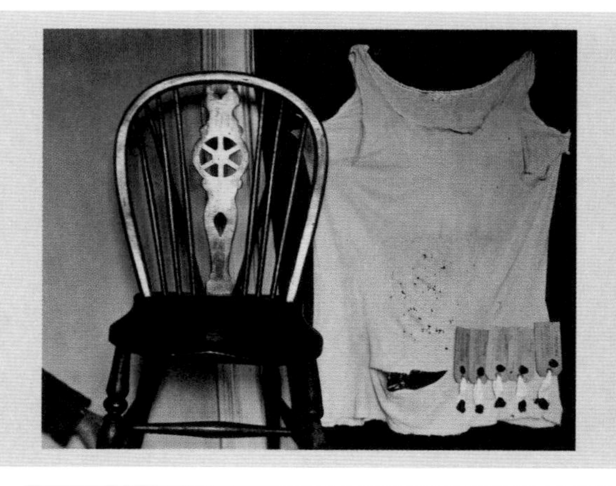
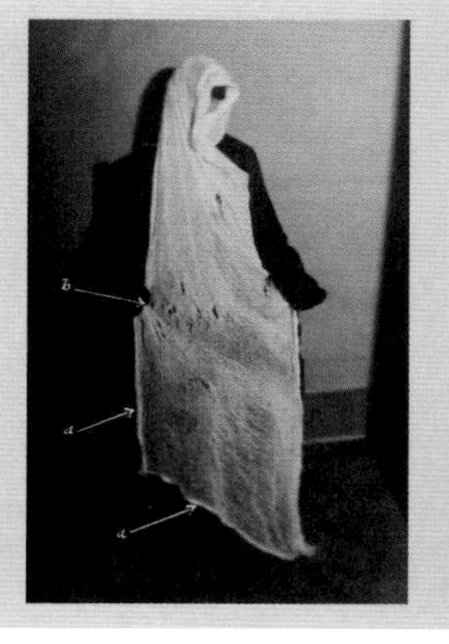

**敦提的鬼上身者**｜在降灵会上，灵媒海伦·邓肯用图片中的这件汗衫来呈现一个名叫“佩吉”的亡魂。最右的那张照片拍摄的是邓肯本人，正在吐出她所声称的灵质（却和纱布极其相似）。1944 年，依据《巫术法案》，她被定罪并监禁了起来。

就很多方面而言，超自然现象与社会之间的关系既持续演变，又在本质上始终如初。时兴的信仰体系此消彼长，但通常是那些永恒的观念在重复出现，只是每次都贴上了新的标签而已。以敲桌叫魂及灵魂现身现象为标志的招魂术风潮在大众间渐趋消退，新的伪科学体系随之兴起并取而代之。然而，曾经的超自然现象被归因于磁力、通灵力，如今则指向了原子力以及后来的量子力学，以解释他们何以能够轻而易举地读心、预测未来或是用意念操控物体。

巫术、灵质等不断被揭穿的超自然观念表现出惊人的生命力——怀疑论者一而再、再而三地宣布它们的死亡，它们却不断地死而复生。比如，若得知英国最后两宗与巫术相关的案件发生在 1944 年，你或许会为它们居然如此晚近而感到惊讶。最后一位被定罪的巫师是 72 岁的简·雷贝卡·约克（Jane Rebecca Yorke），她自称能带来已逝亲人的音信，让在世的亲人安心，并为此收取一笔并不高昂的费用。约克是在进行通灵欺诈活动时被捕的，她毫不知情地给一位便衣警察招魂，招的却是警察虚构的一个亲戚的亡魂。依据 1735 年颁布的《巫术法案》（Witchcraft Act），她在法庭上当即被定罪，并判以 5 镑的罚款，且按要求当庭承诺她此后永不再犯。在此之前，上一个因巫术而被定罪的人是一位名为海伦·邓肯（Helen Duncan）的灵媒，她的案件更为戏剧化。20 世纪以降，灵魂现身之类的活动越来越淡出人们的视线。而邓肯却自称“敦提的鬼上身者”，并以此作为她的降灵会的标志。她还提供有偿服务，给调查超自然现象的科学家当“测试灵媒”，演示她的能力——空穴来“灵质”。后来，调查者们断言，邓肯在她身上的九窍中都塞满了成卷的薄纱布。

直至今日，剑桥大学图书馆的档案馆中仍然藏有一份所谓邓肯“灵魂现身”的样本。附在样本材料（与纤维无异）中的卡片上写道，这份样本是在 1939 年时“抓住的”，来自“海伦·邓肯女士，鬼上身者”。其时的调查者们相信，对所谓的灵魂现身现象最令人信服的解释就是，邓肯将其“藏在”自己的阴道当中。据报道，邓肯还设计了其他方法来隐藏她身上的“灵质”，哪怕来个从头到脚的彻底搜查，都未必能发现。灵异现象调查者哈利·普莱斯以“纱布崇拜者们”为题，对邓肯进行了极其严厉的揭发。他指出，根据他在国家灵异研究实验室（National Laboratory of Psychical Research）中实施的调查，邓肯似乎发明了一种用嘴吞吐纱布的技术——她会在降灵会开始之前将纱布吞进去。实际上，吞吐术作为一个单独的表演项目，在世纪之交的杂技演示中相对常见。魔术师大卫·布莱恩（David Blaine）在 2016 年的电视节目上吞吐活青蛙，向大众重新演绎了这种经典特技。

针对普莱斯的指控，邓肯和她的丈夫试图进行辩

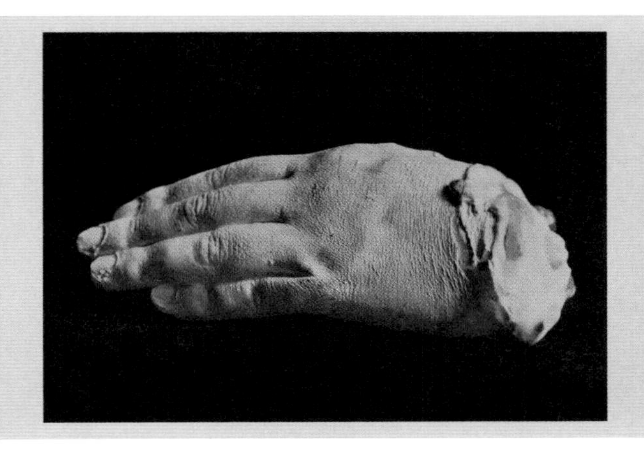

**亡魂之手**｜这只石膏铸手模制作于 1925 年，是根据一个蜡模制成的。据说这个蜡模是现身的亡魂之手，来自波兰灵媒弗兰尼克·克鲁斯基（Franek Kluski）主持的一场降灵会。

**蜡制手套**｜克鲁斯基在波兰华沙主持了一场降灵会，会上出现了一只“亡魂之手”的蜡模。据说，后来他承认自己假造了此类物品。

护，他们提出邓肯事实上是“无意中”把纱布吞下去的。在一次降灵会上，她宣称自己从一位已故英国海员的鬼魂那里得知了最高级别的军事机密。邓肯之所以会得知这则机密，更合理的解释是因为议会和政府的机密泄露，而非直接从纱布那里听来的。但是，不管是何种解释，战时的英国政府都为此深为不悦。邓肯被捕，并依据控方所能找到的最为严苛的律条进行了审判，而他们所找到的正是《巫术法案》中有关通灵欺诈的条款。在对邓肯的审判中，哈利·普莱斯出庭做证。邓肯被定罪，并被判以 9 个月的监禁。

在约克和邓肯被定罪之时，灵异研究者的关注点已不再是灵媒问题，或佐尔纳、克鲁克斯、洛奇这些研究者们所着迷的物理现象。早期的招魂手法——如敲桌叫魂、灵魂现身及石板传信——因不断被指控为欺诈而变得无人相信，但是，新的现象又取而代之，或者说过去的这些东西又被贴上了新的标签，如超感知觉（extra-sensory perception）、千里眼及念力致动（psychokinesis，指在没有肢体接触的情况下，通过心智的力量控制物体的能力）。

20 世纪 30 年代，灵异现象研究的面貌经历了一次意义深远的重塑，这一切来自研究者约瑟夫·班克斯·莱因（Joseph Banks Rhine）。莱因 1927 年在杜克大学建立了美国第一间通灵研究实验室。莱因原本是植物学博士，但在聆听了一场关于招魂术的讲座——阿瑟·柯南·道尔爵士为纪念灵异调查者理查德·霍奇森而举办的讲座——之后，他的兴趣从植物科学转向了灵异研究。莱因开始参与降灵会，并“在野外”调查传说中的超自然现象。但没过多久，他就因为不可控的因素而备受打击。他早期研究的两个重要案例分别是鬼上身灵媒米娜·“马格丽”·克兰顿，以及旺德女士（Lady Wonder）——一匹有超能力的马。莱因谴责克兰顿“厚颜无耻地耍把戏”，但他和他的妻子路易莎（Louisa）又的确在一篇名为《关于一匹能读心的马的调查》（*An Investigation of a Mind-Reading Horse*，1929 年）的文章中称颂旺德女士的超能力。

起初，莱因在心理学家威廉·麦独孤（William McDougall）的指导下，在哈佛大学进行正式的灵异现象研究。麦独孤曾任灵异研究协会及美国灵异研究协会的主席。在哈佛大学，他坐上了由威廉·詹姆斯所设的位置。而他和莱因的研究经费，部分来自理查德·霍奇森纪念基金的资助。当麦独孤于 1927 年调往哈佛大学时，他邀请莱因同他一起建立一座新的实验室。

莱因写道，他尊重早期将科学研究运用于超自然现象研究的尝试，特别提及了他对奥利弗·洛奇的崇拜。莱因认为，洛奇有关灵媒的思考是“科学评判的标杆”。然而，在他自己的实验中，莱因却选

178

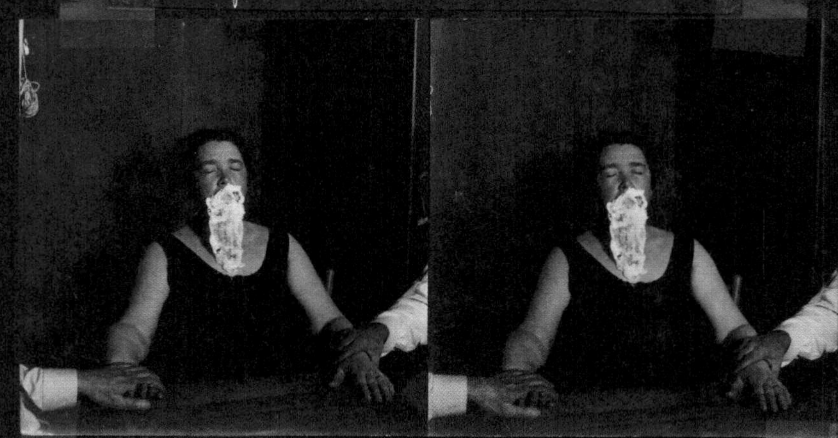


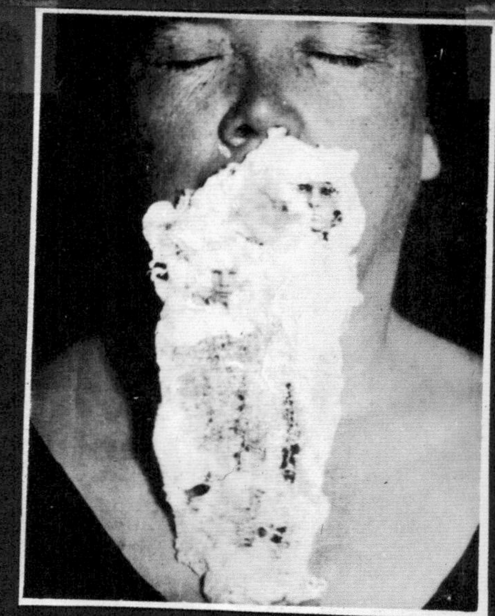

**灵质泄出** | 这些图片出自托马斯·格伦迪宁·汉密尔顿（Thomas Glendenning Hamilton）的灵异调查相册（1932年），呈现了灵质从灵媒玛丽·马歇尔（Mary Marshall）的口中泄出的场景。人们发现，这些“灵质”实际上通常都是纱布——有时也会用到玩偶的脑袋、面具、蛋清。

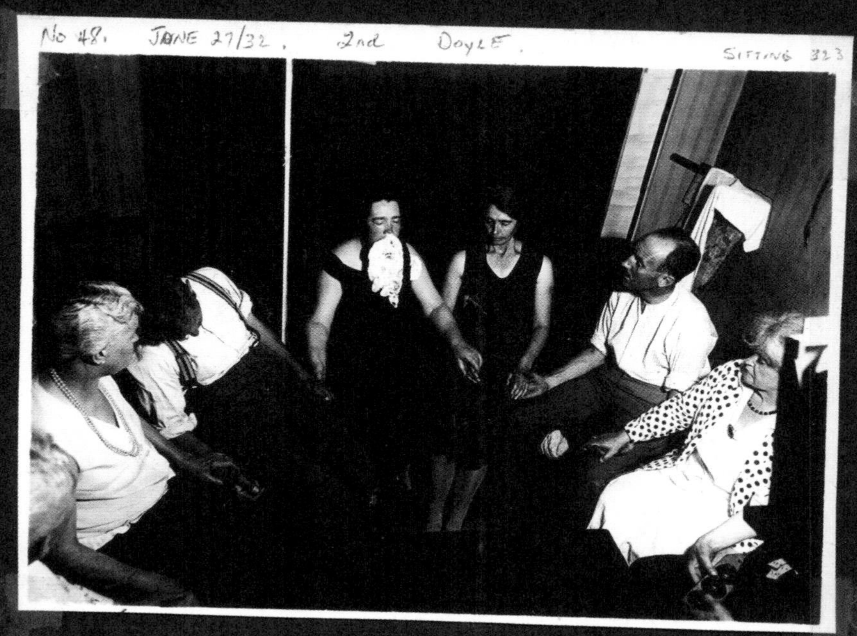


Sitters & mediums clockwise:
L.H; Ewan (entranced); Mary M (entranced);
Mercedes (entranced); W.B.C; Elizabeth (entranced);

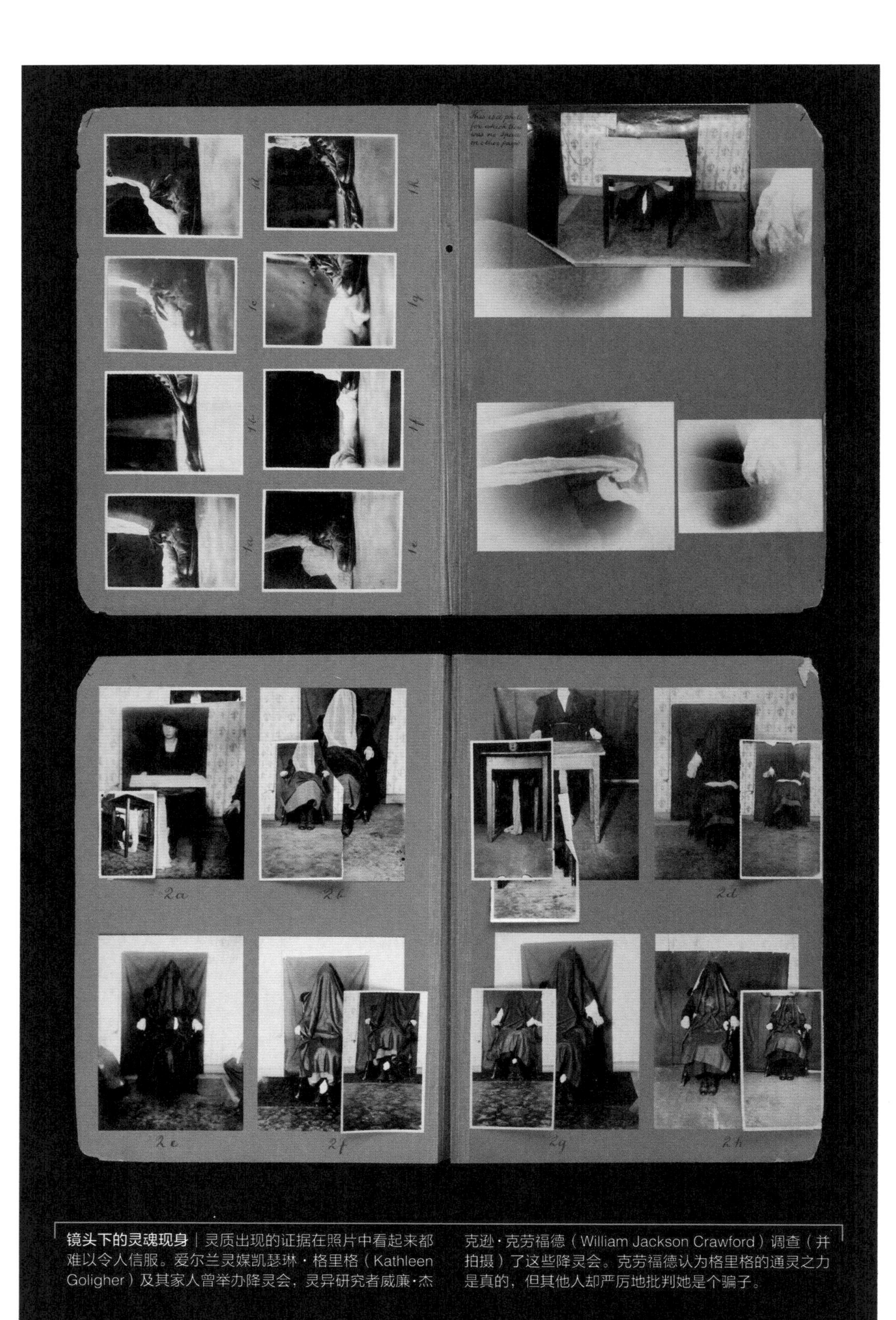


**镜头下的灵魂现身** | 灵质出现的证据在照片中看起来都难以令人信服。爱尔兰灵媒凯瑟琳·格里格（Kathleen Goligher）及其家人曾举办降灵会，灵异研究者威廉·杰克逊·克劳福德（William Jackson Crawford）调查（并拍摄）了这些降灵会。克劳福德认为格里格的通灵之力是真的，但其他人却严厉地批判她是个骗子。

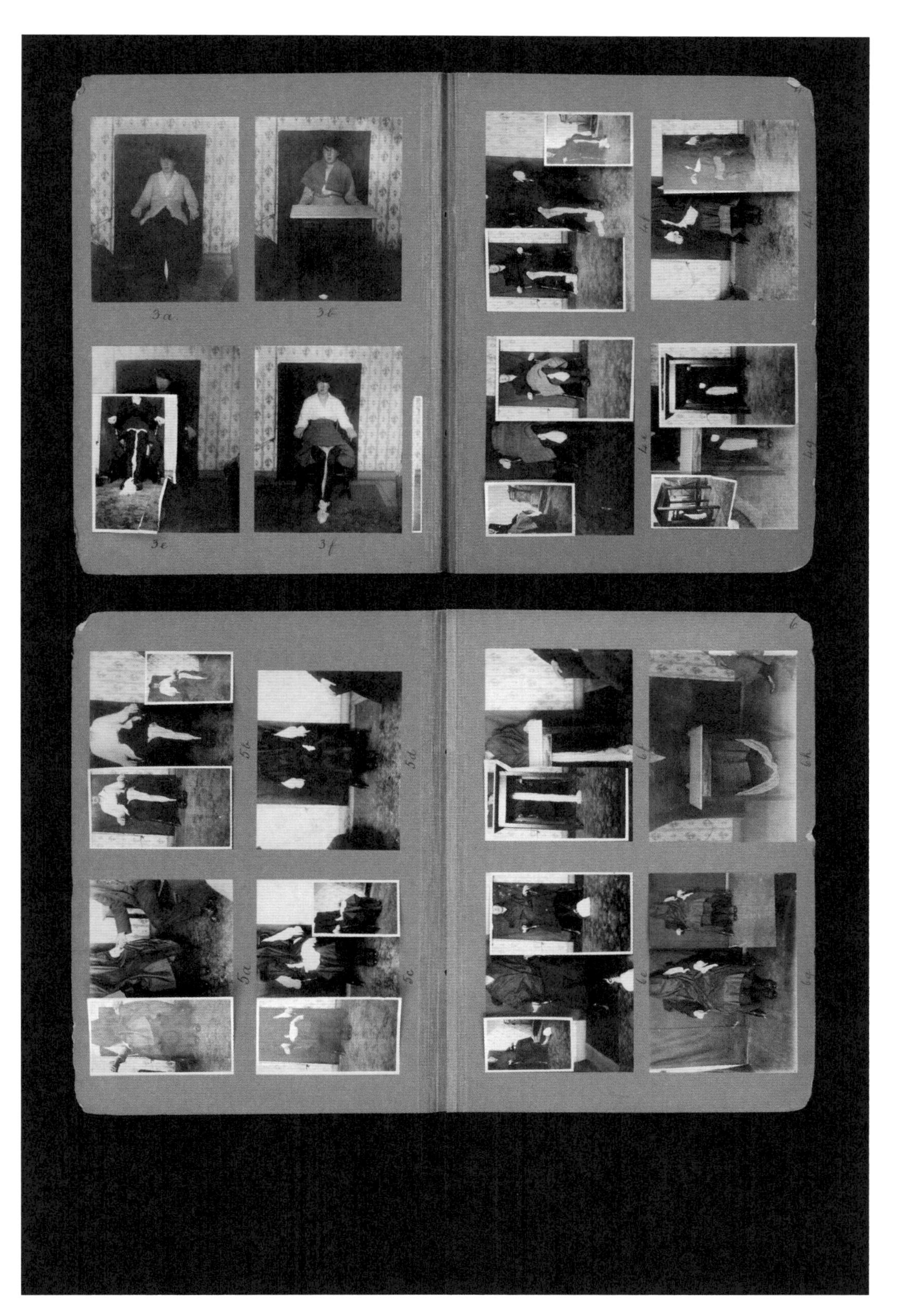

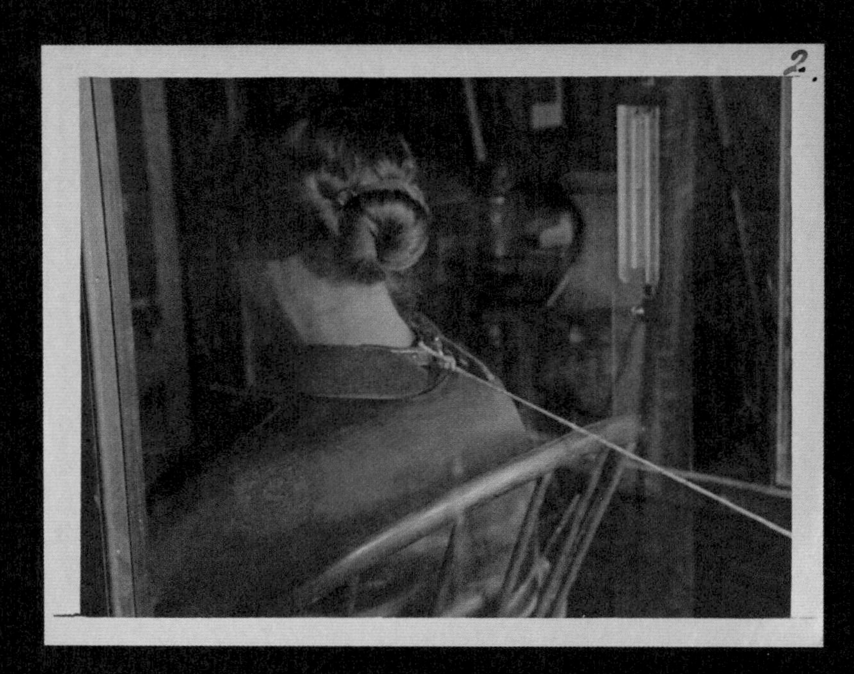

**调查“马格丽”** | 在上面两张照片中，美国灵媒米娜·克兰顿被捆绑了起来。克兰顿声称自己能够让一位名叫“马格丽”的灵魂现身。对页的图片是一场降灵会上的克兰顿，她看起来像是在催眠状态下使得灵质流溢而出。

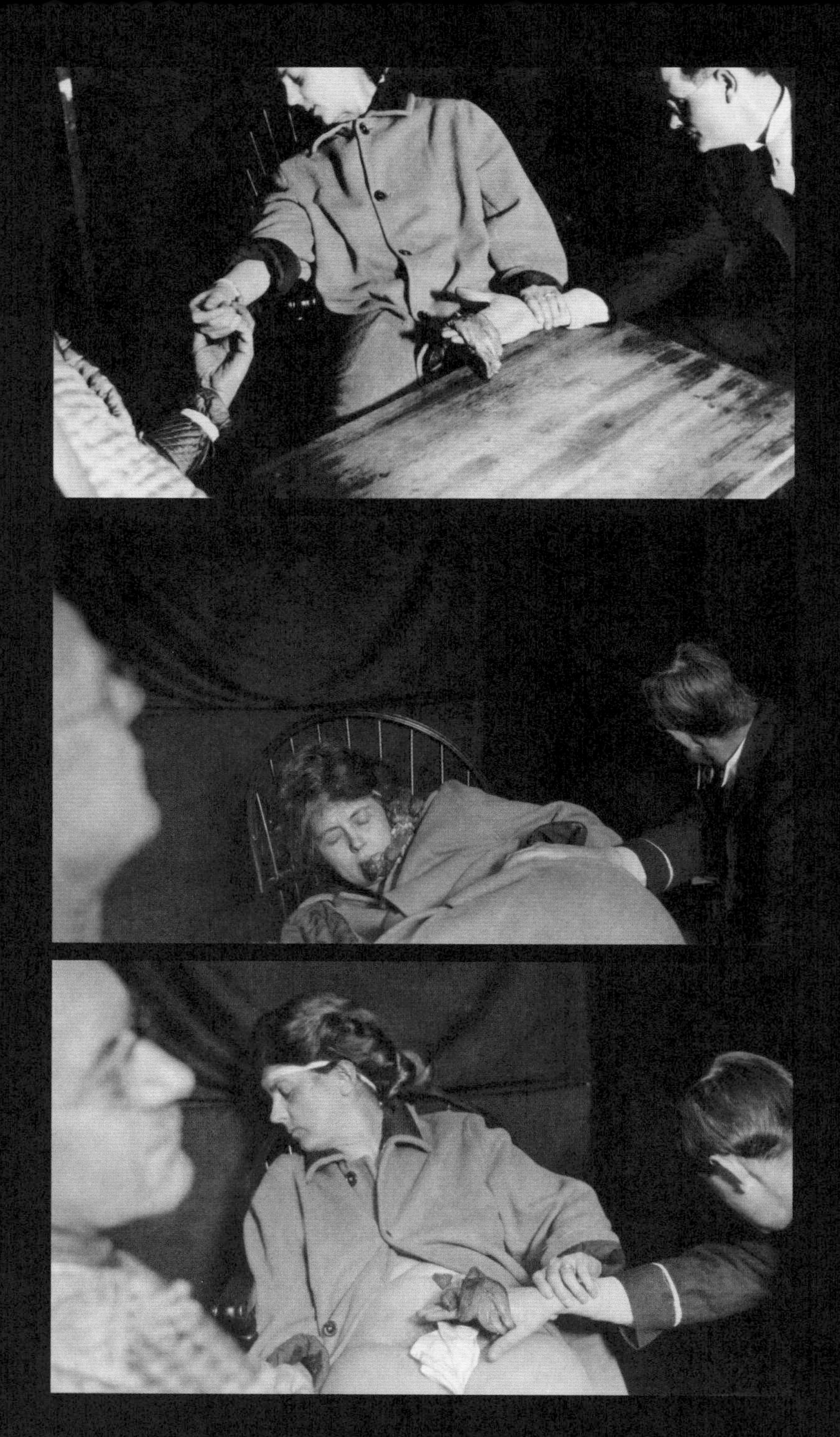

**感应之手** | 米娜·克兰顿的降灵会上，一只神秘的手像是从她的腹股沟处伸了出来，一动不动地放在桌子上，然后突然消失。只有在克兰顿的丈夫在她的旁边时，这只手才会出现。深入的调查显示，这个东西是一块动物肝脏。

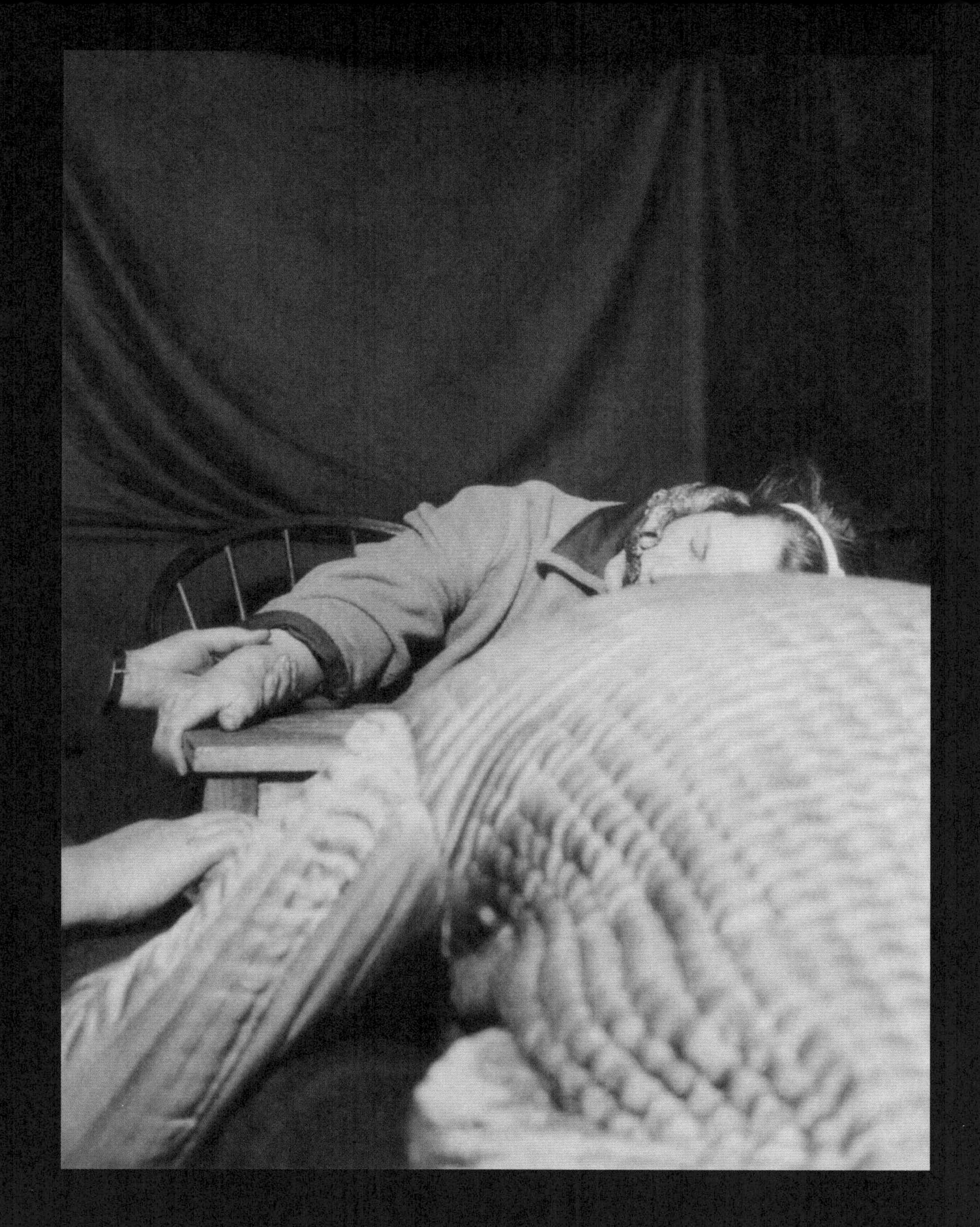

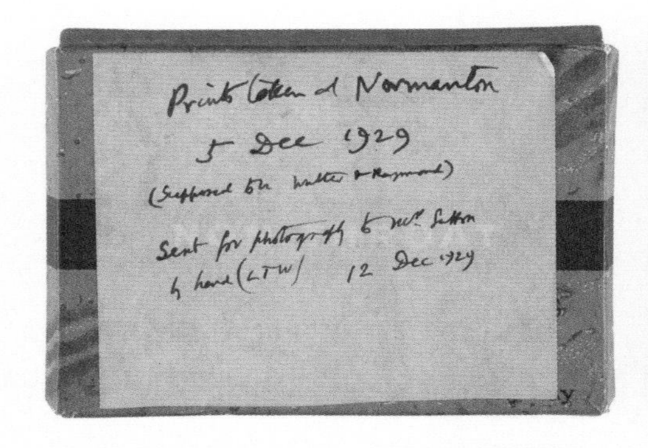


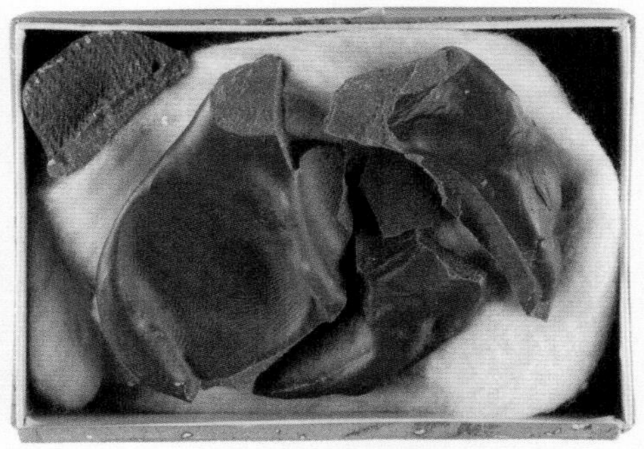

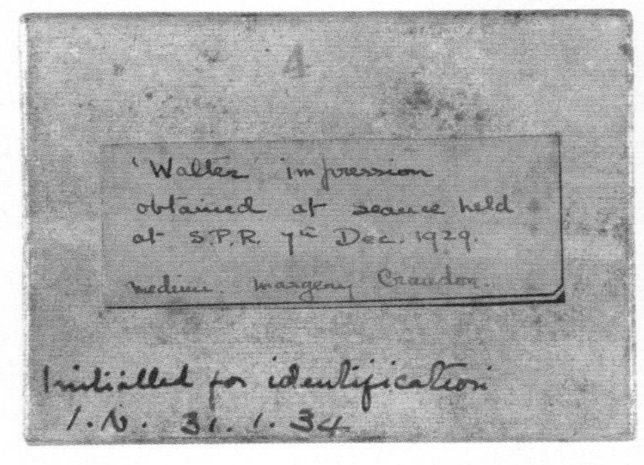


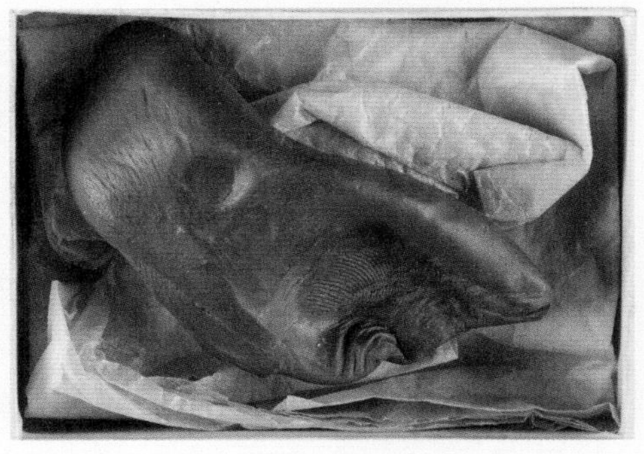

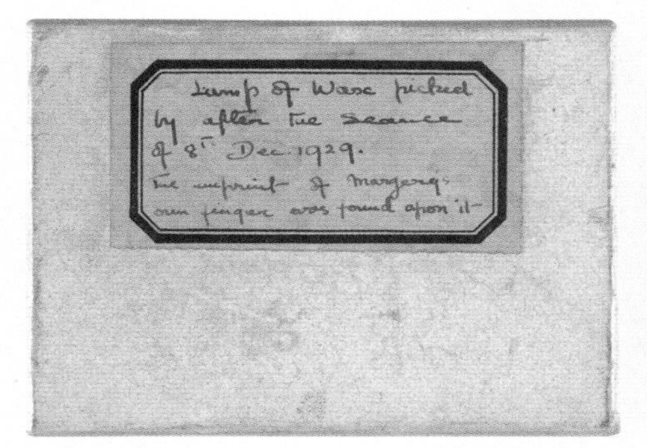


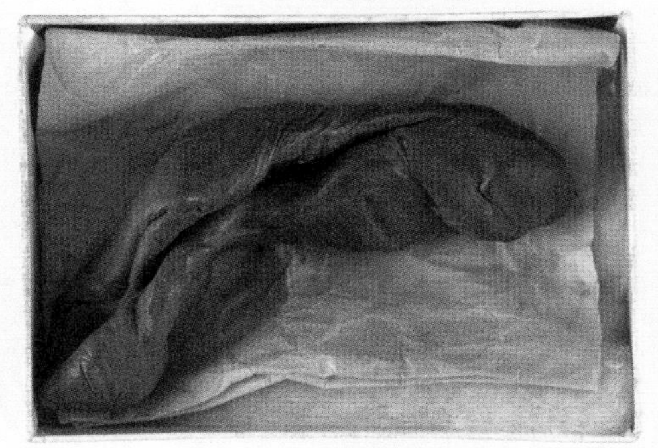

**死者的手指**｜在20世纪20年代中期至晚期，米娜·克兰顿公开展示了几只由牙蜡制成的指印，并声称那是她已故的兄弟沃特的，沃特如今是她的灵魂指引。她的牙医弗里德里克·卡尔德维尔医生（Dr Frederick Caldwell）找了一个时机站了出来，披露克兰顿夫妇曾向他咨询如何使用蜡来制作出指印的效果，于是他把

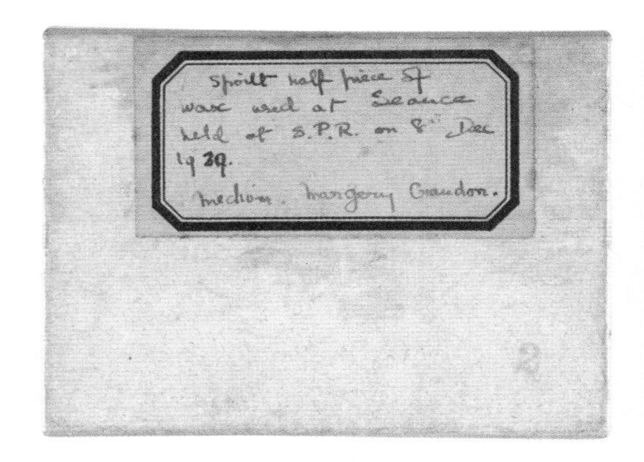


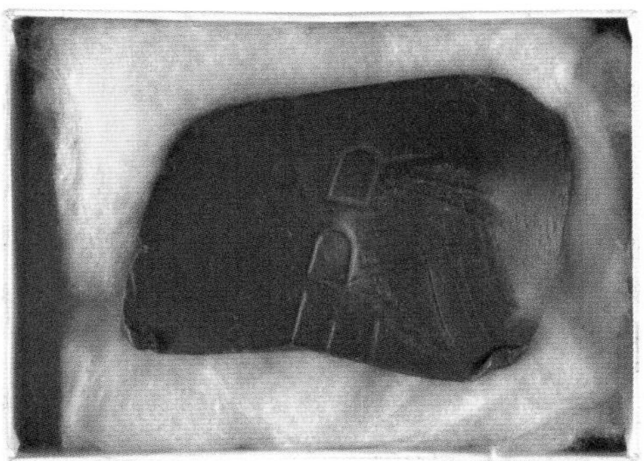

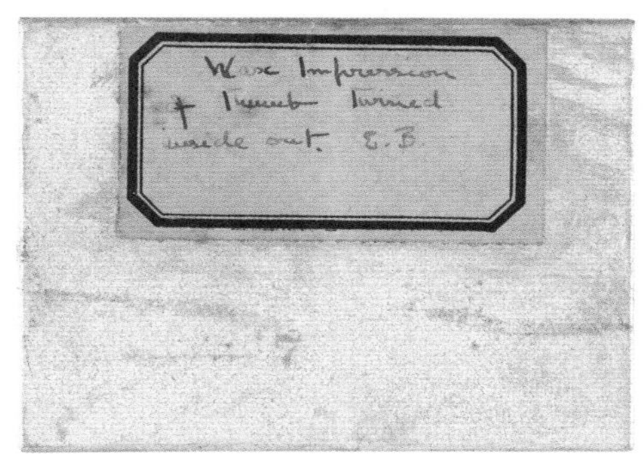


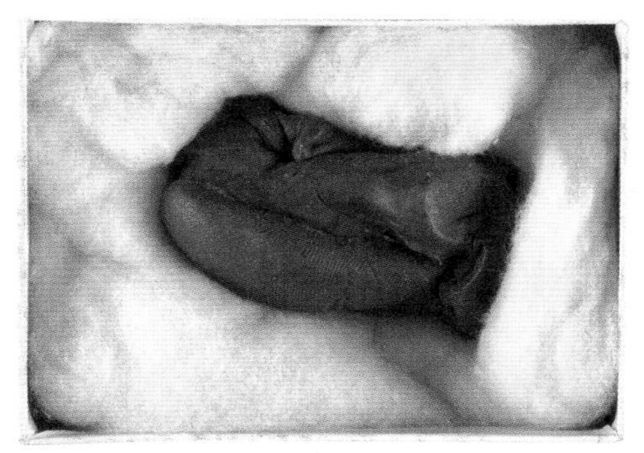

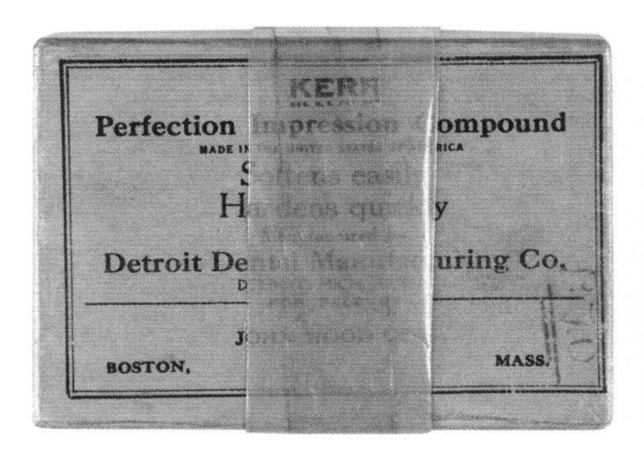

自己制作的一些指印送给了夫妇二人。不出所料，医生提供的指印与“沃特的指印”完全吻合。发现这一真相的是曾工作于美国灵异研究协会的 E. E. 达德利（E. E. Dudley），他把所有参加过克兰顿降灵会的人的指印都收集了起来，加以研究。这些图片是一些存疑的指印样本。

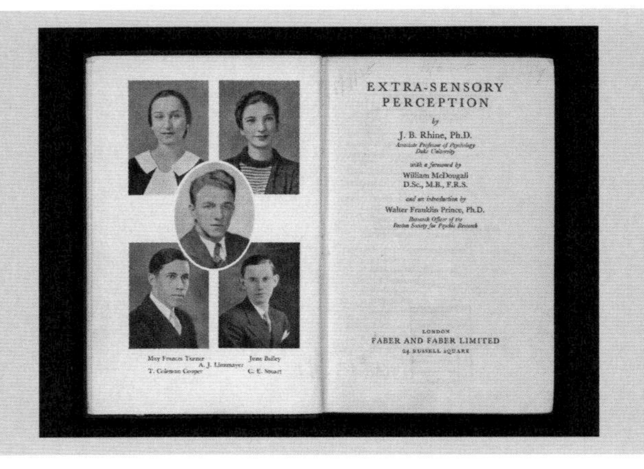


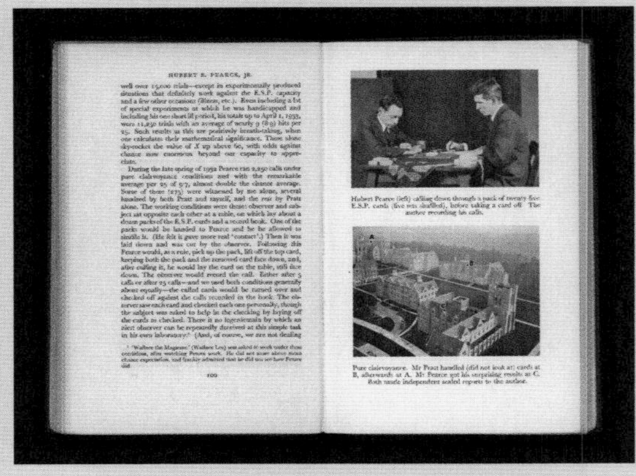

**《超感知觉》**丨约瑟夫·莱因的著作。他在书中强调了他在北卡罗来纳州达勒姆的杜克大学对超感知觉进行调查的本质所在。这本书最早出版于 1934 年。莱因的研究方法以及科学严谨性的缺乏遭到质疑，其他科学家试图复制他的实验，但未能得到相似的结果。

择放弃“灵异”( psychical )这一旧术语，转而拥抱“超心理学”( parapsychology ) 这一新标签 ( 编按：此处的 parapsychology 有 “通灵学” 和 “超心理学” 等不同含义，本书根据不同语境选择不同译法 )。“超心理学” 这个术语最早是德国哲学家及业余魔术师马克斯·德索 ( Max Dessoir ) 在 1889 年提出的。莱因的研究不再关注招魂师们关于人死灵生的主张，而是将注意力集中在 “超感知觉” 这个概念上。莱因将超感知觉这一现象定义为 “在已知感官未发生作用的情况下产生的知觉”。根据以上定义，他将传心术 ( 读心 )、千里眼 ( 穿越时空的不可思议的视觉 )、预知 ( 感知到未来的事件 ) 这样的宽泛概念，与附身、灵媒、算命、占卜等其他经历都划归到这一范畴之下。他不再对自称是灵媒的人进行测试，转而集中精力去探索大众身上存在潜在的超自然能力的可能性。

莱因持续时间最长的实验范式或许就是他对猜牌的研究。早期的灵异研究者们通过玩牌来进行读心的实验，但是莱因认为，这些都是不科学的。长久以来，纸牌在赌博和魔术中都被用于欺诈——但莱因对其持保留意见与此并无关系。相反，他所关注的点是牌面一眼看过去区别并不大——比如，我们很容易把黑桃 K 看成是黑桃 Q。为此，他与知觉心理学家卡尔·爱德华·齐纳 ( Karl Edward Zener ) 合作，创造了一套易于辨认的简单符号。“齐纳卡牌” 一开始包括五种符号：圆圈、十字、波浪线、正方形和五角星。

在数十年的时间里，莱因和他的同事们实施了几千次实验，以确定参与者是否可以在看不到牌面的情况下感知或预测到他手中卡牌的符号。1934 年，他在《超感知觉》( *Extra-Sensory Perception* ) 一书中公布了自己的早期实验。莱因确信，他的卡牌实验无疑表明，参与者们辨识符号的准确度，不是单纯靠猜测所能达到的。因此，他们必然是通过某种心灵的力量来感知卡牌的，这种力量截然不同于我们对物理及生物定律的已有认知。批评者如心理学家约瑟夫·贾斯特罗则指出，尽管莱因对其理论进行了一番新的包装，但是超感知觉这一概念其实并不新鲜。而且与以前的灵异研究相比，一直以来的欺骗问题以及方法论上的错误依然存在。有人对莱因的超感知觉研究提出尖锐批评，认为除了纯粹的运气与真正的通灵力量，其实验结果也可能有其他的解释。尽管莱因呼吁科学家调查灵异力量的这种新形式，但怀疑主义者仍然指出其中存在很多方法论及统计学上的问题，这些问题使得他的实验结果也可以用其他平平无奇、不像超感知觉那样戏剧性的原因来解释。比如在一些实验中，参与者其实能够瞥到符号，或至少通过观察实验者的反应得到一些线索。又比如，拙劣的洗牌技术或许会

**齐纳卡牌**｜在上图中，莱因正在用齐纳卡牌进行一场实验。他拿下一张卡牌，幕布另一头的志愿者要尝试猜出这张卡牌的牌面。

**灵异研究**｜图中的艾德斯·赫尔（Edyth Hull）正在进行一场超感知觉实验。在实验中，她猜对了25张卡牌中的9张。这张照片最早刊载于1940年4月的《生活》（*Life*）杂志。

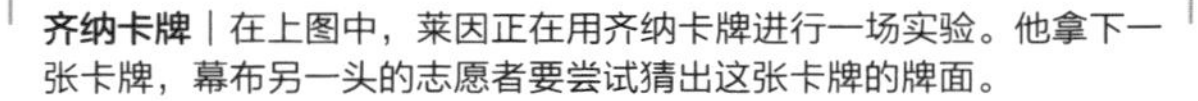

人们原以为……这些实验会遭受相当程度的怀疑……但是，自科学诞生之日起，人们就抱有这种期待。

——约瑟夫·莱因，1934年

IT IS TO BE EXPECTED...THAT THESE EXPERIMENTS WILL MEET WITH A CONSIDERABLE MEASURE OF INCREDULITY...BUT THIS [REACTION] IS AS OLD AS THE HISTORY OF SCIENCE.
JOSEPH BANKS RHINE, 1934

影响对结果的统计分析。值得肯定的是，莱因不断地调整他的体系，以此来回应各种各样的批评。但是，他控制的因素越多，实验结果就越趋于正常。而且，当其他研究人员想要重复他的实验结果时，也不断地遭遇失败。和此前的招魂术调查者相似，莱因坚持认为，大家之所以拒绝接受他的实验结果，是因为批评他的人都有些不理智的偏执。他甚至提出，重复他的实验之所以会失败，正是因为怀疑思维的存在，这会干扰一个人的超自然能力。

莱因终其一生都在研究超感知觉。20世纪60年代，他把在杜克大学的实验室搬到了一家独立机构——人类研究基金会（Foundation for Research on the Nature of Man）。这家机构延续至今，现名为莱因研究中心（Rhine Research Center）。这家机构还推出了一本专业学术刊物，名为《超心理学期刊》（*Journal of Parapsychology*），并存有大量关于超心理学研究的文献，售卖官方齐纳卡牌。

鉴于对莱因猜牌实验的严厉批评，现代的超心理学研究者们都放弃了此类实验——尽管卡牌在魔术文化中仍然有其立足之地。莱因为后世所继承的遗产之一是他的一个断言，即大众普遍具有超自然的潜能。他估计多达1/5的人都有开发出明显超感知觉的潜能。

186

**大众超感知觉实验** | 这些图画绘制于 20 世纪 40 年代中期至晚期，是唐纳德·J. 韦斯特博士（Dr. Donald J. West）实施的对大众潜在读心力的大规模研究的一部分。研究者们最终得出的结论是，没有证据能够证潜在的超感知觉广泛地存在于大众之中。

A large (church) bell ringing, so:
619
687
79

**实验摄影** | 这些照片是 P. S. 哈利和厄尔·吉尔摩研究亡魂摄影时制作的图片样本，制作于 1918 年至 1932 年间。上面的这张肖像照是哈利本人，由吉尔摩拍摄于 1932 年 12 月 8 日。在对页的这些照片中，视觉上更为奇特的两例是：

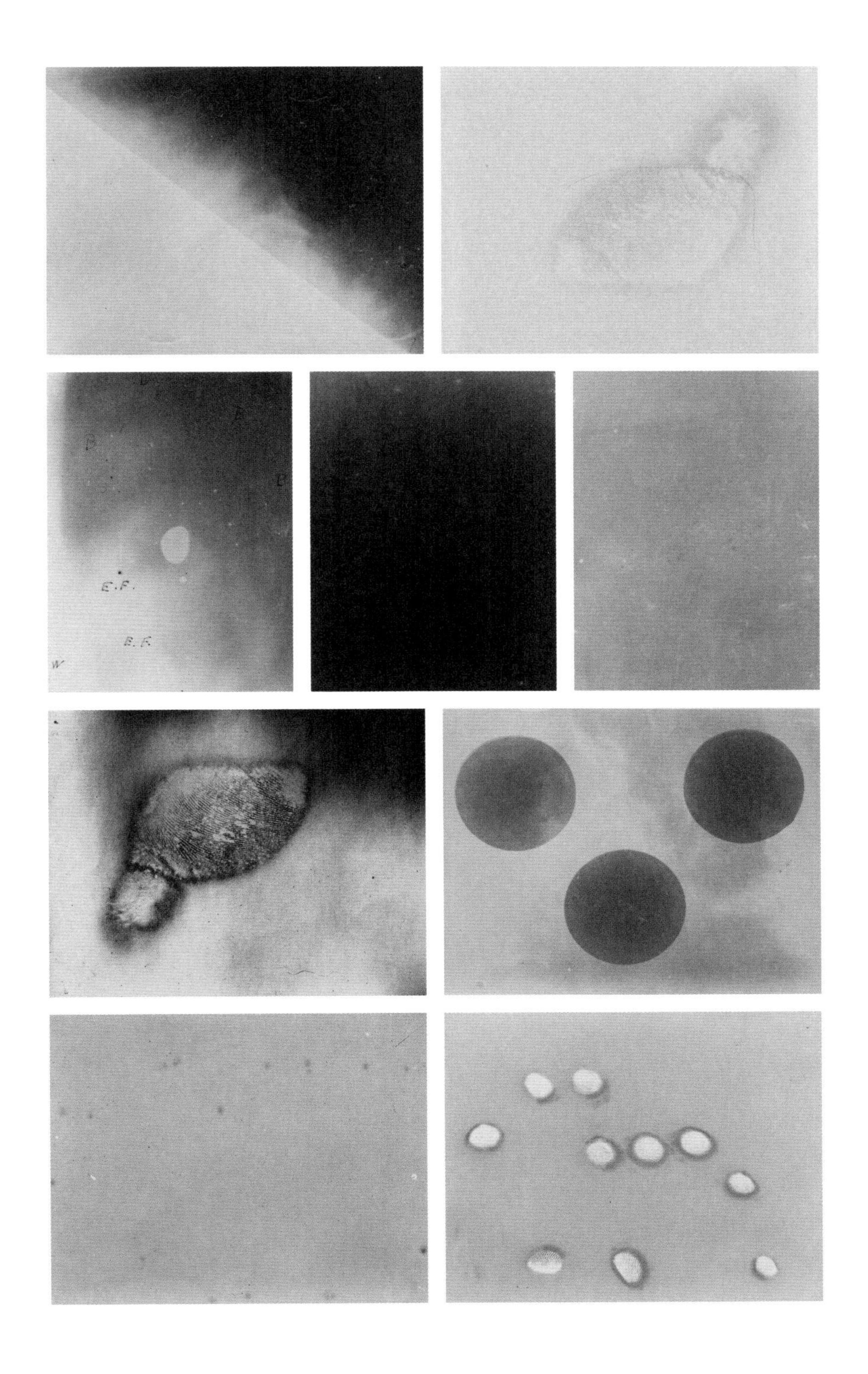


把拇指球放在显影液下的感光剂上，据说这样就能呈现出“体表的能量区”（第三行左图）；还有一系列“X 光片”，是哈利将自己的指尖放在显影液下的打印纸上制成的（最末行右图）。

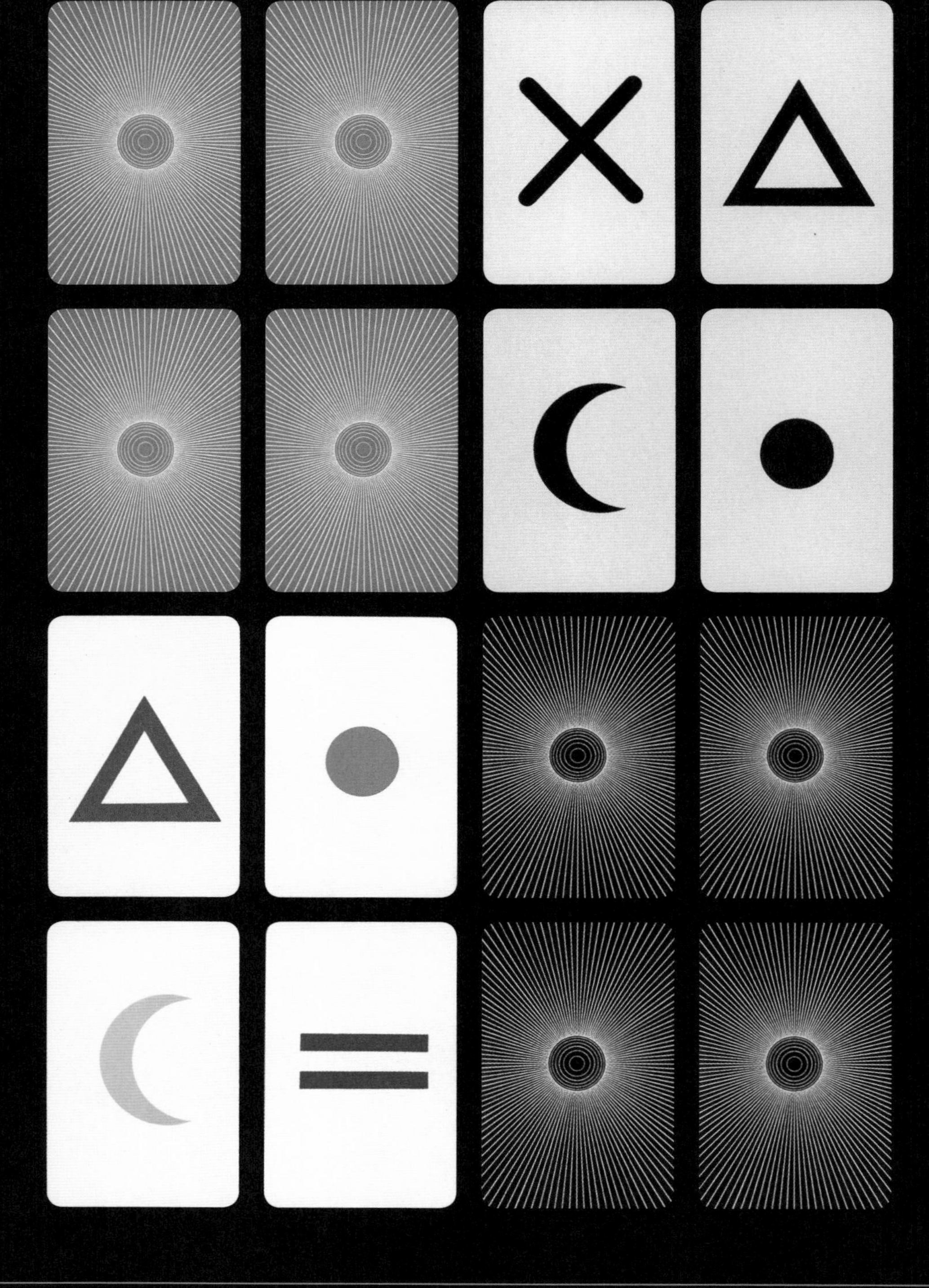

**读心卡牌** | 莱因 1937 年在杜克大学开创了官方的齐纳卡牌。哈利·普莱斯认为这套卡牌的设计不太合适，因为从背面能够看到牌面，所以他制作了自己的卡牌。普莱斯的卡牌保留了经典的齐纳符号，但背面是不透明的“令人眼晕”的图案

SCORING SHEET FOR "TELEPATHA" CARDS
NAME Telepathy DATE 26.4.39
C=THE CALLED SYMBOL A=THE ACTUAL SYMBOL TOTAL SCORE 41

SCORING SHEET FOR "TELEPATHA" CARDS
NAME Clairvoyance DATE April 19.1939
C=THE CALLED SYMBOL A=THE ACTUAL SYMBOL TOTAL SCORE 30

SCORING SHEET FOR "TELEPATHA" CARDS
NAME Telepathy DATE 26.4.39
C=THE CALLED SYMBOL A=THE ACTUAL SYMBOL TOTAL SCORE 31

SCORING SHEET FOR "TELEPATHA" CARDS
NAME Clairvoyance DATE April 21.39
C=THE CALLED SYMBOL A=THE ACTUAL SYMBOL TOTAL SCORE 28

SCORING SHEET FOR "TELEPATHA" CARDS
NAME DATE
C=THE CALLED SYMBOL A=THE ACTUAL SYMBOL TOTAL SCORE 31

SCORING SHEET FOR "TELEPATHA" CARDS
NAME DATE 27.5.39
C=THE CALLED SYMBOL A=THE ACTUAL SYMBOL TOTAL SCORE 29

SCORING SHEET FOR "TELEPATHA" CARDS
NAME 2 Self Clairvoyant DATE 6.5.39
C=THE CALLED SYMBOL A=THE ACTUAL SYMBOL TOTAL SCORE 19

SCORING SHEET FOR "TELEPATHA" CARDS
NAME DATE 27.5.39
C=THE CALLED SYMBOL A=THE ACTUAL SYMBOL TOTAL SCORE 35

**测试全民的灵异力** | 1939 年 3 月 10 日，哈利·普莱斯在《约翰奥伦敦周刊》（*John O'London's Weekly*）上提出要发起一场针对全民的测试，工具就是他的读心卡牌。上面的图片呈现了那一年测试得出的部分分数卡。

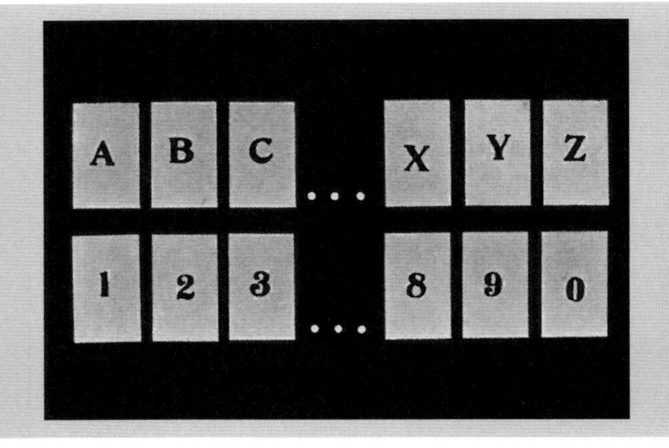


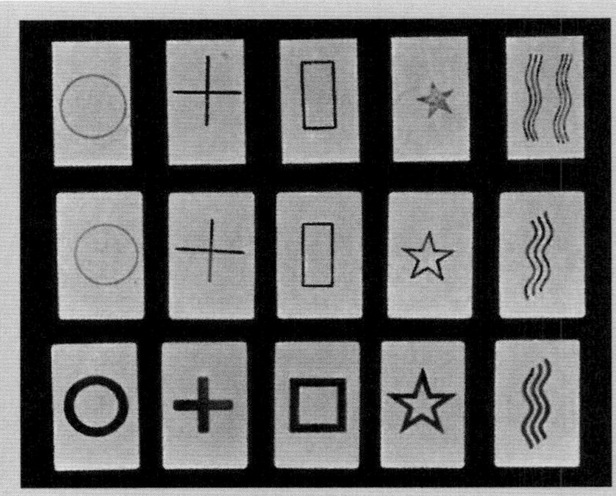

**莱因的卡牌** | 卡牌的设计变得醒目和简练。左图：用于 1930 年进行的最早的实验，莱因和同事们使用不同的卡牌，牌面包括字母和数字。右图：最上排是齐纳卡牌初版。星星和波浪线的图案后来发生了变化。莱因把下面两排简称为“超感知觉卡牌”。

尽管这一结论背后的科学原理充其量只能说是极为可疑，但是，与此密切相关的是大众对超自然现象从未停止过的兴趣。莱因也鼓励人们亲身去进行超心理学实验，并把齐纳卡牌实验手册公之于众。他指出，“拿这样一些简单的规则做调查，对人们没有任何坏处”，而且，“这也是很好的大众娱乐项目”。很多魔术师肯定对此深以为然。尽管在超心理学实验室中已不见齐纳卡牌的踪影，但在很多当代的魔术表演中，齐纳卡牌仍然是重要的道具，特别是催眠师很多时候都要用到——他们要想施展魔力，特别需要虚构的通灵力这样的观念来渲染氛围。

莱因之后的超心理学研究者不再关注猜牌，尽管猜牌实验是否反映出科学进步这一问题尚无定论。值得一提的发展是另外一个新名词的出现：自 20 世纪 40 年代起，超心理学家就将“超心理现象”（psi）一词作为一个总括性的术语，以囊括所有无法为当代科学所解释的超自然现象。与灵魂现身及超感知觉的调查类似，超心理现象调查也延续既有模式，提出惊人的主张，因此饱受方法论上的批评。举例来说，在 20 世纪七八十年代，物理学家赫尔穆特·施密特（Helmut Schmidt）试图用随机的数字生成器代替卡牌，以解决莱因的实验方法所存在的洗牌问题。他指出，人们能够从心理上影响数字生成器，而影响的方式与运气是截然不同的。另外两位物理学家，拉塞尔·塔格（Russell Targ）与哈罗德·普索夫（Harold Puthoff），通过演示千里眼，宣称确认了超心理现象的真实存在。在他们的演示中，在被限定于实验环境中、与外界隔绝的情况下，实验参与者似乎具备从心理层面感应千里之外信息的能力。在上述的两个例子当中，批评者如心理学家詹姆斯·艾科克（James Alcock）和统计学家、魔术师雷伊·海曼指出，这些实验在操作方法和分析上存在重大缺陷，使得研究者的结论完全站不住脚。

20 世纪 70 年代标志着对超自然现象研究的兴趣开始复兴。甚至连美国陆军都认为，他们在超心理研究上存在着差距，这使得他们可能无法抵御苏联的灵异攻击。他们通过一系列稀奇古怪的项目来弥补这个差距，将潜在的超自然现象武器化——也就是后来为人所知的“星际之门计划”（Stargate Project）。这个项目自 1978 年开始秘密进行，直至 1995 年才终止。计划终止之前的独立审查指出，那些年的实验皆无法确证超自然现象是真实存在的，更别说贡献任何实际层面的价值了。2017 年，美国中央情报局（CIA）在网上公布了这个项目的记录。记录显示了军队如何进行各种各样的尝试并遭遇失败，其中包括将千里眼作为一种谍报工具，以及将念力作为一种武器——其操作方式是让灵媒们盯着山羊，试图通过他们的意念力量让山羊停止心跳。

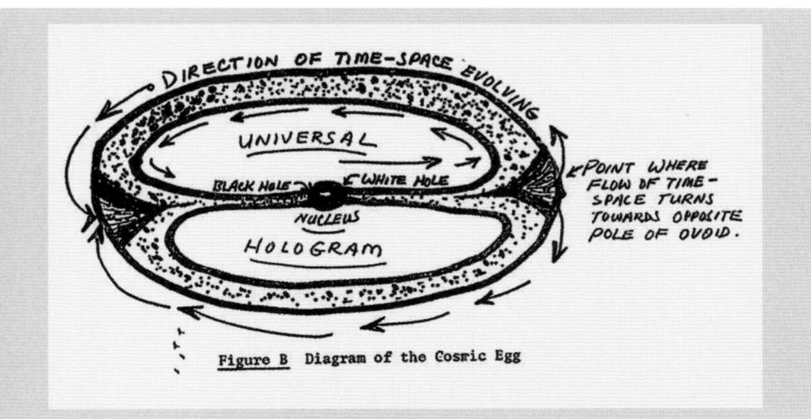

Figure B Diagram of the Cosmic Egg

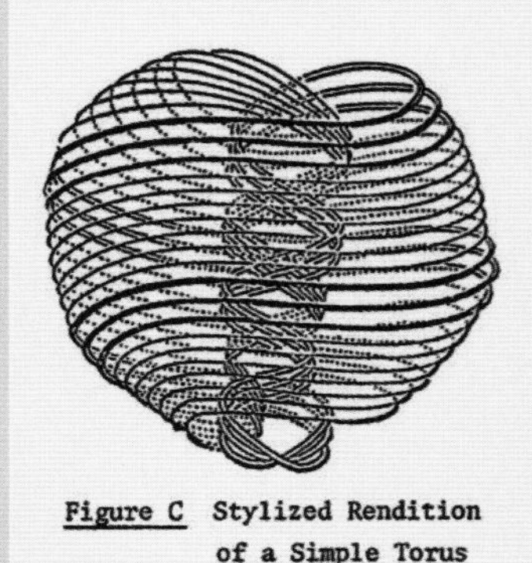
Figure C Stylized Rendition of a Simple Torus

**“星际之门计划”** | 在这项如今饱受诟病的计划进行的第一年，有251位候选人被选中——尽管他们当中有一半人认为，他们只是要参加一项调查而已。美国陆军尝试将那些曲解了这项研究的参与者清除出去——这些人对于灵异现象的态度不是过于排斥就是轻易相信。1995年，这个项目被废止了。这些插图是在研究期间绘制的。

文件还显示，在被招募进入“星际之门计划”的非军方人士中，其中一位是以色列人，名为尤里·盖勒（Uri Geller）。在被美军当作一种针对苏联的潜在的灵异武器之前，盖勒已经在世界范围内备受关注。他大张旗鼓地宣扬自己的超自然灵异能力，声称自己拥有各种超常技能，包括占卜、念力致动和读心术。在他标志性的念力致动表演中，他可以仅凭意念的力量把勺子及其他餐具折弯。为了展示他的精湛技艺，盖勒有时会邀请在家中观看他表演的电视观众把自家的银器拿出来，并保证他会在演播厅里将这些银器折弯。盖勒声称有一位女性电视观众试图起诉他，理由是在看了盖勒的演示之后不久，她就怀孕了。她认为，盖勒远程折弯金属的力量扰乱了她的子宫机能。盖勒最初取得的重大突破之一是得到了超心理学者安德里亚·普哈里奇（Andrija Puharich）的背书，普哈里奇说盖勒是一位真正的超能力者，并把他带到了美国。盖勒用看起来超自然的行为继续迷惑着美国的电视观众。普哈里奇声称，盖勒的行为在超自然现象的历史上是全新的。基于盖勒在被催眠状态下所做的采访，普哈里奇断言，盖勒的通灵能力来源于遥远的胡瓦星球（Hoova）上的外星智慧生命，是从稍近处的太空飞船上接收而来的。在盖勒的众多批评者中有很多魔术师和科学家，他们认为这些现象并不新鲜，只是过去的套路——用魔术把戏制造幻觉，使人误以为是神迹——的翻版而已。

对盖勒最直言不讳的批评或许来自魔术师兰道尔·茨温格（Randall Zwinge），他更为人们所熟悉的名字是詹姆斯·兰迪（James Randi）。继胡迪尼之后，对于声称自己具有超能力的人，他是最积极进行调查并提出质疑的魔术师。他作为一名魔术师和逃脱大师在全世界各地表演，舞台上的他被称作“神奇兰迪”（The Amazing Randi）。而且，在整个20世纪中期，他长期占据美国和加拿大的电视荧幕，出现在各种各样的电视节目中，包括他自己的《神奇兰迪秀》（*The Amazing Randi Show*）和儿童系列剧《神奇剧》（*Wonderama*）。1972年，兰迪作为揭穿者与尤里·盖勒公开对决，巩固了自己的声名。他重现了盖勒的灵异表演，包括在没有身体接触的情况下折弯金属的能力。1986年，兰迪被授予“麦克阿瑟天才奖”（McArthur Genius Grant），以褒奖他作为一名灵异现象调查者所付出的努力——他将科学方法与他对魔术技巧的了解结合起来，让大众认识到灵媒、信仰疗法治疗者及其他江湖术士的危险之处。

在揭发了盖勒之后，兰迪又揭发了在电视上大肆鼓吹自己的彼得·波波夫（Peter Popoff）。波波夫声称自己借由来自神灵的启示，能够读解观众的内心想法，以此表演来鼓动追随者为他的教会捐款。

兰迪和一组调查员通过电子装置拦截了波波夫的

192

**标志性魔术**｜盖勒的粉丝中有“魔术圈”的成员。魔术圈前主席大卫·巴格拉斯（David Berglas）就曾经评论说：“如果……他真的能用他所说的方法做到他所说的事情，那么这个世界上就只有他一个人能做到。而如果他是个魔术师，或者是大骗子、耍花招的人，那他也是现象级的——他达到了前所未有的高度。”

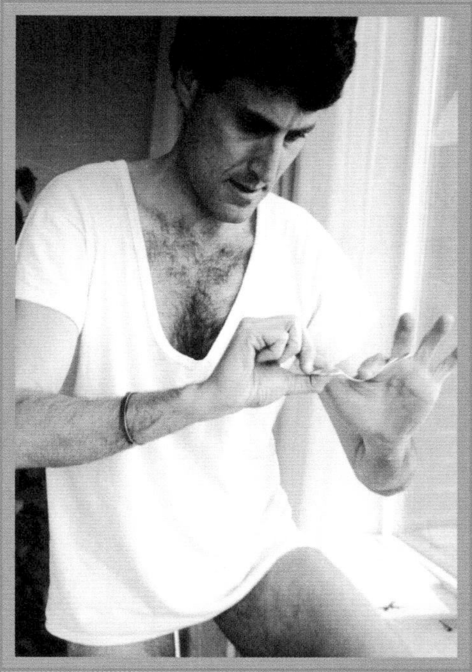

**表演中的盖勒** | 这些图片拍摄于 1985 年，这位以色列明星在镜头前进行着他的表演。他看起来像是中途停止健身进行表演的。尽管不断有科学家和魔术师质疑并揭穿他的“能力”，他也遭遇过滑铁卢，比如 1973 年在《今夜秀》（*Tonight Show*）上表演失败，但盖勒的职业生涯还是取得了现象级的成功，并跻身名流。

**闹腾鬼的案例**｜这些图片是 1977 年 10 月和 11 月在伦敦北部恩菲尔德格林街 284 号的霍奇森家里拍摄的。自 1977 年起到 1979 年，佩吉·霍奇森（Peggy Hodgson）的两个女儿——珍妮特（Janet）和玛格丽特（Margaret）——说她们看到玩具飘浮在空中，看到家具在移动（比如椅子翻倒在地），听到有人在敲墙。

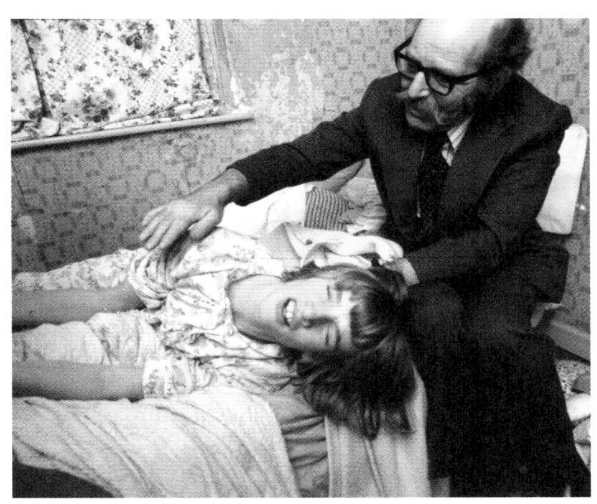

此事引起了国家媒体以及灵异研究协会的注意。协会的两位成员盖伊·里昂·普莱菲尔（Guy Lyon Playfair）和莫里斯·格罗斯（Maurice Grosse）参观了这座房子，说他们亲身经历了各种奇怪的骚动，包括两个女孩飘浮在空中，离地几米远。他们相信这座房子里确实有某种“存在”，虽然他们也怀疑这是两个女孩的恶作剧。

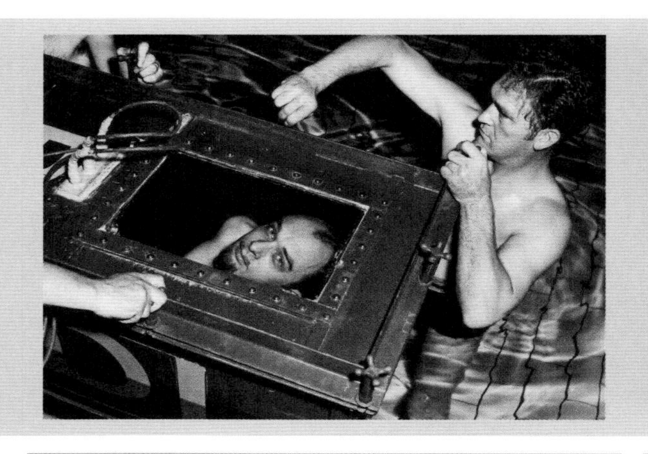

**逃脱术表演者**｜这张图片呈现的是 1958 年 10 月 14 日，在伦敦的一个游泳池中，神奇兰迪正从一个密封的棺材中向外看。他试图打破自己之前在水下待两个小时的纪录。

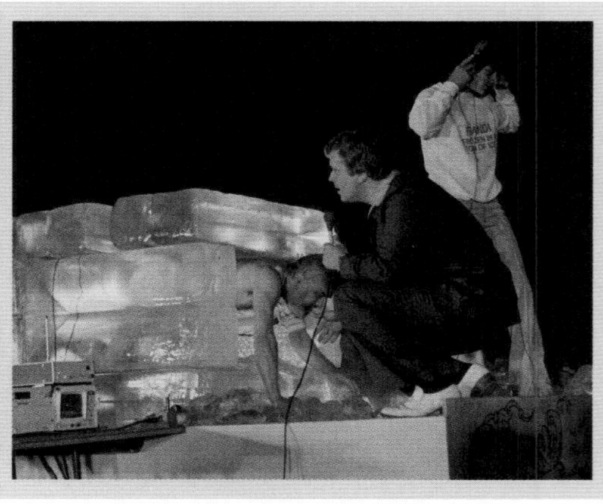

**冰块掩埋**｜1974 年 8 月 29 日，兰迪从美国波士顿公园（Boston Common）的一个冰制构造中爬了出来。他被掩埋其中长达 43 分零 8 秒，创下了历史纪录。

信号传输，证实了他所知道的信息实际上是他的妻子通过一个无线听筒提供给他的。魔术师亚历山大（Alexander）等表演者以前就用过这样的把戏。兰迪 2015 年正式退休，但是他的慈善机构——詹姆斯·兰迪基金会（James Randi Foundation）——继续支持与批判思维及科学推理相关的事业。如今，当代的表演者如魔术师佩恩·吉列特（Penn Jillette）和雷蒙德·泰勒（Raymond Teller），以及催眠师达伦·布朗（Derren Brown），都继续在公众面前揭露伪科学和所谓的灵异现象的欺骗性，并以此作为他们的主要工作。

兰迪打击灵异欺诈的行动不仅针对电视明星，他还特别批判了当代通灵学研究者的普遍行为。1979 年，他精心编排策划了一场骗局来展示他的批判。兰迪打算欺骗这个领域的调查者们——原因并不在于他想要证明超自然力的存在，而是因为他想要揭示研究方法的局限所在。这场骗局名为“阿尔法计划”（Project Alpha），针对的是华盛顿大学的麦克唐纳通灵实验室（McDonnell Parapsychology Laboratory）。到了 20 世纪 70 年代，随着尤里·盖勒一类人物的出现，现代的超自然概念，如心灵感应和念力致动，在通灵学的圈子里变得炙手可热。麦克唐纳实验室公开招募灵媒，于是兰迪秘密安排了两位假灵媒——史蒂夫·肖（Steve Shaw）和迈克尔·爱德华（Michael Edwards），作为志愿者加入。[肖继续以“班纳切克”（Banachek）为艺名，作为魔术师在活动。] 这两位年轻人自称确有通灵之力，他们抓住一切机会通过魔术把戏来欺骗实验室的调查员，并扰乱其评估结果。尽管实验室从未发表过任何正式声明，宣布肖与爱德华是真正的灵媒，但他们继续对二人进行测试，自 1979 年起持续了将近四年。1983 年，兰迪召开了一场新闻发布会。在发布会上，肖与爱德华当着记者们的面演示了他们的“超能力”。然后，兰迪公开宣布，他们二人是骗人的。由此带来的曝光导致基金会有所损失，同时也造成了麦克唐纳实验室的最终关闭。

兰迪的骗局是一个绝佳的研究案例，表明魔术师如何影响科学调查。一方面，批评家们认为兰迪精心策划的骗局本身就是不道德的——的确，如果兰迪是个科学研究者的话，他肯定会受到专业组织及学术机构的谴责。另一方面，作为一个局外人，他能够以一种戏剧性且强有力的方式，指出真人被试者参与的超自然研究可能存在哪些陷阱。

与 20 世纪七八十年代相比，超心理学研究在如今已经不那么流行了。但是，超心理现象所引发的争论，在 21 世纪仍有回响。2011 年，心理学家达里尔·贝姆（Daryl Bem）发布了一系列实验的结果。他声称，这些结果表明，他实验中的参与者们明显具有预知未来的能力。举例来说，他的研究项目之

**“阿尔法计划”** | 上图（从左至右）分别是史蒂夫·肖、迈克尔·爱德华以及詹姆斯·兰迪。兰迪雇用了肖和爱德华，让他们潜入麦克唐纳实验室内部，探查其对灵异力的研究。在四年的时间里，他们二人使得研究者相信，他们有着独特的天赋。但是，在1983年兰迪召开的新闻发布会上，肖和爱德华承认，他们有意欺骗了研究者。之后不久，实验室便关闭了。

一就是考察复述行为引发的“时间倒转效应”如何影响记忆。在通常的复述实验中，志愿者先是会看到一个词汇列表，然后要按要求复述这些单词。在复述测试中，如果参与者有机会在测试之前先预习一遍单词，就能够表现得更好。提前练习能够有更好的表现，这种观点可以说无可辩驳。但是，在贝姆的实验中，他指出如果参与者在测试之后再复习单词，那他们在记忆力测试中的表现也会更好——这个结果听起来违背了常规的科学认知，不仅仅是对人类记忆的认知，还包括对因果关系本身的认知。

在另外一个实验中，贝姆指出，参与者猜出色情图片隐藏处的概率要远高于平均概率。他认为，这说明人能够预测出明显表现性行为的图像。他的文章发表在美国心理学会（American Psychological Association）的同行评审期刊《性格与社会心理学》（*Journal of Personality and Social Psychology*）上。不出所料，这篇文章招来了漫天的批评。接下来尝试复制贝姆实验结论的人都不断地遭遇失败，这导致人们认为，他惊世骇俗的发现要归功于他收集与总结数据的方式，而非超心理现象本身。

至今，达里尔·贝姆的实验都未能促使很多研究者去重新思考因果关系的本质所在。然而，这些实验却使得很多心理学家去反思他们发布统计分析的标准。

**作为一个魔术师，我能够很清楚地看到两件事情：A）人们如何被骗；B）人们如何欺骗自己……后者要重要得多。**

——詹姆斯·兰迪，2007年

AS A MAGICIAN, I WAS ABLE TO SEE TWO THINGS VERY CLEARLY:
A) HOW PEOPLE CAN BE FOOLED, AND B) HOW THEY FOOLED THEMSELVES...THE SECOND IS FAR MORE IMPORTANT.
JAMES RANDI, 2007

一种祈求圣灵保佑的基督教仪式，通常也用
照片 1946 年拍摄于肯塔基州。

**对页：疗愈之后** | 一个女人在接受信仰疗愈
的地板上休息，旁边有一个好奇的孩子在看着

# ACT 5 THE PSYCHOLOGY OF ILLUSION

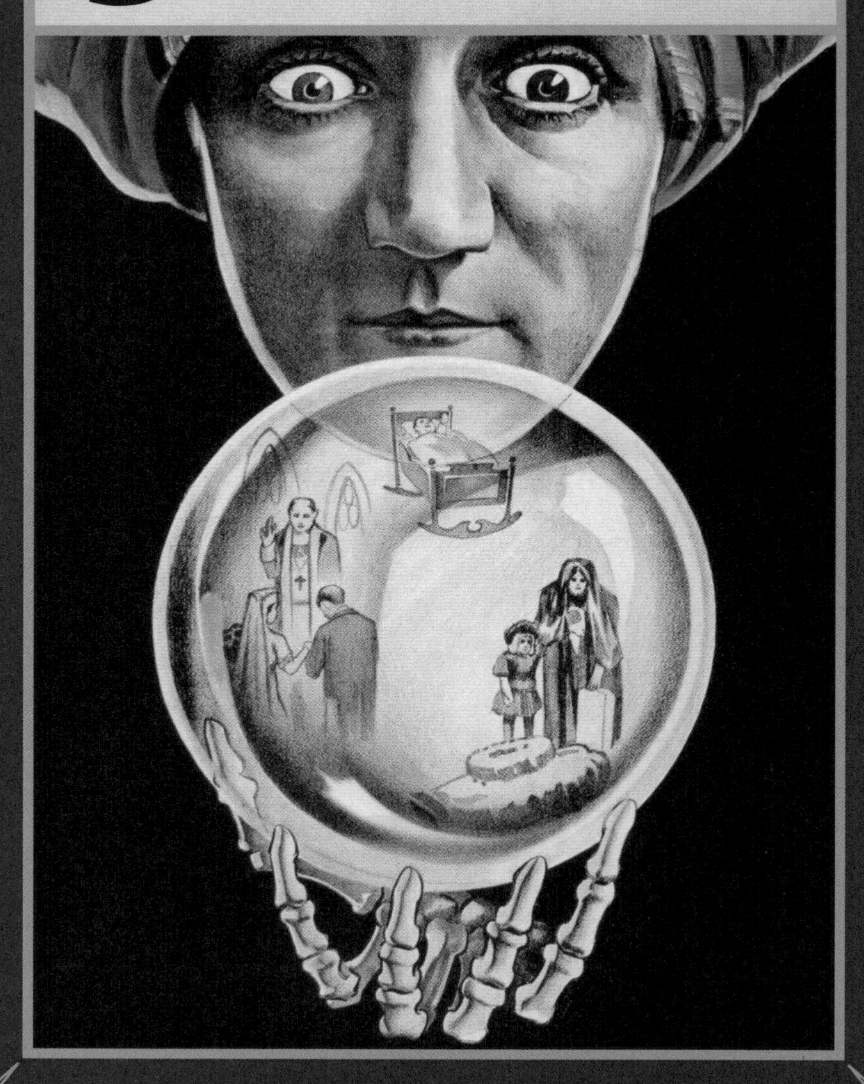

第五幕

# 幻觉心理学

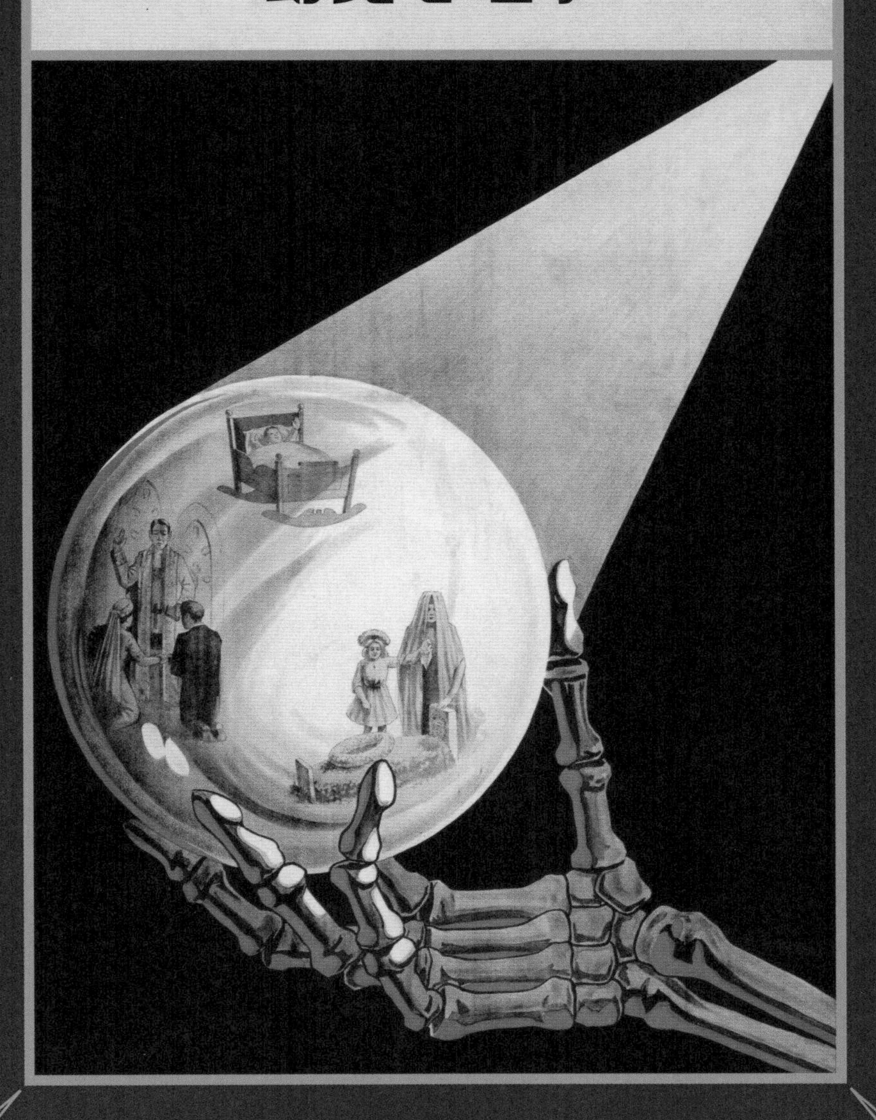

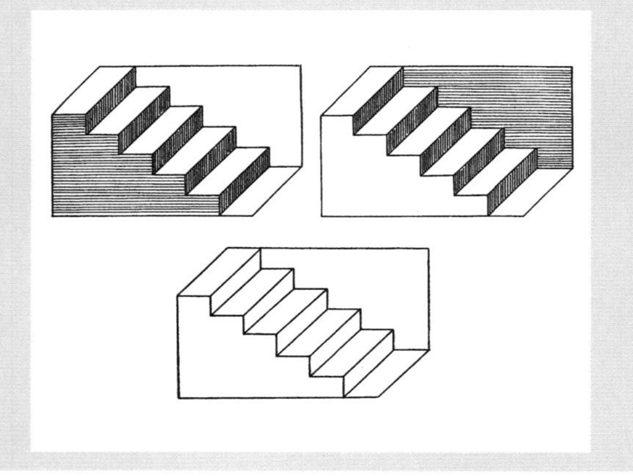

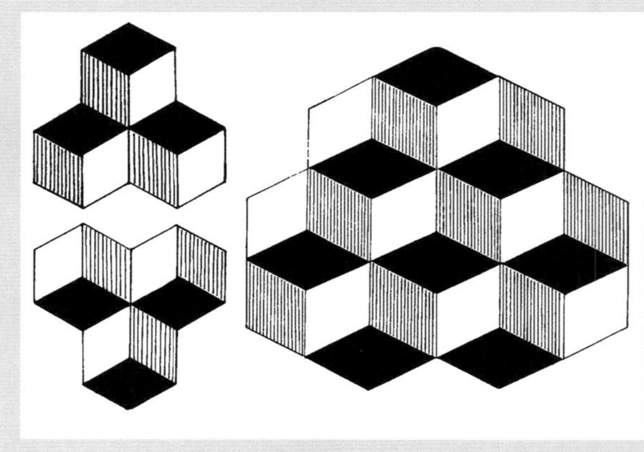

**愚弄眼睛** | 左图：一个简单的视幻觉例证，可以看作不同的三维形状——既是从右向左的台阶，也是从下面看到的悬空的台阶。右图：这堆箱子看起来既可以是六个，也可以是七个。左边的两个图形呈现了观看这堆箱子的两种方式。

1879 年，美国神经学家乔治·M. 比尔德（George M. Beard）提出，对招魂师的主张进行系统性的考察，能够为社会带来一场彻底的新科学革命。这并不是带我们走进亡者的世界，而是认识生者的神经系统。比尔德预言，一旦我们充分认识了我们的认知和感知，“所有人就会明白，灵魂栖居在大脑的细胞中”，而且，“闹鬼的并不是我们的房子，而是我们的大脑”。

如今，实验心理学已经成为一门公认的科学，研究者们对看似奇特的现象背后的心理学解释有了更为丰富的认识。尽管这些解释无法彻底排除超自然现象发生的可能性，却能够提供更为审慎的解决方案——这些方案言之有理，建基于我们对自然世界的现有认识之上。约翰·佐尔纳提出了第四维度灵魂，在推广这一理念的过程中，他坚持认为，用自然原理对他的灵媒研究进行解释和分析，“远不及这些事实本身令人惊叹”。我们或许可以套用他的话说，对于他的灵媒研究，将其解释为头脑中的把戏，比解释成超自然现象更令人惊叹。

在现代实验心理学下面还有一个分支学科，研究个体“怪异、奇特经历”的相关问题。这个学科名为“异常心理学”（anomalistic psychology）。伦敦金史密斯学院异常心理学研究室的创始人克里斯托弗·弗伦奇博士（Dr Christopher French）写道，这门学科“试图用已知的（或可知的）心理及身体因素，来解释超自然现象及相关的信仰，以及看似超自然的经历”。异常心理学家试图将心理学其他方面及神经科学的知识，运用于超自然事件的研究上。

举例来说，很多人都说自己晚上在卧室里看到过鬼影：他们醒来时看到影影绰绰的人影，眼睛发出微光；又或是看到自己已故的亲人坐在床角。更吓人的是，还有人说这些深夜来客会侵犯他们的身体，甚至压住或扼住他们。这样的遭遇有很强的真实感，通常被归结为灵异现象，似乎无法进行合理的解释。

然而，事实证明，成年人的大脑即使运转正常、没有疾病，也未必总是能在睡眠状态和清醒状态之间平稳过渡。因此，在某些时候，当我们快要醒来时，我们梦境中的内容会进入我们的意识之中，产生幻觉，这是再正常不过的事情。对此类幻觉的归类基于其发生的时间与睡眠周期之间的关系。快要睡着的时候所发生的是“入睡前幻觉”，将醒未醒的时候所发生的是“醒前幻觉”。

更为奇怪和吓人的是“睡眠麻痹”。所谓“睡眠麻痹”，可以被当作梦游的反面，即一个人醒了过来，却动不了身。这是一种再正常不过的神经现象，甚至并不少见。据专家估计，有多达 50% 的人会在一

**二合一** | 左图：这些图形可以同时看作黑底白画或是白底黑画。如果第二个图形被看作黑底白画，那四条垂直的线看起来就是平行的。

右图：画中的图案既可以当成前景，也可以当成背景。这表明，即便在图像本身并未发生变化的情况下，我们也可以用不同的方式来进行视觉感知。

**（招魂术）最大的罪过……在于……助长了一种反科学心理，试图通过情绪而非智识去探索真理。**

——乔治·比尔德，1879 年

[SPIRITISM'S] WORST EVIL... HAS BEEN...THE FOSTERING OF THE UNSCIENTIFIC SPIRIT, THE ATTEMPTING TO SEEK TRUTH THROUGH THE EMOTIONS RATHER THAN THROUGH THE INTELLECT.

GEORGE BEARD, 1879

生中经历至少一次睡眠麻痹，大约 75% 的睡眠麻痹在发作时都会伴有栩栩如生的幻觉。

睡眠引发的幻觉，只是健康的成人体验栩栩如生的幻觉现象的多种方式之一。一项最新的研究揭示了一个人怎样通过一面镜子来模拟自己的灵异体验。2010 年，认知心理学家乔瓦尼·卡普托（Giovanni Caputo）报道了一则现象，他称之为“镜中幻象：陌生的脸”。卡普托描述了一种新方法，能够将强烈的视幻觉植入健康、清醒的参与者脑中——而且，这个方法简单易行，每个人都可以自己在家实验。要体验这种效果，你只需一个黑暗的房间、一面镜子以及一个光源。对大部分人来说，一间浴室和手机上的手电筒功能就够了。要么等到天黑，要么把浴室窗户都遮起来，然后把手电筒打开。你需要在镜中看到自己的脸，但是光线又要暗，暗到你只能辨别明暗的程度即可。你可以把手机放在身后的地上。你的脸被微微照亮，但是光源本身不能出现在镜中。把这些都布置好之后，在你的脸上选定一个位置——比如额头或是鼻子。具体哪个位置并不重要，重要的是在你盯着这个位置的时候，要尽可能不转动眼球，不眨眼睛。

盯着这个位置一动不动。等待。奇怪的事情很可能会发生。在卡普托的测试中，有 66% 的参与

204

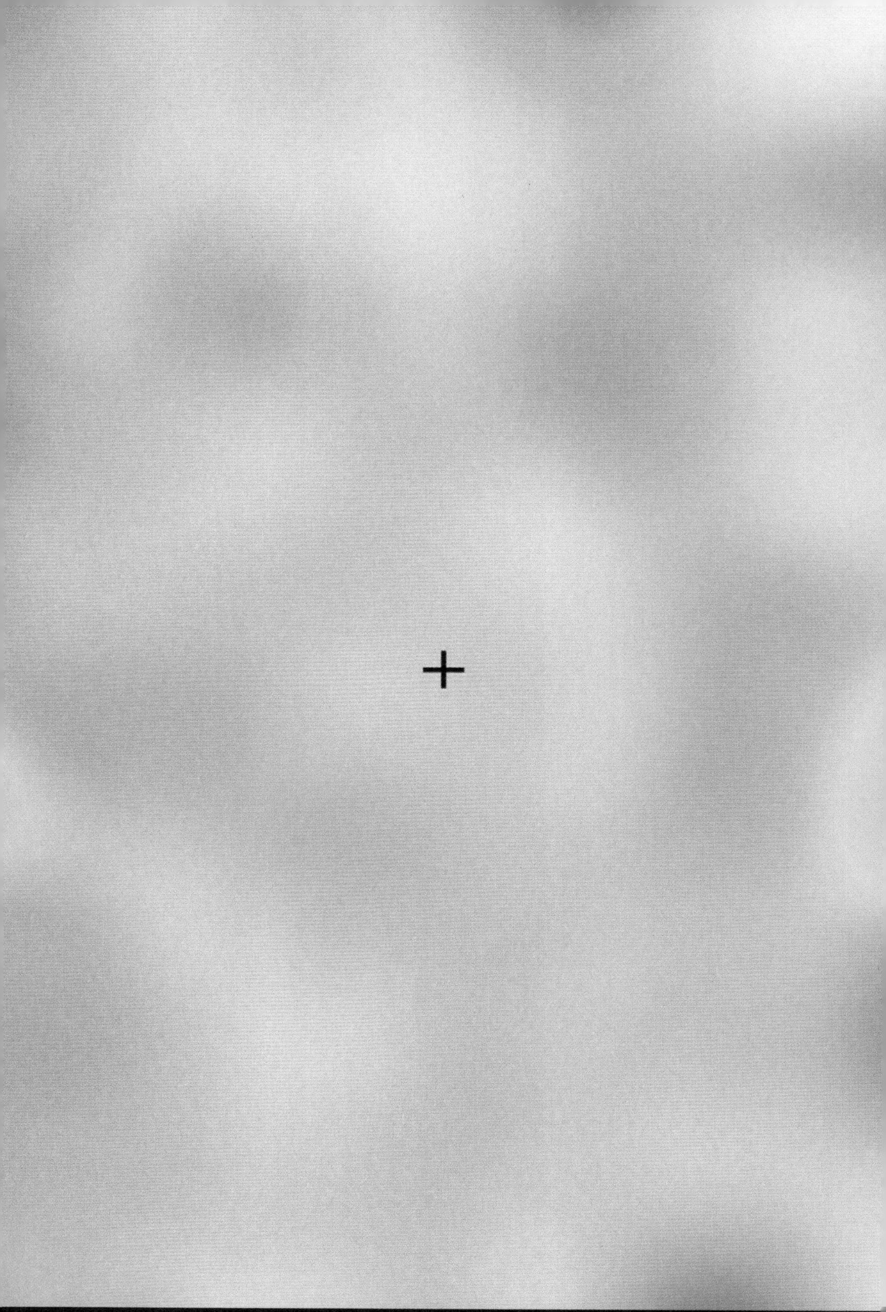

**效应** | 这一现象是以瑞士医师伊格纳兹·特克斯勒
oxler）的名字来命名的。如果你盯住图像中间的十

字，尽量不眨眼睛或转动眼球，图像的颜色就会逐
知觉中消失。如今，这一现象被认为是神经适应的

**异常运动幻觉** | 日本京都立命馆大学综合心理学部的北冈明佳教授创作了这件非凡的艺术作品，看起来是由运动的元素构成的，名为《旋转蛇》（*Rotating Snakes*）。圆形在自动且互不干扰地进行旋转。

**运动视幻觉** | 这些图像出现在H. P. 鲍迪奇（H. P. Bowditch）和G. 斯坦利·霍尔 1892 年发表于《生理学期刊》（*Journal of Physiology*）第 3 辑第 5 期的一篇文章中。这两位科学家描述了一系列实验，在这些实验中，他们成功地让参与者产生了运动视幻觉。

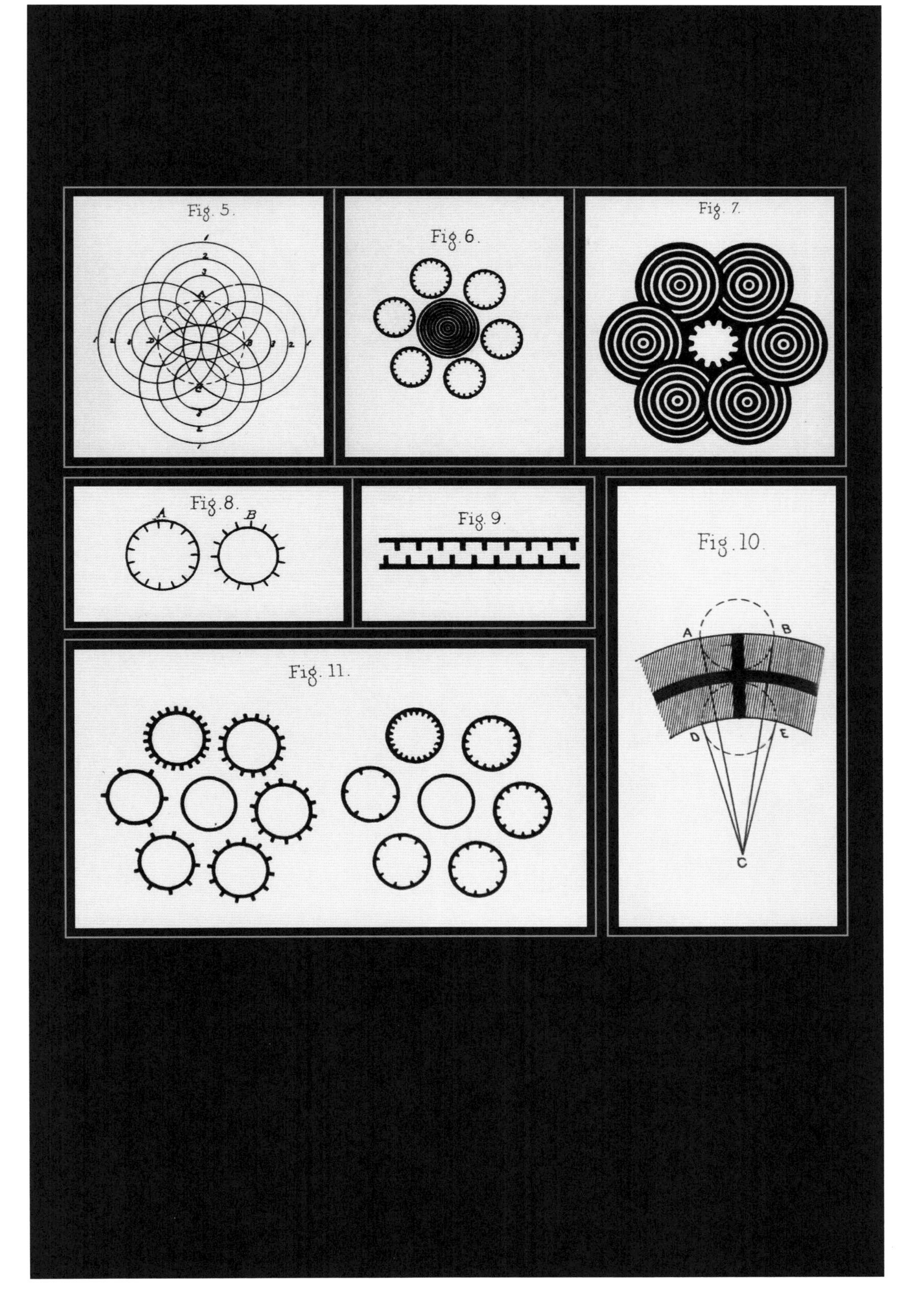
Fig. 5.
A
B
C
D
Fig. 6.
Fig. 7.
Fig. 8.
A
B
Fig. 9.
Fig. 10.
A
B
C
D
E
Fig. 11.

SOME OBSERVERS FELT THAT THE 'OTHER' WATCHED THEM WITH AN ENIGMATIC EXPRESSION...SOME...SAW A MALIGN EXPRESSION...AND BECAME ANXIOUS.

GIOVANNI BATTISTA CAPUTO, 2010

**一些观察者觉得，这个“他者”用神秘的表情看着自己……还有一些（观察者）……觉得表情邪恶……然后就心慌起来。**

——乔瓦尼·卡普托，2010 年

者都看到自己的面部特征极度扭曲，比如眼球鼓起，或是下巴拉长。这部分人中还有 45% 的人看到的是从没见过的奇特生物或是妖魔鬼怪的脸。

这种幻觉背后具体的心理学机制尚未完全明确——卡普托的实验关注的是如何引发这种现象，而非这种现象为何会产生。但是，已知的人类感知原则能够给出一种合理的、非超自然的假设，以解释这样无中生有的图像是怎样清晰地出现在你的镜子里的。

第一条原则名为“特克斯勒消逝效应”（Troxler’s Fading），是根据瑞士医师伊格纳兹·特克斯勒的名字来命名的，他在 1804 年发现了这一现象。特克斯勒指出，如果你盯住一个特定的点，眼睛一动不动，你看到的画面就会逐渐从眼前消逝。拿第 200 页的插图试试吧：盯着图像中间的十字，注意观察色彩是如何从图像中消逝的。今天，我们知道这种效应与所谓的神经适应性有关：我们的感知体系能够在受到刺激后进行调节并发现变化之所在，因而，固定的、不变的刺激会逐渐从我们的认知中消逝。（你或许不会意识到你的脚上穿了袜子——直到你读到了这句话。）通常情况下，作为对特克斯勒效应的补偿，我们的眼睛会移动，作为某种对视觉图像的刷新。但是，强迫眼睛保持一动不动就会引发这一效应。

第二条原则是“空想性错视”（pareidolia），它指的是大脑倾向于在混乱或嘈杂的刺激中发现一些固定的模式。在很多方面，这都是适应性心智的一种表现——快速发现有序的结构在某些情况下多有裨益。但反过来说，对模式过度敏感则会产生错误认知。举例来说，我们通常对面孔特别敏感。的确，现代神经科学也揭示出，我们的大脑有一个特殊的神经器官，适用于辨别面孔。这种对模式的敏感性解释了人们为何会在一块烤芝士三明治上看到圣母玛利亚的形象，或是在一张斑驳不堪的照片的斑点上看到一位已故亲人的脸。

“镜中幻象：陌生的脸”或许是“特克斯勒效应”与“空想性错视”共同作用的结果。盯住你脸上的一个特定点会引发“特克斯勒效应”，导致你觉得自己的镜像开始变得扭曲。此时，“空想性错视”发生了：面对（你的脸的）扭曲图像，你的大脑倾向于锁定一个模式——而有的时候，大脑能够想到的最合适的模式就是一个可怕的形象。

我们可以把幻觉定义为违背现实的感知。这种现象很有趣，但大多数时候被忽视或摒除在思考范围之外。其实它们远非神志的偶尔失常，而是心理学研究的宝贵材料，可以帮助揭示人类感知、认知及记忆的奇怪之处和局限性。

作为例证，让我们把注意力转向对页的那张图。看过图之后，请闭上眼睛，然后试着在脑中重建那张图。很多观看者认为，他们看到的是一个短语，还有一些简单的几何图形。如果更具体地描述，他们可能会说图像中包含手写的短语“春天的牛津”（Oxford in the Spring），而且这些文字叠加在两个交叠的三角形上。上面这两种来自观看者的回答，没有一种是对的。

**认知怪癖** | 最上面的图形既呈现了错漏幻觉，也呈现了投射幻觉。很多观看者一开始都不会注意到句子当中多出来的一个“的”。他们还会在文本的背景中看到两个交叠的三角形，但事实上，这个图形是由三个“V”字图形和三个“吃豆人”构成的。

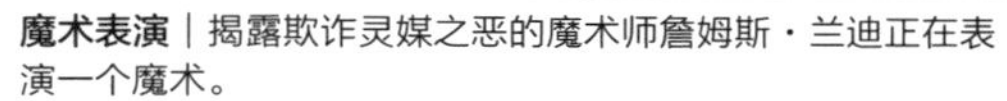

**魔术表演**丨揭露欺诈灵媒之恶的魔术师詹姆斯·兰迪正在表演一个魔术。

**寓教于乐**丨近四十年前，魔术师佩恩与泰勒因为他们的魔术喜剧表演以及为揭露欺诈而做出的努力闻名全世界。

这张图像呈现的第一种幻觉类型是错漏幻觉（illusion of omission）。对页中间的图清楚地说明，图中的短语实际上是“春天的的牛津”（Oxford in the the Spring）。然而，很多人都没能看到有两个“的”。我们不能将这种错误归结为视觉处理过程中的问题：图中的文字并没有出现在视觉范围之外，文字并没有模糊，也不是在眼前晃了一下就拿走了。相反，它似乎是因为不在预期之内，而被隐藏了起来，或是变得不可见。错漏幻觉说明，简单的观看，或是将一个人的视线引向某物，并不一定能让他注意到这个东西。

这张图像呈现的第二种幻觉是投射幻觉（illusion of commission）——“看到”并不真实存在的某物。前页中的底部图说明，我们明确“看到”的顶部图中的两个三角形，实际上并不存在。这部分图像演示了“卡尼萨三角”（Kanizsa Triangle）效应，这是根据意大利艺术家、心理学家盖塔诺·卡尼萨（Gaetano Kanizsa）的名字命名的，他在1955年首次呈现了这种幻觉。尽管这个图像实际上是由三个“V”字图形和三个“吃豆人”构成的，但它们合在一起之后却能给人带来强烈的幻觉，似乎看到了不存在的轮廓。这种感觉太强烈了，以至于不存在的轮廓所激活的大脑区域和真实的轮廓一样。投射幻觉表明，我们的感知体验不仅仅是由我们周遭的信息建构出来的，其他认知因素也会影响这些体验。换句话说，你所“看到”的不仅仅源于你的直接感知体验，同时还由记忆和猜测构成。在描述这种幻象时，研究者们使用的另外一个术语是“变形知觉”（amodal perception），即不直接源于环境信息的知觉体验。

错漏幻觉和投射幻觉都代表着研究者所说的“自上而下加工”（top-down processing），即源于内在心智（如记忆和期待）的知觉。相反，“自下而上加工”（bottom-up processing）则源于我们从周遭环境中所提取的信息。尽管感觉上我们的知觉是在不断重复自下而上的加工，从而忠实地反映现实；但实际上，我们所感觉到的大多数外在现实，都是自上而下与自下而上加工同时运作的产物。

这幅图像产生的第三种效应是，前两种幻觉都会让我们感到出乎意料、非常惊讶：对于体验过这些幻觉的人来说，错漏了那个“的”或是“看到”三角形三条边的过程会令他们感到不安；而没经历过这些幻觉的人或许会惊讶于其他人竟会有这样的经历。我们对自己知觉的期待与现实情况所表现出的差异，可以归类为“元认知幻觉”（metacognitive illusion）。简单地说，元认知指的是我们有关自己认

**云中的面孔** | 这张图片呈现了“空想性错视”——从随机事件中看到固定模式（在此处看到的是一张人脸）的现象。

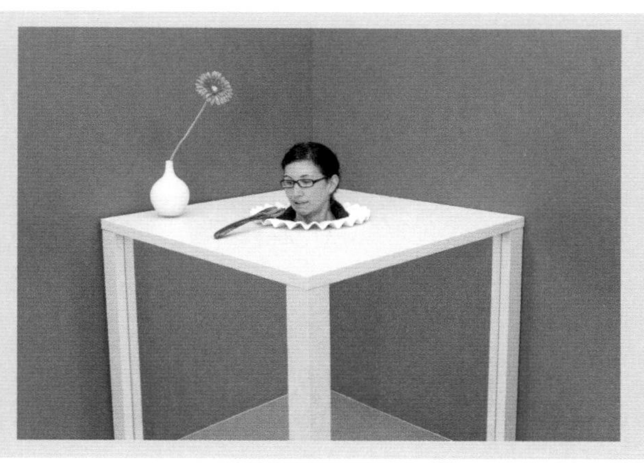

**盘中的脑袋** | 一种现代的斩首幻觉。这种效应通过将镜子摆放在特定位置，导致身体的下半部分从视觉当中消失。

知过程的观念和知识，或者说“有关思维的思维”。因此，元认知幻觉是我们对于我们自身思维过程所持有的错误观念。元认知幻觉这个概念会特别影响到对超常现象或超自然体验的考量。

感知与记住我们周遭的过程显得非常简单和自然，但事实上，这些过程牵涉到极其复杂的生物和计算机制。在我们感知上述例证中的图形以前，我们必须首先将目光投向它。光线会从页面上反射回来，进入我们的视网膜。通过视网膜，光线转换成了化学和电子能量，通过视觉神经进行传输，经过眼球进入后脑。在那里，大脑开始进行处理。这个处理过程牵涉到各种大脑系统，这些系统是由数百万个神经细胞构成的。输入的视觉信息不仅会与其他感官所获取的信息进行合成，还会与内在生成的信息——即你已有的知识和你对未来的预判——进行比较。这些元素共同构成了你的意识体验。这一整套过程给人感觉毫不费力，这本身就是一种元认知幻觉，有时也被称作“大幻影”（Grand Illusion）。

针对这样的体验进行的实证研究面临一个问题：实验室条件下的人造幻觉与我们日常生活中的经验有多大的关系？在何种程度上，我们能够通过“春日的的牛津”图这样的例证——简单的文字和几何

**视觉脑接收到的并非客体，而只是碎片性的证据，用以推断或猜测那是什么。**

——理查德·格里高利，2009年

THE VISUAL BRAIN DOES NOT RECEIVE OBJECTS,
BUT ONLY BITS AND PIECES OF EVIDENCE FOR INFERRING OR GUESSING WHAT MIGHT BE OUT THERE.
RICHARD GREGORY, 2009

IT TURNS OUT THAT PRETTY
MUCH ALL OF OUR PERCEPTION
IS AN ILLUSION,
WHETHER WE'RE WALKING
DOWN THE STREET OR
ATTEMPTING TO
SUSS THE LATEST CARD TRICK.
GUSTAV KUHN, 2016

**我们发现，我们所有的知觉几乎都是幻觉——不管我们是在街上行走，还是试图了解最新的扑克魔术。**

——古斯塔夫·库恩，2016 年

图形——得出结论？如今，越来越多的科学研究者转向了魔术，以帮助解答这些问题。

直至晚近，才有少数心理学家将魔术加入实验。而且，这些已有的实验更多地是将魔术作为灵异经历的样板。举例来说，1944 年，弗里德里克·马尔库塞（Fredric Marcuse）和莫顿·彼特曼（Morton Bitterman）这两位心理学家，就向他们所教的大学生介绍了两位特殊的客座讲师——灵异研究的先锋人物。讲师们演示了"真正的"灵异现象，包括读心术以及在一场黑暗中的降灵会上让亡灵现身。在讲座的最后，超过一半的学生都表示，他们"相信"他们刚刚所看到的是"真实存在的灵异现象"。然后，实验者又揭示说他们的演示是一场骗局，是魔术把戏，其目的是说明灵媒的骗术有多么令人信服。

近四十年之后，1980 年，维克托·贝纳西（Victor Benassi）和巴里·桑热（Barry Singer）在他们的大学心理学课堂上进行了相似的伪灵异演示。他们给学生们带来了一位名为克雷格·雷诺兹（Craig Reynolds）的超能力者，他能以念力折弯一根铁棍。同样地，绝大多数学生都认为自己见证了一场真正的超能力表演。近来，在整个 20 世纪 90 年代以及 21 世纪初期，魔术师、心理学家理查德·怀斯曼让我们看到，现代的观众仍然会上当，将魔术与真实的事件混为一谈。

研究者们继续通过魔术师的路数来研究反常体验，同时深入了解日常感知。当前，实验心理学正处于一场"魔术之科学"的复兴之中。自 2000 年起，相较于 21 世纪之前发表的所有实验成果，探讨表演性魔术的实验科学文献数量增加了不止四倍。尽管早期心理学家对魔术有强烈的兴趣，但对于 20 世纪的大多数心理学家而言，表演性魔术在很大程度上被忽视了。一些科学历史学家提出，心理学家回避魔术的概念，是为了将他们的学术领域同他们眼中的非科学工作——灵异研究或超心理学——区分开来。但在今天，研究者则越来越多地转向了魔术技法，以研究人们观看、推理和记忆的途径。在世界各地，魔术表演出现在教室、实验室、学术会议上，并且在同行审议科学出版物中占有越来越重要的地位。

2007 年，意识科学研究协会（Association for the Scientific Study of Consciousness）——一家由心理学家、神经学家和哲学家组成的专业学术机构——在拉斯维加斯召开了一次会议，会上有"神奇兰迪"和雷蒙德·泰勒（"佩恩与泰勒"中的一员）等魔术师的演讲。2017 年，新成立的机构魔术科学协会（Science of Magic Association）在伦敦举办了首场年会。参会者有传奇魔术师胡安·达马利兹（Juan Tamariz），以及来自各国的众多魔术师、学者和学者兼魔术师——他们都致力于拓展对魔术的本质、功能以及潜在机制的理解。

自招魂术的兴起及早期灵异研究者的调查起，我们对幻觉背后的心理学机制的科学认识已经走过了很长的历程。在很多情况下，魔术师所发明的技法都预示了与人类感知及认知相关的科学发现。"公主纸牌魔术"就很好地说明了这一点。（在继续阅读

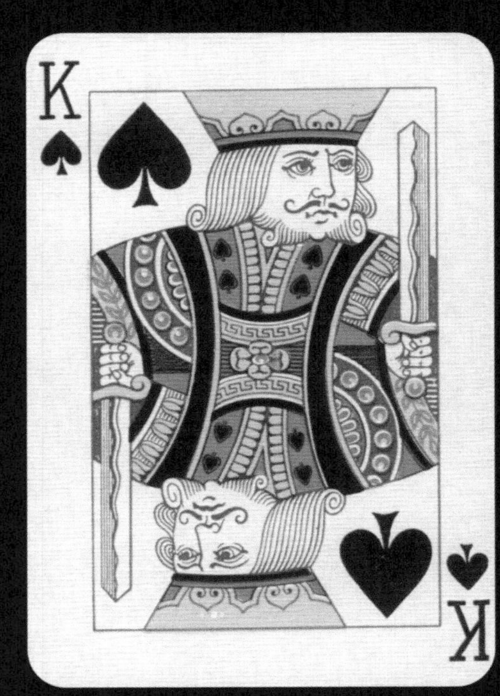

**公主纸牌魔术（第一部分）**｜魔术师长久以来都了解——并利用——人类认知的缺陷及不可靠性。不信请看这个：选择一张卡牌！首先，从本页列出的四张卡牌中选择一张。花一点时间把牌面牢牢地记在心里。完成这一步之后，翻到下一页。

主纸牌魔术（第二部分）｜现在只剩下三张扑克牌：你选的那张没有了！魔术师几百年来都在表演这一魔术，但是心理学家直到近期才认识到这一魔术反映出的人类意识，以及“变化盲视”的概念，具体解释请参阅第 211 页。

**手比眼快这一观念完全是错误的……这与速度无关，完全是注意力控制。**

——罗纳德 · 伦辛科，2009 年

THIS IDEA OF THE HAND BEING FASTER THAN THE EYE IS COMPLETELY WRONG...SPEED HAS NOTHING TO DO WITH IT. IT'S ALL ATTENTION CONTROL.
PROFESSOR RON RENSINK, 2009

下文，了解这个魔术的原理之前，务必先玩玩这个魔术！）

首先，先看看对页的四张牌，再选择其中的一张。记住你选的这张牌。现在，闭上你的眼睛，回想这张牌。之后，再翻到下一页，你会发现只有三张牌，你选的那张牌没有了。魔术师似乎能猜中你脑中想的东西。

这个魔术背后的方法是在第二次展示纸牌时把第一次展示的所有牌都替换掉。1909 年，托马斯 · 唐斯首次在公开出版物中描述了这个魔术，并将其发明归功于他的魔术师同行亨利 · 哈丁（Henry Hardin）。

如果从实验心理学的角度来理解这种错觉，我们或许可以说这是错漏幻觉的又一例证。更具体地说，这个魔术向我们呈现了所谓的“变化盲视”（change blindness）：观看者在场景转换后无法发现所发生的变化，如果这些变化伴有视觉干扰的话。罗纳德 · 伦辛科（Ronald Rensink）教授与他的同事们最早提出了这一术语。他们在 1997 年发明了一种简单的视觉测试，名为“闪烁范式”（flicker paradigm）。“闪烁范式”需要让参与者观看一系列循环图像：先是一张一闪而过的照片，接下来闪过一片空白，然后出现第二张（修改过的）照片，之后又是空白。这样周而复始，直到参与者能够辨别出第一张照片和第二张照片的区别。

值得注意的是，“公主纸牌魔术”事实上要比“变化盲视”这个概念的提出早八十八年。换句话说，魔术师们制造出一种强烈的、可复制的错觉，而其背后的原理要等到近一个世纪之后才被科学家们正式确认。这并不是说魔术师就必然对“变化盲视”背后潜在的认知机制有透彻的了解，对魔术表演来说，这样的了解是毫无必要的。但是，这的确又说明，关于魔术表演的记述为研究人类认知及感知提供了丰富且尚待探索的资源。

这个魔术还呈现出“变化盲视”有趣的另外一面，即魔术表演进行之时，其中的把戏对观看者而言是难以想象的——因为观看者不相信所有的卡片能被全部换掉而不被他们发现。这种某事不可能发生的错觉是元认知幻觉的另一例证，被称为“变化盲视盲视”（change blindness blindness）。此处并非印刷错误。变化盲视盲视指的是大多数人（包括心理学家）常常高估自己察觉变化的能力。

2013 年，瑞典隆德大学的一组心理学家将魔术技法融进他们的实验中，从而创建了一种新的变化盲视范式。在实验中，他们会给参与者展示两张不同的人脸照片，照片与扑克牌一般大小。然后，他们会问参与者觉得哪张脸更有魅力。接下来，研究者假装将参与者所挑选的照片递给参与者，并且让他们解释自己为何做出这样的选择。事实上，研究者会通过一些隐蔽的手法，把并未选中的那张照片递给参与者。大多数参与者非但没有发现照片被调换了，还能给研究者讲出一大堆理由，来解释他们实际上并未做出的选择！这个现象被称作“选择盲视”（choice blindness）。

**误导范式——错漏幻觉**｜这一范式是由伦敦金史密斯学院的认知心理学家古斯塔夫·库恩发明的，明确地将无意视盲（视而不见）与误导联系在一起，是针对该课题的最早的心理学实验之一。观看者的视觉受到了干扰，未能看到打火机从手中掉了下去。

选择盲视的范围从相貌评价扩展到了审美判断、道德评判和消费选择。近年来，类似的实验还被用来操控政治立场——让保守派的参与者解释自由派的观点，让自由派的参与者解释保守派的观点。

选择盲视实验的发展，仅仅是魔术技法推进科学研究的例证之一。魔术师们已然在上千年的时间里通过各种手法进行实验，以制造出令人信服的沉浸式幻觉。很多魔术师都著述颇丰，从理论与实践的角度论述他们的技法。而运用这些广博又通常非正式的文本，并不是一项简单的工作。

实践证明，有一个概念框架对研究者而言是有用的，那就是任何一种魔术技法都可以被拆解为两个概念："效果"与"方法"。"效果"是观众的主观经验，"方法"则是用于完成魔术的实际操作机制。要让一个把戏有效，魔术师必须呈现出效果，同时还要隐藏真实的方法。用于隐藏方法的各种操作可以统称为"误导"。如果一场魔术表演得好，误导成功地隐藏了方法，观众就会感觉自己经历了某种似乎无法解释的事情，这种情况被一些魔术师称为"不可能事件之幻觉"（illusion of impossibility）。

举例来说，很多魔术师最早学会的魔术之一，就是让一个硬币之类的小东西"凭空消失"。在这个魔术中，效果是硬币看似无法解释地消失了，而其方法之一是"虚假转移"——表演者看似将硬币从一只手换到了另一只手中，实际上却悄悄地将其藏在原先那只手中。如果误导得到有效运用，观众就不会注意到，或者是不会记得，表演者将两只手在他们眼前握在了一起。对他们而言，硬币似乎无法解释地消失不见了——虽然他们也明白这种事在现实中不可能发生。

古斯塔夫·库恩博士（Dr Gustav Kuhn）是一位转做认知心理学家的魔术师。他发明了各种实验，通过误导和魔术手法来探索我们如何感知周遭的世界——误导何以使得人们无法看到眼前所发生的事情，甚至是看到根本就不存在的东西。他的几项实验用到了一种名为"眼动追踪"的科技。通过这项技术，科学家们能够监测参与者在观看魔术表演时的视线所在。在一项研究当中，观众看到表演者似乎让一根香烟和一只打火机"凭空消失"了。这个魔术的方法其实很简单：魔术师只是把香烟丢掉，让它掉在了桌子下面——观众看不到的地方。引人注意的是，眼动追踪的数据表明，一些观众实际上眼睁睁地看着香烟掉了下去，却无法意识到这一点。这项实验证明了一种复杂的"错漏幻觉"的存在，并把之前的工作拓展到了对"无意视盲"的研究。

库恩的另外一项研究用到了一个名为"抛球消

**抛球消失术——投射幻觉** | 该范式由古斯塔夫·库恩发明，来源于最早由诺曼·特里普利特（Norman Triplett）在 1909 年所描述的一种误导技法，可以让观众看到幻想中的物体。观众会跟随魔术师的视线看向上方（图 6A），从而导致一种假定，即球消失了。

失术”的魔术技法，以此阐释了同样的概念。参与者会看到一段录像，录像中一位魔术师将一个红色球扔到空中再接住。在扔了两次之后，魔术师又一次将球抛到了空中——只是这一次球并未落回他的手中，而是凭空消失了。事实上，魔术师并未将球抛到空中，他只是看起来做了抛球这个动作，而将球藏在了自己的手中。参与者错误地认为自己看到球离开了魔术师的手，然后凭空消失了。眼动追踪数据表明，如果魔术师假装用自己的眼睛看着假想的球抛了出去，制造的幻觉会更为强烈；如果在魔术师假装看球的时候，观众看着他的脸，就更容易受骗。库恩和他的合作者们提出，人们之所以看到了那个不存在的球，是因为他们的大脑错误地预判视觉信息——球会被抛出去，升到空中。这样的预期太过强烈，以至于他们无法将其与真实的画面区分开来。

当然，魔术并不只是控制人们的视觉感知。杰伊·奥尔森（Jay Olson）和他在麦吉尔大学的同事通过魔术技法开发出一种范式，用于研究精神控制的概念，或者至少是有关精神控制的幻觉。这些实验用到了一个精心设计的骗局：参与者被告知有一种机器能把想法植入他们的脑中。研究者让参与者选择任一数字，同时坐在一个大脑扫描仪中。然后，参与者告诉实验者他们想的数字是多少。当他们从扫描仪中出来之后，实验者会“揭晓”：他们所想的那个数字和机器通过程序植入的数字是同一个。事实上，大脑扫描仪是假的，而植入数字的揭晓是通过塞缪尔·约翰·达维在 19 世纪采用的石板传信戏法的变体完成的。然而，在被告知这个骗局之前，很多参与者都说自己强烈地感觉到机器在控制着他们的大脑。讽刺的是，这种强烈的感觉完全是参与者自己的大脑制造出来的。奥尔森和他的同事们认为，这种研究或许能够帮助我们发现新的方法，利用安慰剂式的效果给患者提供帮助。

还有一项研究，将两种魔术技法用到了神经成像技术当中。由本·A. 帕利斯（Ben A. Parris）带领的一组研究者给被试者看了一些无声的魔术表演录像，同时通过一种功能性磁共振成像（fMRI）机器将被试者的大脑活动记录了下来。结果显示，观看魔术似乎能激活人的前额皮质区域——这个区域通常和人们对有悖预期的事物的觉察有关。这样的实验有助于揭示，在面对反常的感知体验时，大脑如何生成相信和不信的感受。

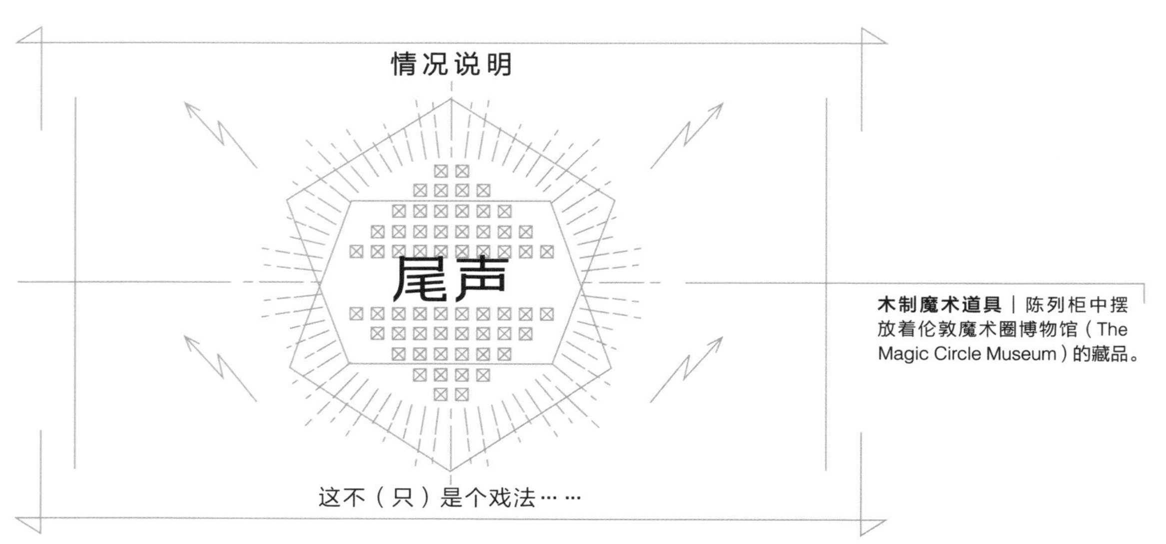

情况说明

# 尾声

这不（只）是个戏法……

**木制魔术道具** | 陈列柜中摆放着伦敦魔术圈博物馆（The Magic Circle Museum）的藏品。

在我从事实验心理学工作的过程中，常常要让志愿参与者去面对鲜活的幻觉体验。在某些方面，这令我怀念作为职业魔术师进行表演的旧时光——我设计实验的灵感通常都来自一手的魔术知识，这一事实更令我回想起从前。如同一场魔术表演，心理实验也需要仔细地设计桥段；实验的参与者，如同观看魔术表演的观众，通常对背后的工作一无所知。和大多数魔术表演不同，所有的心理实验最终都需要做出明确的"情况说明"。在很多情况下，实验者并不会在最开始就向参与者说明核心问题以及研究目标，因为这样的信息可能会让志愿者的反应产生倾向性，进而歪曲实验的结果。但同时，实验心理学家又有伦理层面的义务，去真实地呈现他们的工作。解决这一问题的方法是等到参与者完成之后再揭晓全部的真相。在幻觉研究中，参与者可能面临的情况是他们觉得刚才所发生的事与真实情况截然不同。

在情况说明刚刚开始的时候，参与者通常都会表示怀疑，有时也会表现出超乎想象的惊讶。他们想知道自己怎么会犯如此明显的错误。他们明明身体健康，心智正常，怎么会没看见屏幕上的图像呢？怎么会看见实际上根本没有存在过的东西呢？作为一名实验者，我的部分工作就是让人们不要担心，告诉他们这些幻觉体验都是非常正常的。我们不应当把幻觉看作我们认知系统失常的表现，而应当看作一种证据，证明我们的大脑是极为专业并具有高度适应性的。对外界刺激无法察觉的情况时常发生，原因在于我们的大脑擅于过滤无关的信息。而看到并不存在的东西，可以说明我们的大脑如何预测模式与变动，从而加强我们与周遭世界互动的能力。幻觉是可能的，因为如同任何一种复杂的体系，我们的大脑会呈现出一些结构上的怪异之处——但在我们的日常生活中，这些通常是适应性的或微不足道的。

魔术技法与误导技巧就是利用这些怪异之处。我们既可以称之为善意的娱乐，也可以称之为恶意的欺骗，抑或介于两者之间。通常来说，如果一件事情看似从根本上违背了确立已久的物理定律，那你极有可能是在以一个非常特殊的视角体验这件事情的发生。超自然体验会给人带来极为深刻的感受，引发恐惧或慰藉等种种情绪。毋庸置疑，这些感受本身是真实的，但重要的是，这些体验背后的机制通常并非如其表面所示。在魔术表演中，幻觉可以是无伤大雅的娱乐；但在灵媒演示中，同样的幻觉可以是危险和侵犯性的，其意图是去利用那些情绪脆弱的人。

同样地，仅仅因为某些超自然事件——比如降灵会上的桌子在倾斜、床角出现鬼影、镜中闪过魔鬼的面孔——可以通过已知的魔术技法或心理学现象进行解释（或复制），并不能理所当然地推论出所有超自然体验都是站不住脚的。科学无法提供所有的答案。而且，我们仍然无法充分理解和解释人类经验中的很多面向。没有哪个心理学家可以声称，现有的科学能够完美地解释人类的大脑如何构建起意识经验。但是，有些事情在今天无法解释，并不意味着永远无法解释。而且，对反常体验以及魔术幻觉仔细、审慎的调查，能帮助我们理解心智之所是。这些研究还在进行当中，也将继续帮助扩充我们的知识——不仅仅是关于幻觉，更关于所有的意识。

最后，仅仅因为有的东西是戏法或幻觉，并不能说它就不美妙。对不可思议的现象感到惊奇和对其背后原理进行解释并不冲突。魔术把戏能唤起非同一般的体验，而对魔术机制的理解，也是很美妙的，即使是原理相对简单的魔术。用作家特里·普拉切特（Terry Pratchett）的话作结：魔术不会因为你知道了它是如何做到的，就不再是魔术。

**一位女先知的物品** | 这个箱子属于乔安娜·索斯科特( Joanna Southcott)，她自称是先知，在其有生之年有数千名追随者。这个箱子由哈利 · 普莱斯 1927 年 7 月 11 日在伦敦威斯敏斯特的圣公会大楼（Church House）中打开。他在其中发现了很多物品，如对页图中所示。其中包括一顶带拉绳的刺绣睡帽、一个带有小珠配饰的深绿色钱包、一个带环的金属解

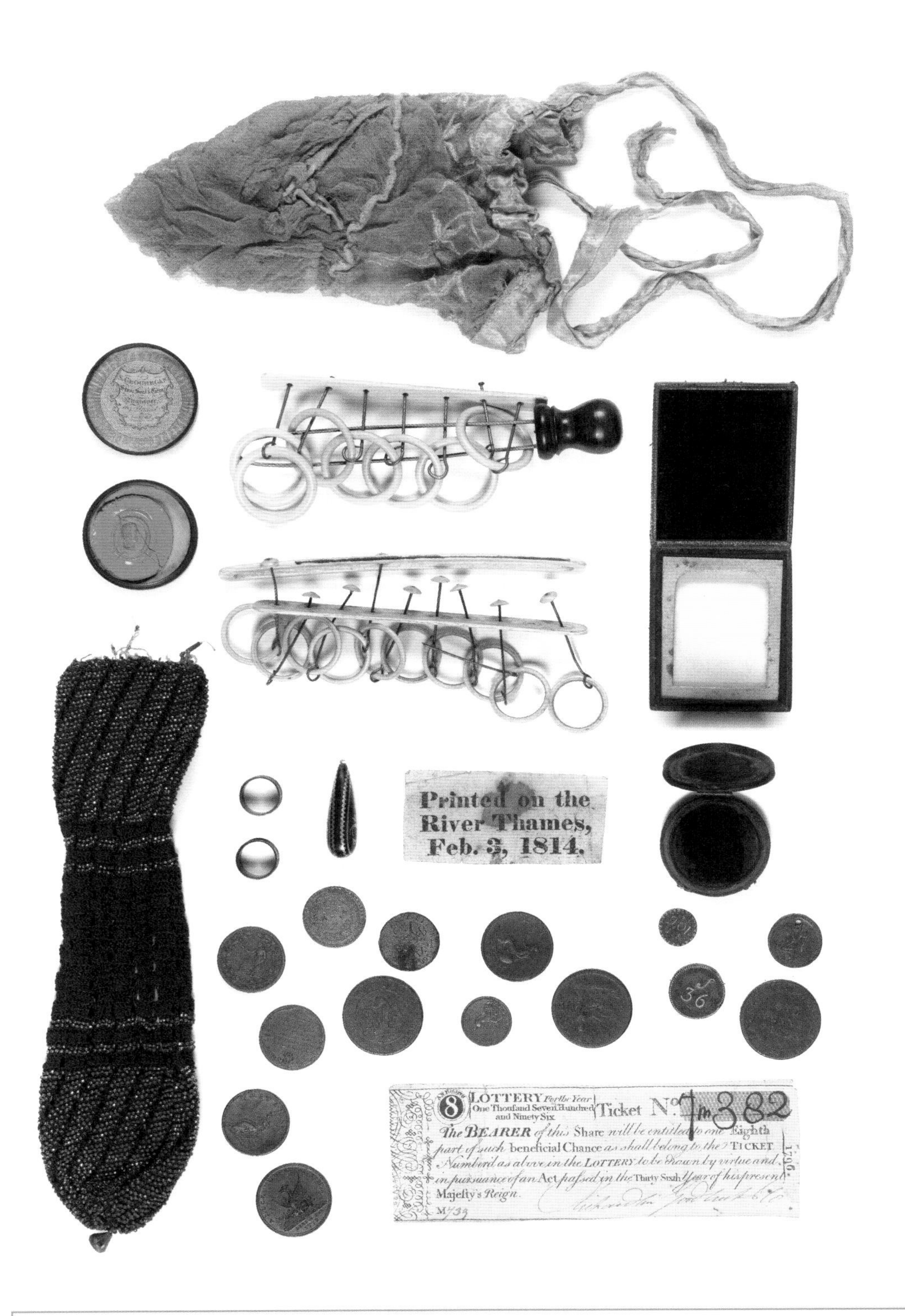


迷物品、一个用于装达盖尔银版法相片的空相框、一张彩票、一张纸——上面写着“1814 年 2 月 3 日印于泰晤士河畔”、一副黑色水滴状的镶金圈耳环、两个圆形的盒子（一个装着红蜡封印，印着一个男人右向的侧面剪影）、两个小小的金属环，以及各种硬币和徽章。

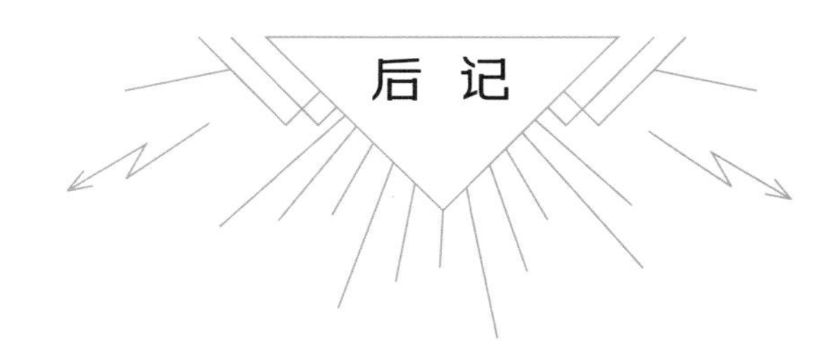


# 后记

A. R. HOPWOOD & HONOR BEDDARD

## A. R. 霍普伍德与奥诺·贝德阿德

“迷雾幻镜”展策展人

“迷雾幻镜：魔术的心理学”展（*Smoke & Mirrors: The Psychology of Magic*）在惠康博物馆（Wellcome Collection）开展的同时，《以眼还眼》一书也首次出版。从 19 世纪杂耍的精彩纷呈到如今著名魔术师的致幻表演，这场展览考察了与魔术的遭遇所揭示出的人类心智。

观看魔术师表演魔术，感觉就像是看着不可能之事在我们眼前发生。硬币凭空消失，物件穿墙而过，逃脱大师解开了身上的死结。但是，究竟是“魔术”的什么让我们欲罢不能？为何我们的感官能如此轻易被蒙蔽？我们已有的认知如何影响我们与魔术的遭遇？而且，最令人困惑的是，即使面对有理有据的解释，为何我们当中仍有很多人坚信眼前发生的是更为神秘的事情？

纵观历史，魔术师们表现出对人类大脑运作方式的直觉性理解，他们利用我们对感官的过分自信，以及我们自以为所感知之物（无所不包）与我们真实所感（必然非常非常少）之间的鸿沟，从而上演了辉煌的魔术表演。与之形成对比的是，自过去的几十年起，科学家们才开始意识到魔术的潜力所在——一种研究认知发展的强大工具。正如这场展览所呈现的，这一相对而言较新的研究领域是历史的最新发展。这一历史可以追溯至 19 世纪超自然现象的风靡，以及与之相伴的作为一门职业的科学的诞生，还有娱乐业的昌盛。

19 世纪末 20 世纪初，战争与疫病造成了巨大的破坏，尸魂遍野。这让民众间升腾起对现代招魂术的兴趣。很多人参加降灵会，希冀与亡者交流；新的摄影技术试图捕捉肉眼不可见的灵魂现身。同时，对未知永无止境的好奇也让观众纷纷来到剧院里——在那里，维多利亚的魔术师们上演了无比成功、盈利颇丰且观众喜闻乐见的舞台表演，重现了那些“超自然”现象。但是，当界限变得模糊，“非魔术师”也使用同样的把戏——这一时期的一些灵媒就遭到了这样的指控——事情会变得怎样呢？如果两者的界线是不确定的，在有的表演中，表演者促成了“怀疑终止”（suspension of disbelief）；而在有的表演中，灵媒则制造出“再度确信”（affirmation of belief），那会带来什么样的结果，历史上的魔术师又是怎样挑战这种做法的呢？

20 世纪之交，魔术师和早期的灵异研究者们走到了一起，他们共同设计实验方法论，以检验那些降灵会上产生的“证据”。他们的调查极大地丰富了早期的心理学知识，探索了我们如何处理自己的个体经验，同时也提出问题，即我们为何倾向于为非同寻常的现象找到错误的原因。他们的目标——揭示降灵会的欺骗性——未必就是摒弃对超自然的信仰，而是一种道德的旨归，即希望能够教化与告诫大众。实验与挑战抓住了大众的想象，著名灵媒、学究气的灵异研究者、广受欢迎的魔术师——这三者之间的冲突总是占据着头版头条。

这场展览展出的物件包括：蜡制的指印，据说是亡者在降灵会上留下来的；照片，拍摄了魔术师在测试时给灵媒的身体所施加的束缚。这些物件揭示了严格的科学控制与降灵会的视觉奇观之间的鲜明对比。随着灵媒闻名国际，他们吸引人眼球的表演与对真实性的强调，似乎共同决定了降灵会体验的根本性质。一切看似真实地发生了，但同时又只是一场表演——这揭示了我们将不一致的信念合理化的能力。为什么在没有令人信服的客观证据的情况下，甚至是在有清楚明确、广为人知的反面证据的情况下，人们仍然选择相信?

伦敦金史密斯学院魔术科学协会的当代研究者们就考察了这样的问题，同时通过一系列实验探索误导的本质——这些实验运用魔术师的技巧来控制观众的注意力。尽管很多舞台幻术师巧妙地将我们的视线引向某一个特殊的物体或事件，与此同时让我们忽视其他的物体和事件，但研究者们通过眼动追踪仪器发现，哪怕我们直视着眼前显而易见的把戏，我们依然会视而不见。既然误导手法如此简单又如此容易被忽视，那么，如果魔术师通过更为复杂的误导形式，利用我们的感知局限，又会发生些什么呢? 汤米·库柏（Tommy Cooper）周详的舞台规划表明，他在表演中的滑稽举动实际上是另一个层面的掩人耳目——对女助理（被默认为是男性魔术师的副手）的列队点名使得大多数人不会怀疑她们才是魔术背后真正的智囊担当。

加拿大麦吉尔大学的科学家在 2015 年发布了一项研究，名为“一种魔术，不同年龄，不同说法”（Explanations of a Magic Trick across the Life Span），考察了儿童和成人如何为魔术找理由，以及他们对世界的不同期待与假设如何导致他们对魔术的不同需求。他们指出，儿童通常搬出超能力来解释魔术的效果，而成人则试图通过错误的“心理学”或“科学”推理来解释魔术。一些当代的心灵主义者（mentalists）极力用伪心理学的说辞解释简单的魔术，现代的观众能够抗拒这种叙事的诱惑吗?

魔术科学帮助我们洞察大脑如何工作，这不仅深化了对人类认知的研究，还让我们对自身易受魔术影响这一点有了更多的了解。对于早期灵异研究者的远大目标以及新生的心理学学科来说，魔术师—调查者这一人群是至关重要的。作为欺骗大师，他们知道骗术能够和信念一起构造出强有力、有感染力且令人信服的叙事。在当下这个“假消息”已然成为武器的政治时代，这一见解仍然有着举足轻重的意义。

这场展览以及这本书所呈现的来自上世纪的魔术道具包括很多相同的技法。这表明，尽管时变境迁，但人类对魔术的接受却始终如一。尤其是这还让我们看到，了解如何变魔术，学习魔术知识，或许并不妨碍我们对魔术的体验。理性与非理性并不是互相对立的，而是彼此构成非常复杂的关系——这个关系正是人类体验的核心所在。魔术师们直觉认为我们接收信息的方式会影响我们的信念。正是这种对人类行为切近且批判性的审视，使得魔术师们能够创造出如此强烈且持久的幻觉奇观。

# 注释


**第一幕**

Davenport, R. B., The death-blow to spiritualism: Being the true story of the Fox sisters, as revealed by authority of Margaret Fox Kane and Catherine Fox Jencken (New York: G. W. Dillingham, 1888)
Davis, A. J., Principles of Nature, Her Divine Revelations, and a Voice to Mankind (New York: S. S. Lyon & W. M. Fishbough, 1847)
Gauld, A., A history of hypnotism (Cambridge: Cambridge University Press, 1992)
Houdini, H., A magician among the spirits (New York: Harper, 1924)
Lewis, E. E., A Report of the mysterious noises heard in the house of Mr John D. Fox, in Hydesville, Arcadia, Wayne County, authenticated by certificates and confirmed by the citizens of that place and vicinity (Canandaigua: E. E. Lewis, 1848)

**第二幕**

Christopher, M., The illustrated history of magic (New York: T. Y. Crowell, 1973)
Doyle, A. C., The edge of the unknown (London: J. Murray, 1930)
Hearing testimony from Harry Houdini on HR 8989, a bill to impose a fine on fraudulent fortune tellers in the district of Columbia (HR 69a-d7), 20 March 1926, Records of the US House of Representatives
Lamont, P., Extraordinary beliefs: A historical approach to a psychological problem (Cambridge: Cambridge University Press, 2013)
Robert-Houdin, J. E., Les secrets de la prestidigitation et de la magie: Comment on devient sorcier [ The secrets of conjuring and magic: how to become a magician ] (Paris: Michel Lévy Frères, 1868)
Scot, R., The discoverie of witchcraft (London: William Brome, 1584)
Steinmeyer, J., Hiding the elephant: How magicians invented the impossible (London: Arrow Books, 2005)

**第三幕**

Andersen, M., Nielbo, K. L., Schjoedt, U., Pfeiffer, T., Roepstorff, A., and Sørensen, J., 'Predictive minds in Ouija board sessions', Phenomenology and the Cognitive Sciences, (2018), 1–12
Binet, A., 'Psychology of prestidigitation' (trans. M. Nichols), Annual Report of the Board of Regents of the Smithsonian Institution, (1894)
Carpenter, W. B., 'On the influence of suggestion in modifying and directing muscular movement, independently of volition', Proceedings of the Royal Institution, 1, (1852), 147–54
Crookes, W., 'Notes of an enquiry into the phenomena called spiritual, during the years 1870–73', Quarterly Journal of Science, (1874)
Davey, S. J., 'The possibilities of mal-observation and lapse of memory from a practical point of view: Experimental investigation', Proceedings of the Society for Psychical Research, 4, (1887), 381–495
Faraday, M., 'Experimental investigation of table moving', The Athenaeum, (1853), 801–03
Gauchou, H. L., R. A. Rensink, and S. Fels, 'Expression of nonconscious knowledge via ideomotor actions', Consciousness and cognition, 21 (2), (2012), 976–82
James, W., 'Address of the president before the Society for Psychical Research', Science, 3, (1896), 881–88
Jastrow, J., 'Psychological notes upon sleight-of-hand experts', Science, 3, (1869), 685–89
Jastrow, J., 'The psychology of deception', Popular Science Monthly, 34, (1888), 145–57
Lodge, O., Past years. An autobiography (London: Hodder and Stoughton Limited, 1931)
Loftus, E. F., 'Planting misinformation in the human mind: A 30-year investigation of the malleability of memory', Learning & Memory, 12 (4), (2005), 361–66
Mack, A., and I. Rock, Inattentional blindness (Cambridge, MA: MIT Press, 1998)
Massey, C. C. (trans.), Transcendental physics, an account of experimental investigations from the scientific treatises of Johann Carl Friedrich Zöllner (London: W. H. Harrison, 1880)
Shaw, J., and S. Porter, 'Constructing rich false memories of committing crime', Psychological Science, 26 (3), (2015), 291–301
Thomas, C., A. Didierjean, and S. Nicolas, 'Scientific study of magic: Binet's pioneering approach based on observations and chronophotography', American Journal of Psychology, 129, (2016), 313–26
Wundt, W., 'Spiritualism as a scientific question' (trans. E. D. Mead), Popular Science Monthly, 15, (1879), 577–93

**第四幕**

Bem, D. J., 'Feeling the future: experimental evidence for anomalous retroactive influences on cognition and affect', Journal of Personality and Social Psychology, 100 (3), (2011), 407
Price, H., Leaves from a Psychist's Case-Book (London: Victor Gollancz Ltd, 1933)
Randi, J., The faith healers (Buffalo: Prometheus Books, 1987)
Randi, J., The magic of Uri Geller (New York: Ballantine Books, 1975)
Randi, J., 'The project alpha experiment: Part 1: the first two years', Skeptical Inquirer, 7 (4), (1983), 24–33
Randi, J., 'The project alpha experiment: Part 2: beyond the laboratory', Skeptical Inquirer, 8 (1), (1983), 36–45
Rhine, J. B., Extrasensory Perception (Boston: Boston Society for Psychic Research, 1934)
Ritchie, S. J., R. Wiseman, and C. C. French, 'Failing the future: Three unsuccessful attempts to replicate Bem's "Retroactive Facilitation of Recall Effect"', PloS One, 7 (3), (2012), e33423
Truzzi, M., 'Reflections on "Project Alpha": Scientific experiment or conjuror's illusion?', Zetetic Scholar, 12 (13), (1987), 73–98
Watt, C., Parapsychology: A beginner's guide (London: Oneworld Publications, 2016)

**第五幕**

Beard, G. M., 'The psychology of spiritism', The North American Review, 129 (272), (1979), 65–80
Caputo, G. B., 'Strange-face-in-the-mirror illusion', Perception, 39 (7), (2010), 1007–08
Downs, T. N. and (eds.) J. N. Hilliard, The Art of Magic (Chicago: Arthur P. Felsman, 1909)
French, C. C., and A. Stone, Anomalistic psychology: Exploring paranormal belief and experience (Basingstoke: Palgrave Macmillan, 2013)
Johansson, P., Hall, L., Sikstrom, S., & Olsson, A., 'Failure to detect mismatches between intention and outcome in a simple decision task', Science, 310, (2005), 116–19
Kuhn, G. and Land, M. F., 'There's more to magic than meets the eye!', Current Biology, 16, (2006), R950.
Kuhn, G. and Tatler, B. W., 'Magic and fixation: Now you don't see it, now you do', Perception, 34, (2005), 1153–61
Olson, J. A., M. Landry, K. Appourchaux, and A. Raz, 'Simulated thought insertion: Influencing the sense of agency using deception and magic', Consciousness and Cognition, 43, (2016), 11–26
Parris, B. A., G. Kuhn, G. A. Mizon, A. Benattayallah, and T. L. Hodgson, 'Imaging the impossible: An fMRI study of impossible causal relationships in magic tricks', Neuroimage, 45, (2009), 1033–39
Rensink, R. A., and G. Kuhn, 'A framework for using magic to study the mind', Frontiers in Psychology, 5, (2014), 1508
Rensink, R. A., J. K. O'Regan, and J. J. Clark, 'To see or not to see: The need for attention to perceive changes in scenes', Psychological science, 8 (5), (1997), 368–73

**尾声**

Pratchett, T., The Wee Free Men (London: Doubleday 2003)

**后记**

Olson J. A., Demacheva I. & Raz A., 'Explanations of a magic trick across the life span', Frontiers in Psychology, 6, (2015), 219

# 图像来源

All images courtesy of Wellcome Library, London, unless stated otherwise. All objects from Senate House Library, University of London, and The Magic Circle photographed by the Wellcome Collection Digitisation team. Key: a=above, c=centre, b=below, l=left, r=right

2, 6–7, 10–11, 12 © Images reproduced courtesy of Senate House Library, University of London; 8–9, 16–17, 18c Library of Congress Prints and Photographs Division Washington, D.C.; 18r private collection; 19l The mortal remains of Emanuel Swedenborg, Johan Vilhelm Hultkrantz, Upsala: University Press, 1910; 19c private collection; 19r Andrew Jackson Davis; 21a Gilman Collection, Gift of The Howard Gilman Foundation, 2005; 21b private collection; 22al Prof. L.A. Harraden' s complete mail course of twenty illustrated lessons in hypnotism, L.A. Harraden, 1899; 22ar, bl Practical lessons in hypnotism, Thompson & Thomas, William Wesley Cook, 1901; 22br Mesmerism, Mind Reading, Hypnotism And Spiritualism, How to Hypnotize, Johnson Smith & Company, 1933; 23al Practical Hypnotism: A Complete Treatise On Hypnotism. What it is, what it can do and how to do it, Johnson Smith & Company; 23ar, bl Practical lessons in hypnotism, Thompson & Thomas, William Wesley Cook, 1901; 23br Practical lessons in hypnotism & magnetism, L.W. DeLaurence, 1902; 24 A stellar key to the summer land, Andrew Jackson Davis, William White & Co, 1867; 26l Daguerreotype by Thomas M. Easterly, 1852; 26r National Spiritualist Association of Churches; 27l Photograph by H. Mairet, 1898; 27r private collection; 28 © Images reproduced courtesy of Senate House Library, University of London; 29 Permission courtesy of The Magic Circle, London; 30–31 Eine Geistersoiree: illustriertes Prachtwerk; 10 Lichtdrucke nach Original-Aufnahme des Herrn F.A. Dahlström, Jacoby-Harms, Dorn & Merfeld, 1886; 32–35, 37 © Images reproduced courtesy of Senate House Library, University of London; 38 Psychography; marvelous manifestations of psychic power given through the mediumship of Fred P. Evans, known as the 'independent slate-writer' , J.J. Owen, Hicks-Judd co, 1893; 39, 41 © Images reproduced courtesy of Senate House Library, University of London; 42 The J. Paul Getty Museum; 44–47 © Images reproduced courtesy of Senate House Library, University of London; 48 From the collection of the Society for Psychical Research, reproduced by kind permission of the Syndics of Cambridge University Library SPR/54/4; 50–51 © Images reproduced courtesy of Senate House Library, University of London; 52–53 Library of Congress Prints and Photographs Division Washington, D.C.; 54l The discouerie of witchcraft, Reginald Scott, 1584; 54c The Unmasking of Robert-Houdin, Harry Houdini, New York: Publishers Printing Co., 1908; 54r, 55 private collection; 56 Hocus pocus junior: the anatomie of legerdemain, printed by T.H. [ arper ] for R.M. [ ab ] , 1635; 57 Supplément à la Magie blanche dévoilée ... Contenant l' explication de plusieurs tours nouveauz, Henri Decremps, 1785; 58 Die natürliche Magie: aus allerhand belustigenden und nützlichen Kunststücken bestehend, Johann Christian Wiegleb, Johann Nikolaus Martius, 1789; 59 Mémoires: récréatifs, scientifiques et anecdotiques, Etienne Gaspard Robertson, Chez l' auteur et à la Librairie de Wurtz, 1833; 60l DEA/BIBLIOTECA AMBROSIANA/Getty Images; 60r Chronicle/Alamy Stock Photo; 61 De Agostini/Biblioteca Ambrosiana; 62–63 Magic; stage illusions and scientific diversions, including trick photography, Albert A Hopkins, Henry Ridgely Evans, 1897; 64–65 The Rory Feldman Collection; 67 Victoria & Albert Museum, London, UK/Bridgeman Images; 68 The Davenport brothers, Ira Davenport, Boston: W. White and company, 1869; 69 © Images reproduced courtesy of Senate House Library, University of London; 70–71 Photo by Hulton Archive/Getty Images; 72, 74 British Library, London, UK/© British Library Board. All Rights Reserved/Bridgeman Images; 75 © Museum of London; 76 Permission courtesy of The Magic Circle, London; 77 Photo by Topical Press Agency/Getty Images; 78 Permission courtesy of The Magic Circle, London; 79 Universal Art Archive/Alamy Stock Photo; 80 British Pathé Ltd.; 81a, 81c Photo by Edward G. Malindine/Topical Press Agency/Hulton Archive/Getty Images; 81b Photo by E. Bacon/Topical Press Agency/Hulton Archive/Getty Images; 82 private collection; 83–85 © Images reproduced by courtesy of Senate House Library, University of London; 86 Library of Congress Prints and Photographs Division Washington, D.C.; 87 Granger Historical Picture Archive/Alamy Stock Photo; 88–89 Heritage Images/Fine Art Images/akg-images; 90 Permission courtesy of The Magic Circle, London; 91 Photo by Fox Photos/Hulton Archive/Getty Images; 92l Library of Congress Prints and Photographs Division Washington, D.C.; 92c Courtesy of The Post-Crescent; 92r Everett Collection Inc/Alamy Stock Photo; 93l Photo by Library of Congress/Corbis/VCG via Getty Images; 93c Bettmann/Getty Images; 93r McCord Museum M2014.128.703.29; 94 Library of Congress Prints and Photographs Division Washington, D.C.; 95 Photo by Buyenlarge/Getty Images; 96–97 Copperfield Collection, Photo: Glenn Castellano; 98–99 Library of Congress Prints and Photographs Division Washington, D.C.; 100 Permission courtesy of The Magic Circle, London; 101 Library of Congress Prints and Photographs Division Washington, D.C.; 102 International Feature Service Inc., Great Britain, 1929; 103 © Images reproduced by courtesy of Senate House Library, University of London; 104al, bl Photo courtesy Library of Congress/Getty Images; 104ar, br, 105 © Images reproduced courtesy of Senate House Library, University of London; 106 private collection; 107 McCord Museum M2014.128.898; 108l Granger Historical Picture Archive/Alamy Stock Photo; 108r Photo by The Print Collector/Getty Images; 109l, c Phantasms of the living, Edmund Gurney, Frederick W. H. Myers, Frank Podmore, Rooms of the Society for psychical research, Trübner and co, 1886; 110–111 Science Museum/Science & Society Picture Library; 112–113 Nikola Tesla Museum/Science Photo Library; 114l © National Portrait Gallery, London; 114c Spiritism and Psychology, Théodore Flournoy, Harper & Brothers, 1911; 114r MS Am 1092 (1185), Houghton Library, Harvard University; 116 The Principles of Psychology, William James, H. Holt, 1890; 117 The mysteries of human nature explained by a new system of nervous physiology, James Stanley Grimes, James Munroe and Company, 1860; 118–119 Twixt two worlds: a narrative of the life and work of William Eglinton, John Stephen Farmer, Psychological Press, 1886; 120 Researches in the phenomena of spiritualism, William Crookes, J. Burns, 1874; 121 Chronicle/Alamy Stock Photo; 122–123 British Library, London, UK/© British Library Board. All Rights Reserved/Bridgeman Images; 124l, c private collection; 124r Chronicle/Alamy Stock Photo; 125l Photo by © Hulton-Deutsch Collection/CORBIS/Corbis via Getty Images; 125c Moderne Wunder, Carl Willmann, Verlag und Druck von Otto Spamer, 1897; 125r Wundt research group, c. 1880; 126–128 © Images reproduced courtesy of Senate House Library, University of London; 133 Moderne Wunder, Carl Willmann, Verlag und Druck von Otto Spamer, 1897; 134–135 © Images reproduced courtesy of Senate House Library, University of London; 136l © National Portrait Gallery, London; 136c Photograph by Herbert Rose Barraud; 136r Chronicle/Alamy Stock Photo; 137 Revelations of a spirit medium, Elijah Farrington, Charles Pidgeon, Harry Price, Eric Dingwall, Trench K. Paul, New York: E. P. Dutton & co., 1922; 138–140 © Images reproduced courtesy of Senate House Library, University of London; 141, 142 Mary Evans Picture Library/Harry Price; 143, 145, 146–147 © Images reproduced courtesy of Senate House Library, University of London; 148–149 Sven Türck; 150l © Images reproduced courtesy of Senate House Library, University of London; 150r A discovery concerning ghosts, with a rap at the 'spirit-rappers' , George Cruikshank, 1863; 151l Photo by Found Image Holdings/Corbis via Getty Images; 151r © James Mollison; 152 Eugene Orlando, Museum of Talking Boards, museumoftalkingboards.com; 153–155 © Images reproduced courtesy of Senate House Library, University of London; 156l Flegende Blätter, 23 October 1892; 156c 'Joseph Jastrow' . History of the Marine Biological Laboratory. http://hpsrepository.asu.edu/handle/10776/2988. 1934; 156r, 157l Magic; stage illusions and scientific diversions, including trick photography, Albert A Hopkins, Henry Ridgely Evans, 1897; 157r Courtesy of Bibliothèque Henri Piéron, Paris Descartes University; 158a McCord Museum M2014.128.284; 158c private collection; 158b, 159 Library of Congress Prints and Photographs Division Washington, D.C.; 160a Le Voyage dans La Lune, Georges Méliès, 1902; 160b The Eclipse, or the Courtship of the Sun and Moon, Georges Méliès, 1907; 161 Bibliothèque nationale de France, ENT DN-1 (LEVY,Charles)-FT6; 162–163 Bibliothèque nationale de France, département Estampes et photographie, EI-13 (2769); 164–165 Library of Congress Prints and Photographs Division Washington, D.C.; 166 Mary Evans Picture Library/Harry Price; 167l Charles Walker Collection/Alamy Stock Photo; 167r Mary Evans Picture Library/Harry Price; 168–169 University of Manitoba Archives & Special Collections, Hamilton Family fonds, Winnipeg Canada; 170–171 From the collection of the Society for Psychical Research, reproduced by kind permission of the Syndics of Cambridge University Library SPR/54/5; 172–173 © Images reproduced by courtesy of Senate House Library, University of London; 174–175 From the collection of the Society for Psychical Research, reproduced by kind permission of the Syndics of Cambridge University Library SPR/39/14; 176–177 From the collection of the Society for Psychical Research, reproduced by kind permission of the Syndics of Cambridge University Library SPR/Thumbprints; 179l Photograph of J.B Rhine, The Records of the Parapsychology Laboratory, 1893–1984, David M. Rubenstein Rare Book & Manuscript Library, Duke University; 179r Photograph by Francis Wickware; 180–181 From the collection of the Society for Psychical Research, reproduced by kind permission of the Syndics of Cambridge University Library SPR/62/3; 182–185 © Images reproduced courtesy of Senate House Library, University of London; 186 New Frontiers of the Mind, J.B. Rhine, Faber & Faber, 1937; 187 Analysis And Assessment Of Gateway Process, Cia-Rdp96-00788r001700210016-5; 188 Permission courtesy of The Magic Circle, London; 189, 190 Mary Evans Picture Library/Harry Price; 191 Graham Morris/www.cricketpix.com; 192l Photo by Ron Burton/Getty Images; 192r Bettmann/Getty Images; 193l The Illuminated Showman; 193c, 193r Robert Sheaffer; 194 U.S. National Archives and Records Administration; 195 Photo by Ed Clark/The LIFE Picture Collection/Getty Images; 196–197 Library of Congress Prints and Photographs Division Washington, D.C.; 198–199 'The Mind' s Eye' , Joseph Jastrow, Popular Science Monthly, Volume 54, January 1899; 200 Bautsch; 201 © Akiyoshi Kitaoka 2003; 202–203 Optical illusions of motion, Henry Pickering Bowditch, Cambridge University Press, 1882; 206l Photo by Henry Groskinsky/The LIFE Images Collection/Getty Images; 206r Bettmann/Getty Images; 207l Book of Research; 207r Photo by Omar Marques/Anadolu Agency/Getty Images; 209–210 private collection; 212–213 Friebertshauser, Allison; Teszka, Robert; Kuhn, Gustav (2014): Eyetracking Magic Video Stimuli Summaries; 214–215 Permission courtesy of The Magic Circle, London; 216–217 © Images reproduced courtesy of Senate House Library, University of London; 224 Hocus pocus junior: the anatomie of legerdemain, printed by T.H. [ arper ] for R.M. [ ab ] , 1635

# 索引

斜体数字代表图片所在页面

## 作者简介

马修·L. 汤普金斯博士，美国魔术师，后转为实验心理学家，于牛津大学实验心理学专业获得哲学博士学位。此前，他于纽约州立大学杰纳西奥分校获得心理学学士学位，于牛津大学获得心理学研究理科硕士学位。他的研究被各种国际媒体报道，包括《华盛顿邮报》(*Washington Post*)和“英广未来”( BBC Future)。他主要关注有关幻觉的认知心理学。近年来，他成为“魔术圈”首位因为写就了一本经同行审议的著作而加入的成员。除了实证研究，他还就深奥的科学及历史问题撰写文章，如闹鬼、巫师审判、第四维度灵魂实体、幻想中的口袋妖怪。登录 matt-tompkins.com 查阅更多信息。

**wellcome collection**

## 惠康博物馆

惠康博物馆是一家免费的展馆和图书馆，旨在帮助人们重新审视对于健康的想法和感受。亨利·惠康收藏的各种医疗用品和珍品奇物，使得惠康博物馆成为连接科学、医学、生活与艺术的桥梁。博物馆隶属于惠康基金会，这是一家全球慈善基金会，宗旨是通过促进先进理念的发展，增进所有人的健康福祉。基金会资助了超过七十个国家的研究项目。


## 致谢

感谢泰晤士与哈德逊出版社的 Jane Laing、Phoebe Lindsley 和 Tristan de Lancey；感谢艺术家 A. R. 霍普伍德(www.arhopwood.com)和惠康博物馆的奥诺·贝德阿德。特别要感谢魔术科学协会的每一位同仁，与他们之间的深入探讨启发了本书的很多观点。

献给 Lisa Smårs

泰晤士与哈德逊出版社在此感谢惠康博物馆的 Francesca Barrie 和 Kirty Topiwala；惠康的摄影师 Steve Pocock 和 Richard Everett；感谢惠康博物馆的策展人 A. R. 霍普伍德和奥诺·贝德阿德；魔术圈的 Jonathan Allen 和 Scott Penrose；感谢伦敦大学图书馆的 Dean Hanlon 和 Charles Harrowell；感谢剑桥大学图书馆的 Dominiki Papadimitriou 和 Johanna Ward。

感谢字体公司 Velvetyne Type Foundry，感谢 Martin Desinde 开发的 Combat 字体和 Jérémy Landes 开发的 Solide Mirage 字体。

中文版特别感谢 Mr. Moro Wong。


好奇即本能，探索即欲望

图书在版编目（CIP）数据

以眼还眼 /（美）马修 · L. 汤普金斯（Matthew L. Tompkins）著；栾志超译 . -- 上海 : 上海三联书店 , 2023.2

ISBN 978-7-5426-7974-1

Ⅰ . ①以… Ⅱ . ①马… ②栾… Ⅲ . ①魔术—基本知识 Ⅳ . ① J838

中国版本图书馆 CIP 数据核字（2022）第 233704 号

以眼还眼
［美］马修 · L.汤普金斯 著　栾志超 译

责任编辑 / 张静乔
特约编辑 / 马步匀　董　婧
责任校对 / 张大伟
责任印制 / 姚　军
装帧设计 / 高　熹
内文制作 / 陈基胜

出版发行 / 上海三联书店
（200030）上海市漕溪北路331号A座6楼
邮购电话 / 021-22895540
印　　刷 / 中华商务联合印刷（广东）有限公司

版　　次 / 2023 年 2 月第 1 版
印　　次 / 2023 年 2 月第 1 次印刷
开　　本 / 710mm × 1000mm　1/16
字　　数 / 237千字
印　　张 / 14
书　　号 / ISBN　978-7-5426-7974-1/J · 395
定　　价 / 198.00元